D1540303

Re-vive l'Empereur !

Romain Puértolas

RE**VIVE L'EMPEREUR !**

le dilettante
7, place de l'Odéon
Paris 6ᵉ

ISBN 978-2-84263-845-0

Pour papa, ce génie de la guerre,
pour maman, cette génie de la fête.

Heureusement, il y a Findus... Findus!
Publicité des années 80

Un cœur, c'est un peu comme un gros chapeau.
Napoléon Bonaparte

Napoléon découvre le Coca Light

Le premier mot que prononça Napoléon Bonaparte, à bord du vol Scandinavian Airlines SK0407 qui devait le ramener en France après deux siècles d'absence, fut un mot américain.

– Coca-Cola.

Ce mot n'évoquait encore rien pour lui, si ce n'est l'étrange arabesque dessinée en lettres blanches sur fond rouge qui illustrait cette drôle de gourde cylindrique posée sur la tablette de son voisin. Et alors que l'hôtesse de l'air, une grande blonde saucissonnée dans un uniforme bleu trop étroit pour elle et portant un petit chapeau en forme de boîte de camembert, fouillait dans le tiroir de son chariot, il répéta le mot à voix basse, à la manière d'une incantation, pour essayer d'en capturer toute l'essence et d'imaginer le goût de ce jus noirâtre qui pétillait, dans le gobelet d'à côté, telles les gerbes de poudre explosive qui avaient illuminé la forteresse de la Bastille en ce lointain après-midi du mardi 14 juillet 1789. Il n'avait alors que vingt ans, mais jamais il n'avait oublié.

Coca-Cola.

L'ancien Empereur n'aurait jamais pensé avoir à parler de nouveau anglais un jour, d'abord parce qu'il s'était cru mort et que les morts, jusqu'à preuve du contraire, ne parlaient pas, que ce soit dans la langue de Shakespeare ou dans aucune autre d'ailleurs, ensuite parce qu'il éprouvait à l'égard de ce peuple aux joues roses et à l'accent pédant une rancœur sans limites que de longues années de guerre puis d'exil avaient eu le temps d'aviver.

– Normal, Zéro, Light, Cherry? Avec ou sans glaçons? Une rondelle de citron? Une olive verte? Un petit parasol? demanda l'hôtesse dans un français plus que correct, avec un grand sourire, alors qu'elle s'inclinait sur ce petit être glabre qui, enfoncé dans son siège, paraissait plus un enfant qu'un adulte.

Et puisque dans sa carrière de grand conquérant, Napoléon avait toujours pris tout ce qu'il y avait à prendre, il demanda un « Coca normal Zéro Light Cherry avec des glaçons, une rondelle de citron, une olive verte et un petit parasol » et attendit qu'on le serve.

Comme à son habitude.

La pêche miraculeuse

Quinze jours plus tôt, le chalutier norvégien *Usenkbare* (« L'insubmersible ») avait pris dans ses filets, au large des côtes du pays, deux énormes caisses en bois dans lesquelles les pêcheurs avaient, à leur grande surprise, trouvé un homme et un cheval. En trente ans à sillonner la mer de Norvège, ils en avaient ramassé des ordures. Des chaussures orphelines, des parapluies aux baleines cassées, des bidons d'essence vides et des sacs en plastique de supermarchés venus des quatre coins du monde. Des dizaines de sachets que la mer mettrait plusieurs centaines d'années à digérer et que l'on offrait à Mårten, le fils de Gunnfrød, l'épicier du village. Depuis le temps, il s'était mis à les collectionner. La connaissance géographique de l'adolescent se limitait d'ailleurs aux logos des différentes enseignes qu'il épinglait sur les murs de sa chambre. Carrefour, Leclerc, Tesco, Sainsbury's, Corte Inglés, Eroski, Lidl, Neukauf, Conad, Esselunga, Walmart, autant de noms exotiques qui dessinaient sur sa tapisserie à fleurs, et dans son esprit, les contours d'un nouveau continent. Ce tour du monde en quatre-vingts marques aurait été des plus sympathiques s'il n'avait pas entraîné, pour Mårten, quelques fâcheuses conséquences à l'école. Le professeur se rappellerait toute sa vie cet examen où il avait demandé à ses élèves de citer les monuments les plus célèbres des capitales européennes. Sur la copie du fils de l'épicier, la tour Eiffel, Big Ben et la porte de Brandebourg avaient été remplacés par Monoprix, Waitrose et Lidl.

Un jour, les pêcheurs avaient même remonté la portière d'une Volvo dans leurs filets, un autre, un moteur, puis des pneus, mais jamais assez de pièces pour reconstituer une voiture entière. Cela n'aurait pas été du luxe, la vieille Škoda du commandant Vebjørn Hansen l'avait lâché deux ans auparavant et il ne se déplaçait dorénavant plus qu'à bicyclette.

Oui, ils en avaient ramassé des drôles de trucs, mais jamais au grand jamais, ils n'avaient repêché deux grosses boîtes avec un être humain et un cheval à l'intérieur.

Les quatre Norvégiens, abasourdis par une telle découverte, avaient immédiatement retiré le corps de son cercueil afin de l'examiner de plus près, délaissant sur le moment l'animal, car un cheval n'était qu'un cheval après tout, et celui-ci ne risquait pas de s'enfuir au galop.

L'expression du visage de l'homme était sereine, et si on ne l'avait pas retrouvé prisonnier d'une caisse trouvée à plusieurs dizaines de mètres de profondeur dans les eaux glaciales des côtes islandaises, on aurait pu penser qu'il était plongé dans le plus délicieux des sommeils. À n'en pas douter, ces mêmes eaux glaciales étaient responsables de son admirable état de conservation.

On l'avait étendu sur un matelas de cabillauds. Avec précaution. Plus pour les cabillauds, que l'on vendrait à bon prix au géant français du poisson pané surgelé Findus, que pour le cadavre, dont on ne tirerait aucun bénéfice. À en juger par le nombre de poissons qu'il couvrait, il semblait d'assez petite stature. 1,68 m! avait lancé le commandant du *Usenkbare*, habitué à estimer d'un seul coup d'œil la taille de sa pêche. Les vêtements de l'homme, une grande chemise de couleur écrue tachée de sang bruni par les années, un étrange pantalon et de petites chaussures à boucles, semblaient d'un autre siècle.

Et alors que le commandant avait ordonné à l'un de ses hommes de mettre le cap sur le port, chacun y était allé de sa petite hypothèse. Un Autrichien! avait lancé un pêcheur. Un officier allemand! s'était exclamé un autre. Avant que le patron n'indique, d'un doigt inquisiteur, les cheveux noirs du défunt et sa petite taille.

– Un Méditerranéen. Un Espagnol ou un Italien. Peut-être même un Français.

– Commandant, venez voir! s'était exclamé le troisième pêcheur après s'être frayé un chemin jusqu'à la plus grosse caisse entre les cabillauds qui frétillaient au sol.

Agenouillé à côté du cheval, il passait sa main crevassée sur le doux pelage de la bête. Vebjørn Hansen s'était approché. Il avait examiné la luxueuse selle en velours rouge. Ce n'était pas n'importe qui. Sur la hanse, un « N » était brodé en fils d'or et entouré d'un soleil. Il retrouva la même inscription surmontée d'une couronne marquée au fer rouge sur la cuisse gauche de l'animal. Il ne connaissait que trop bien ce symbole.

– Les gars, si cet homme-là n'est pas Napoléon Bonaparte, j'en mange mon bateau! avait alors annoncé l'homme à la barbe en dodelinant de la tête.

Napoléon? Les autres marins avaient regardé leur chef avec de grands yeux de merlans frits, bouche bée, mais ils connaissaient la passion qui habitait ce vieux loup de mer pour l'Histoire de France.

– Vous voulez dire *le* Napoléon?

– Il y en a pas trente-six que je sache!

Effectivement, la France n'en avait connu que quatre.

Une fois au port, ils avaient déchargé en douce leur précieuse cargaison. Voilà comment l'Empereur et sa fidèle monture, Le Vizir, avaient fini dans la chambre froide de l'entreprise Hansen og Sønn, au beau milieu des cabillauds destinés à garnir les étagères des supermarchés français dans leur petit emballage en carton recyclable. Selon le commandant, les deux corps devaient s'acclimater lentement à la nouvelle température qui, bien que basse pour tout individu non rompu au climat norvégien, et extrêmement basse pour un Corse, n'en demeurait pas moins élevée par rapport à la température à laquelle ils s'étaient maintenus jusque-là. Pendant deux semaines, le Français et son cheval s'étaient donc décongelés, dans le frigo, à l'abri des regards indiscrets et sous ceux, protecteurs, de Vebjørn et de son fils.

Personne n'eût survécu à de tels changements de température. Personne excepté Napoléon, qui en avait vu d'autres. Après tout, qu'était un réfrigérateur à côté de la Bérézina en plein hiver?

Ce que l'on sait de Napoléon

– Je résume, vous voulez un Coca normal Zéro Light Cherry avec des glaçons, une rondelle de citron, une olive verte et un petit parasol, répéta l'hôtesse de l'air. C'est bien ça?

Napoléon acquiesça et elle éclata d'un rire cristallin.

– Vous êtes ambitieux, ou juste indécis? demanda-t-elle sur le ton de la plaisanterie.

Le commandant de chalutier Vebjørn Hansen, l'homme à la barbe blonde bien fournie assis à la gauche de l'Empereur des Français, posa aussitôt sa main sur le bras de son voisin pour l'empêcher d'en dire plus et l'excusa auprès de la jeune femme en arguant qu'il s'agissait là de son premier voyage en avion.

– Ne vous inquiétez pas, répliqua-t-elle, avec ce sourire qui ne la quittait jamais, j'ai l'habitude.

Puis elle versa un Coca Light à celui qu'elle prenait pour un enfant sur les instructions de celui qu'elle prenait pour son père.

– Guillotine!

Napoléon était un homme d'action qui n'aimait pas les longues phrases, mais parlait vite et juste.

– Pardon?

– Ne posez plus jamais la main sur moi, somma l'Empereur au pêcheur norvégien lorsque la femme se fut éloignée, laissant une traînée de parfum bon marché à dix rangées à la ronde, sans quoi je donne l'ordre de vous guillotiner sur-le-champ!

– Je suis désolé, Sire, mais j'ai pas eu le choix, se justifia l'homme dans un français appris au Havre que venait colorer une pointe d'accent scandinave, à moins que ce ne soit le contraire. Y a des choses dont vous comprenez pas encore le fonctionnement, et votre menace de guillotine en cette ère de socialisme bien-pensant en est la preuve. Dans votre pays, je crois qu'elle fonctionne plus depuis les années 70.

– 1870?

– 1970, corrigea le marin. Une gaffe de votre part pourrait nous coûter cher. Voilà pourquoi je vous demanderais de parler le moins possible aux inconnus à l'avenir. Dois-je vous rappeler que nous voyageons incognito et qu'il vous faut vous comporter comme un homme moderne? Quelques heures seulement, le temps que vous arriviez en Corse. Après, vous prendrez une seconde retraite bien méritée, loin de ce monde et à l'abri des curieux, et vous ferez ce qui vous chante.

Les mots du pêcheur résonnèrent dans l'esprit de Napoléon. Non, ce n'était pas la peine de le lui remémorer. Ce siècle n'était pas le sien. Il n'avait pas oublié. Comment aurait-il pu, d'ailleurs? Tout ce qui lui était arrivé au cours de ces dernières vingt-quatre heures relevait du surnaturel. Il avait ouvert les yeux et s'était découvert étendu sur un étal de poissonnier, dans une chambre froide. Il revit ce fou à barbe qui, penché au-dessus de lui, avait lancé un « Bienvenue au XXIᵉ siècle! » dans un français approximatif, avec un air enjoué. Il fallait avoir le cœur bien accroché pour entendre un truc pareil, surtout si la dernière fois que vous aviez jeté un coup d'œil à l'almanach des postes et à ses jolies petites gravures dorées, il ne marquait encore que 1821.

Napoléon avait tout de suite reconnu en Hansen un Scandinave. Rien à voir avec ces hommes qu'il côtoyait sur l'île britannique où on l'avait envoyé finir ses jours. Ces hommes à la peau rose qui cuisaient comme des crevettes au moindre rayon de soleil et dont les cheveux et la barbe ressemblaient plus à une assiette de carottes râpées qu'à des cheveux et une barbe. Ceux des Nordiques ressemblaient plus à des nouilles italiennes cuites al dente.

– Le XXIe siècle? avait répété l'Empereur sans trop savoir comment prendre la nouvelle.

– Je sais, Votre Majesté, cela doit faire un choc. Pour nous aussi, vous savez. Qui m'aurait dit qu'un jour, je pêcherais Napoléon Ier dans mes filets! À propos, désolé pour mon français, il est un peu oxydé.

– Que devrais-je dire du mien, alors!

Réalisant qu'il était nu comme un ver, le Corse avait aussitôt recouvert ses parties intimes de ses deux mains.

– Oh, y a plus rien à cacher, avait dit le pêcheur en prenant un air désolé.

– Je vous demande pardon?

Toujours en position couchée, le Français avait relevé la tête, maintenant un instant son menton collé à sa poitrine, et avait écarté ses doigts, lentement. Là où il s'attendait à voir un membre viril, il n'avait aperçu qu'une jungle de poils touffue désespérément vide.

– Je suis désolé de vous apprendre que vous êtes plus propriétaire de votre pénis depuis votre autopsie de 1821. Après ça, votre sexe a été exposé dans un musée, puis acheté aux enchères par un urologue américain du New Jersey pour 3 000 dollars. On peut dire qu'il en a fait du chemin!

Une lueur de frayeur était passée dans les yeux de Napoléon.

– Je ne comprends point.

– À votre mort, enfin, quand vous êtes tombé dans le coma, parce que vous êtes pas mort en fait, vous l'avez bien compris, non?

– Je pense, oui.

– C'est pas parce qu'on décongèle des bâtonnets de cabillaud qu'ils reviennent à la vie. Heureusement d'ailleurs. Imaginez, la revanche des poissons panés qui voudraient reconquérir la planète. *La Guerre des Mondes* version Findus, avec Tom Cruise dans le rôle de l'exterminateur de cabillauds géants mangeurs d'hommes. L'horreur ! Bref, je divague là. À votre soi-disant mort, donc, votre membre a soigneusement été découpé par le chirurgien Francesco Antommarchi, à qui vous aviez confié la délicate mission de l'autopsie de votre dépouille, sous les ordres du prêtre qui avait réalisé votre extrême-onction.

– Ce fumier de Vignali ! Mais pourquoi m'avoir coupé la... ?

– À ce qu'il paraît, vous vous aimiez pas. Et votre réaction me conforte dans ce sentiment.

– Le mot est faible. Mais de là à...

– Une manière comme une autre de se venger, et de se faire un peu d'argent sur votre dos, enfin sur votre... Même s'il l'a finalement pas vendu. Votre membre est resté dans sa famille pendant plusieurs générations. Puis il est passé de main en main, si vous me permettez l'expression. Entre autres, dans celles d'un certain Rosenbach, en 1924, un libraire américain qui l'a cédé plus tard au French Arts Museum de New York. C'est là que l'a acheté le Dr Lattimer, en 1999, pour satisfaire sa lubie.

– Sa lubie ?

– On parle de l'une des plus grandes collections privées de trophées militaires et civils. Des dessins réalisés par Hitler, des pistolets de la Seconde Guerre mondiale, le col de chemise taché de sang que portait le président Lincoln le soir où il a été assassiné. Et puis votre pénis, qu'il conservait, à ce qu'il paraît, dans une boîte à biscuits sous son lit.

Napoléon n'avait aucune idée de qui pouvaient bien être cet Hitler et ce Lincoln, et encore moins cette Seconde Guerre mondiale (on ne l'avait même pas mis au courant de la première), mais il savait parfaitement ce qu'était une boîte à biscuits, et l'idée que son sexe ait pu finir là-dedans ne l'enchantait guère. Il décida de passer outre car depuis, son membre viril, voyageant de ventes aux enchères en musées, semblait être devenu objet de culte et de prestige.

– Enfin, vous emballez pas quand même, vous êtes célèbre pour avoir un petit pénis ! avait repris le commandant de chalutier Vebjørn Hansen, avec le tact d'un commandant de chalutier norvégien. On a même dit que c'était très intéressant, d'un point de vue psychanalytique, de voir qu'un homme qui avait accompli d'aussi grandes choses puisse avoir un sexe aussi... discret. Freud en a établi les bases d'une théorie qui a fait le tour du monde.

Napoléon ne sut que répondre. Il se contenta de planter ses ongles dans l'accoudoir de son siège.

– Pensez bien que je suis navré de vous déballer tout ça d'une seule traite, mais je crois qu'il est de mon devoir que vous sachiez ce que mes contemporains connaissent de vous avant que vous l'appreniez sur Google.

– Sur quoi ?

– Google, Internet, quoi. C'est une espèce de grande encyclopédie du savoir humain.

– Comme celle de Diderot et d'Alembert ? C'est intéressant, vous savez plus de choses sur moi que je n'en sais moi-même. À vous entendre parler, on aurait du mal à croire que vous n'êtes qu'un vulgaire pêcheur du fin fond de la Norvège.

L'homme accusa le coup.

– N'empêche que je suis incollable sur l'Histoire de France, se défendit-il, et donc sur vous. Pendant la guerre, mon père a travaillé un temps dans la marine française, j'en ai développé un goût certain pour les batailles navales de votre pays.

L'Empereur frémit en pensant que tout ce que cet homme savait de lui n'était qu'échecs, de la bataille de Trafalgar à celle du Cap-Vert en passant par l'île d'Aix et Aboukir. Sur l'eau, Napoléon, c'était seize défaites et deux victoires. Un palmarès plus digne de l'Olympique de Marseille que d'un génie de la guerre.

– Et puis, maintenant, il suffit de taper votre nom sur Wikipédia pour tout savoir de vous.

– Voilà donc tout ce que le peuple français a retenu de moi? dit le décongelé, pensif. Un zéro de la bataille navale affublé d'un micropénis...

– Oh, non! N'ayez crainte, on a beaucoup parlé de vos hémorroïdes aussi. Je plaisante. Vos exploits militaires ont fait le tour du monde. On se souvient de vous comme un homme brillant, un fin tacticien, un des plus grands généraux français. Dans votre pays, ils vous doivent des centaines de réformes, de nouvelles lois, l'un des meilleurs systèmes éducatifs du monde. Les lycées, le baccalauréat, la Légion d'honneur, la Banque de France, tout ça, c'est vous. Vous avez fasciné tous les peuples et été une source d'inspiration spirituelle pour de nombreux chefs d'État. On vous prend même pour modèle dans les séminaires d'entreprises, maintenant. On parle de vous entre deux citations de Paulo Coelho et Sun Tzu pour motiver les employés. De McDonald's à IBM. Non vraiment, vous formalisez pas pour... enfin, pour...

Hansen indiquait de son doigt l'entrejambe de Napoléon.

– ... Pour si peu... Vous savez, y en a même qui paient pour ça. Surtout les Brésiliens. Et puis de toute façon, vous en aurez plus besoin pour votre retraite au soleil. La Corse vous attend. Pensez au farniente, aux soirées pétanque, à la charcuterie.

– La Corse, répéta Napoléon, un air heureux sur le visage, comme si ce seul mot pouvait effacer d'un coup toutes les horreurs qu'il venait d'entendre.

Puis il but la première gorgée de Coca-Cola de sa vie pour célébrer cela et manqua de s'étouffer.

Une époque formidable

Alors que Napoléon Bonaparte épongeait, à l'aide d'une serviette en papier, ses narines impériales, par lesquelles le soda était ressorti aussi vite qu'il était entré, Vebjørn Hansen mordait à pleines dents dans une barre chocolatée au nom du roi de la jungle.

– Vous savez ce que j'ai pensé lorsque je vous ai trouvés, vous et votre cheval, en plein milieu de la mer de Norvège ?

– Non.

– Que vous étiez le plus grand empereur et le plus gros hippocampe que j'avais jamais pêchés ! répondit le marin avec un large sourire qui déforma un instant sa barbe de père Noël. L'empereur, c'est un poisson, on l'appelle aussi l'hoplostèthe orange.

Le Corse sourit par politesse, insensible à l'humour à deux francs (germinal) du pêcheur. Puis son regard se perdit dans le vide, bien au-delà du hublot, dans les gigantesques champs blancs de nuages. Il y avait d'autres choses plus intéressantes à cette époque que l'hoplostèthe orange. Cet avion, par exemple. Comment l'engin dans lequel il était assis, lui et cent cinquante autres personnes, pouvait-il filer à une vitesse de huit cents kilomètres par heure ? Napoléon était très intelligent, mais cela le dépassait. C'était plus de dix fois celle de *Marengo*, le plus puissant de ses chevaux. Le pêcheur lui avait annoncé que le voyage ne durerait que trois heures. Trois petites heures pour rejoindre la France depuis la Norvège.

C'était insensé! À son époque, cela aurait pris plusieurs jours. L'Empereur regarda les ailes de l'appareil. Elles ne battaient pas, à la différence de celles des oiseaux. D'où venait donc cette force invisible qui les propulsait dans le ciel? Comment croire qu'aucune des parties de sa structure d'acier ne touchait le sol? C'était là une formidable invention, une formidable machine de guerre qu'il aurait bien mise à profit à Trafalgar, contre la flotte britannique de ce salaud de Nelson. Oui, s'il avait disposé d'avions durant la bataille, l'issue eût été bien différente. L'attaque depuis les nuages, que trouver de mieux? Vous demeuriez intouchable. Le monde était à vos pieds. Et les bateaux des Anglais, de ridicules et minuscules fourmis tout en bas.

– Quand je vous ai trouvé, Sire, reprit le Scandinave, j'ai d'abord pas trop su quoi faire de vous. Qu'arriverait-il une fois que vous seriez décongelé? Qu'arriverait-il si vous étiez encore vivant? Imaginez la responsabilité. Sur le ton de la plaisanterie, mon fils m'a proposé de googliser « Napoléon retrouvé ». C'est idiot, pas vrai? Et pourtant, ça a marché. On est tombés sur le site Internet d'une certaine CGT, www.lautrecgt.com. Après quelques recherches, j'ai vite compris qu'elle avait rien à voir avec celle de Krasucki. Il s'agissait, en réalité, de la Confrérie des grognards tristes, une vieille organisation corse constituée quelque temps avant votre mort. Peu avant, j'aurais pensé à une farce. Mais étant donné les circonstances, j'ai appelé.

Ainsi donc, de nos jours, les pêcheurs passent leur temps à lire des encyclopédies, pensa Napoléon, amusé de se retrouver dans un monde où le moindre sardinier semblait être aussi érudit que le plus intelligent de ses officiers.

– Vous pouvez pas imaginer ce qu'ils étaient contents, continua l'homme. Ils attendaient ce moment depuis des années, que dis-je, des siècles! Ils m'ont alors donné pour instructions de vous ramener à Paris, jusqu'à l'aéroport, du moins. Là, ils prendraient le relais. Ils m'ont même envoyé un passeport pour que vous puissiez passer le contrôle sans problème. Un certain professeur Bartoli vous attend pour vous raccompagner en Corse. Ils m'ont rien dit de plus. J'aimerais vous expliquer comment vous êtes arrivé depuis l'île Sainte-Hélène jusqu'en Norvège, mais j'en ai pas la moindre idée. Tout le monde vous croit aux Invalides, à Paris. Enfin, vos cendres...

– Les Invalides, répéta le petit Corse, et son visage s'illumina comme un sapin de Noël.

Ainsi, on avait procédé selon sa volonté. La nouvelle l'émut. Cela lui rappelait tant de beaux souvenirs. Il revit la fastueuse cérémonie de la toute première remise de médailles de la Légion d'honneur. C'était le 15 juillet 1804. Il était sur son trône, habillé de lumière. Le semis d'abeilles en fils d'or qu'il avait revêtu le jour de son sacre sur les épaules. De royale, l'abeille était devenue impériale. Il y en avait partout, sur les manteaux, les draperies, les murs, brodées, sculptées. Installé dans le chœur, l'Empereur avait deux grandes bassines remplies de médailles à ses pieds, l'une contenant les Légions en or pour les grands officiers, les commandants et les simples officiers, l'autre, les médailles en argent pour les chevaliers. Il se revit épinglant les croix étincelantes sur la poitrine de ces hommes méritants. Des militaires, des ecclésiastiques, des scientifiques, des médecins, mais aussi des peintres, des musiciens, tous ceux qui contribuaient, avec lui, à la gloire et à la grandeur de la France. Il revit Joséphine, splendide et rayonnante comme mille soleils, au milieu de ses dames d'honneur, dans cette ruche bourdonnante.

– Je pense que le professeur Bartoli vous en dira plus là-dessus.

L'Empereur soupira. Si on l'avait incinéré, comme cela était prévu, il n'aurait jamais goûté au plaisir de revenir à la vie après toutes ces années, et de retrouver son beau pays.

Il n'aurait pas eu la chance de connaître le Coca-Cola non plus. Ah, le Coca Light, s'il en avait eu à son époque, l'issue de la bataille de Waterloo en eût été bien différente ! Toute sa vie, il n'avait bu que du champagne et du bourgogne, et plus précisément du chambertin de cinq ans d'âge, son élixir de santé, une demi-bouteille à chaque repas, livré par la maison Soupé et Pierrugues (qu'étaient-ils devenus ceux-là ?) qu'il soit en ville ou à la campagne, en amour comme en pleine guerre. Le paradis à six francs l'unité. Il repensa avec dégoût au bordeaux-claret auquel il avait dû s'habituer lors de son exil à Sainte-Hélène. Une vraie piquette. Afin de faire passer le goût amer du souvenir, Napoléon commanda une deuxième canette de Coca-Cola. Ce breuvage avait eu pour effet d'apaiser un instant les aigreurs d'estomac dont il souffrait depuis toujours. Un vrai miracle.

— Bien plus qu'une simple boisson, je vois en lui un remède à mon ulcère, se justifia l'Empereur. Dommage que cela ne fasse aucun effet sur les hémorroïdes...

— Le Coca-Cola, un remède ? Peut-être au début. C'est un pharmacien américain qui l'a inventé pour se désintoxiquer d'une addiction à la morphine. Et quoi de mieux pour stopper une addiction qu'une autre addiction, hein ? Vous pouvez me croire, depuis que j'ai arrêté la cigarette, j'ai jamais autant fumé la pipe. Moi, le Coca, je l'utilise pour lustrer les poignées de porte de mon bateau. On dit que ça fait des trous. C'est peut-être pas ce qu'on fait de mieux pour guérir les ulcères... Vous devriez prendre Rennie.

— C'est Google qui vous a appris tout cela ?

— Non, ça c'est le vade-mecum...

— À propos, elle fait combien de pages, votre encyclopédie Internet ?

— Oh, c'est pas un livre tel que vous l'entendez. C'est un peu compliqué. Demandez qu'on vous montre, à l'occasion. Mais vous avez raison, on vit une époque formidable !

Le patron de chalutier se lança alors dans un cours intensif sur les codes, la société et les coutumes de ses contemporains du XXIe siècle. Les sms, la télévision, les ordinateurs, la crise européenne, le chômage, le droit de vote des hommes, puis des femmes, puis des Noirs, le cinéma, la fécondation in vitro, la Nespresso, le sein de Sabrina qui s'échappe de son bikini dans le clip de *Boys, boys, boys*, les crédits revolving, l'affaire du sang contaminé, le droit à une vie digne des hommes, puis des femmes, puis des animaux, puis des Noirs, puis des homosexuels, la construction du mur de Berlin, la destruction du mur de Berlin, et entre les deux, le sein de Sabrina qui s'échappe de sa robe lors d'un gala de charité retransmis sur une grande chaîne italienne. Fallait voir tout ce que Napoléon avait raté !

– Ainsi donc, on fornique avec des petits tubes de verre pour avoir des enfants, maintenant ? conclut le petit Corse en secouant la tête, visiblement impressionné.

– Par exemple, mais pas toujours.

– Tout cela est incroyable.

– Et encore, vous avez échappé au Minitel. Mais vous revenez juste à temps pour l'invention du bâton à selfies !

– Si j'avais disposé de tout cela à mon époque, j'aurais conquis le monde entier. Il n'y a aucun doute. Trafalgar, Bérézina, Waterloo auraient été des victoires…

– Je vois pas en quoi un bâton à selfies vous aurait aidé à gagner Waterloo ! Mais vous êtes bien dur avec vous-même, Sire. Y a quand même eu Austerlitz, Wagram, Iéna. Et tout le monde s'en souvient. Allez, vous minez pas pour ça ! Vos victoires ont même donné leur nom à quelques-unes des plus belles rues de Paris. Et puis la Bérézina, même si on l'emploie de manière péjorative à notre époque, ça reste un demi-succès. Grâce à l'héroïsme de l'un de vos généraux, vous avez pu échapper à l'étau russe qui se refermait sur vous.

– Pauvre Eblé, il est mort quelques jours après, alors que j'allais le nommer comte. J'ai perdu, le monde a perdu un grand homme ce jour-là... La ruche impériale a perdu une grande ouvrière.

L'évocation de ses victoires ne sembla pas réconforter l'Empereur, qui ne se contentait jamais de ce qu'il avait et en voulait toujours plus. Cela tombait bien, car le destin, qui était souvent facétieux, allait lui donner une nouvelle chance d'en épingler une de plus, et non des moindres, à son tableau de guerre.

La grande prophétie de l'abeille était sur le point de se réaliser.

La naissance de la petite abeille
qui allait sauver le monde

Un matin de novembre 1804, quelques semaines avant son sacre, Napoléon Bonaparte flânait, les mains derrière le dos, avec son deuxième consul, Jean-Jacques-Régis de Cambacérès, dans les allées fleuries et colorées du jardin du Luxembourg lorsqu'il tomba sur un spectacle des plus inattendus. Un homme portant pour seule protection un chapeau de paille et un filet sur le visage semblait plongé dans une bien dangereuse besogne. Armé d'une simple raclette, il recueillait dans un seau en zinc le miel qui s'écoulait d'une tablette grillagée en bois. Au-dessus de lui flottait un épais et menaçant nuage d'abeilles. Mais lui continuait d'œuvrer dans la plus grande indifférence, étranger à leur danse guerrière.

– L'abeille, dit le conseiller en indiquant de son doigt à l'ongle verni la ruche qui s'élevait à quelques mètres en bordure du chemin.

– Quoi, l'abeille?

– Vous me demandiez quel animal, avec l'aigle, pourrait bien aller sur vos armoiries, je vous réponds l'abeille, Sire. C'est l'un des plus anciens emblèmes des souverains de France.

– L'abeille? répéta Napoléon sans savoir s'il devait prendre cela pour une insulte ou une énième fantaisie de son ami.

Il s'arrêta de marcher et le dévisagea avec autant de surprise que s'il s'était mis une casserole sur la tête en guise de chapeau en sortant de chez lui ce matin. Mais avec Cambacérès, tout était possible.

– Je vous parle d'aigle, de lion, et vous me parlez d'insecte ? objecta le petit Corse. Pourquoi pas une fourmi ou un cafard pendant que vous y êtes ?

– Sire, je pense que vous avez des préjugés sur les insectes sur lesquels il vous serait profitable de revenir. Allons demander à ce brave homme de nous éclairer.

Disant cela, il fit mine de se diriger vers la ruche. Le futur Empereur le retint par le bras.

– Vous n'y songez point, malheureux ! Qu'arriverait-il si l'une d'entre elles vous piquait ?

– Une petite égratignure, répondit l'autre en souriant.

– Et si elles vous piquaient toutes ?

– Alors, je mourrais, sans aucun doute.

La réponse fascina Napoléon. Se pouvait-il que son homme de confiance, homosexuel de surcroît, fût plus courageux que lui ?

– Restez là, dit-il pour ne pas passer lui-même pour un lâche. Vous m'êtes encore utile. Ce serait idiot de mourir alors que je suis sur le point de vous nommer archi-chancelier.

Ils attendirent donc. Au bout de quelques instants, comme l'avait espéré Napoléon, l'apiculteur vint à leur rencontre, son seau à la main. Il reconnut alors l'homme dont toute la France parlait, retira son chapeau et le salua d'une gracieuse révérence.

– Goûtez, Sire.

Le souverain plongea son index puis le porta à sa bouche. Un goût puissant et merveilleux d'acacias envahit son palais.

– Délicieux, dit-il.

– La meilleure gelée royale de tout Paris, Sire.

– « Impériale », le reprit Cambacérès. Bientôt, il faudra dire « gelée impériale ».

31

Les trois hommes sourirent.

– Dites, mon brave. Quel est donc votre secret pour que ces terribles bêtes ne vous piquent point?

– On ne mord point la main de celui qui vous nourrit, répondit l'apiculteur avant de souffler sur son épaule pour éloigner une abeille. Fournissez-leur une jolie maisonnée, bien équipée, et un jardin luxuriant, même en hiver, et vous pourrez, sans danger, les chahuter sans que jamais elles usent de leur redoutable aiguillon contre vous.

– Leur redoutable aiguillon..., répéta Napoléon, pensif. À la fois si inoffensives, et mortelles. Mon ami me conseille de prendre cet insecte pour symbole impérial sur mes armoiries. Quel est votre avis à ce sujet?

– Que votre ami est un homme de goût, Sire.

– Je n'en ai jamais douté, mentit le souverain en louchant sur les bouclettes grisâtres et le manteau paré de perles et de diamants de celui à qui l'on avait donné, en secret, le sobriquet de Tante Turlurette et qui ressemblait ce matin-là à une vieille chanteuse d'opéra sur le retour.

Cambacérès avait meilleur goût pour les jeunes hommes que pour sa garde-robe.

– Je ne peux qu'approuver, reprit l'artisan, arrachant le souverain à ses pensées, qui tarda quelques secondes à réaliser qu'il ne se référait pas aux extravagantes mœurs de son ami. Savez-vous que si les abeilles disparaissaient de la surface du globe, l'homme n'aurait plus que quatre années à vivre? ajouta-t-il sans savoir que plus d'un siècle plus tard, un physicien allemand du nom d'Albert Einstein s'approprierait la formule.

La conversation devenait intéressante. Napoléon plongea à nouveau son doigt dans le seau. Il observa un instant l'or liquide dégouliner le long de son ongle avant de l'aspirer bruyamment dans sa bouche comme une huître.

– Êtes-vous en train de me dire que ce sont les abeilles qui nous sauveront ?

– C'est grâce à elles que nous mangeons chaque jour, Messire. Nous leur devons plus d'un tiers de ce que nous trouvons dans notre assiette. Leur remarquable travail de pollinisation est responsable de la reproduction des plantes, et, indirectement, de tous ces fruits et trésors que nous offre la nature. Sans abeilles, plus de vie. Et puis, si vous cherchez des symboles, elles sont un exemple d'organisation et de travail. Une nation parfaite, en quelque sorte. Le cœur à la tâche, tout pour la patrie.

– Vous voyez, Sire ? dit le conseiller pour lui rappeler que c'était lui qui avait eu cette bonne idée le premier.

– Leur système de communication est bien plus évolué que le nôtre. Une abeille butineuse peut indiquer aux autres, au mètre près, le lieu où elle a trouvé la fleur que toutes devront rejoindre.

– Un mètre ? Ce n'est pas une marge un peu grande ? demanda le futur Empereur. Toutes proportions gardées, pour une abeille, j'entends ?

– Sire, s'il n'était point tombé sur l'Amérique, Christophe Colomb serait toujours en train de pagayer à l'heure qu'il est dans l'océan Atlantique en espérant y trouver les Indes... Un mètre, c'est peu. Même pour une abeille.

Les trois hommes sourirent à nouveau. Cambacérès fut le premier à briser le silence.

– Si mes souvenirs d'écolier sont bons, la reine conçoit les œufs toute seule, sans l'intervention d'un mâle, n'est-ce pas ?

– C'est exact, la ruche compte près de 50 000 individus, tous issus d'une seule et même femelle, la reine. Le mâle de l'abeille, que l'on appelle « faux bourdon », est un peu le paria de cette société féminine. Comme il ne participe point aux tâches quotidiennes, il est considéré comme un parasite. Il a la vie dure.

– Je comprends maintenant pourquoi on dit « avoir le bourdon », plaisanta le futur Empereur.

– C'est en quelque sorte, une société parfaite sans hommes ! conclut Cambacérès, qui rêvait justement du contraire.

– Bien, ce fut une délicieuse conversation, reprit le souverain, mettant ainsi un terme à l'entretien. Merci pour ces précieuses connaissances.

Et il reprit sa promenade, mains dans le dos, aux côtés de son deuxième consul, qui souriait, se pavanant sous les cordons et autres freluches dont il était chamarré. Ils n'avaient pas parcouru dix mètres que l'apiculteur courait à leur rencontre.

– Sire, les Égyptiens ! s'exclama-t-il tout en reprenant sa respiration. Les Égyptiens !

– Où ça, les Égyptiens ? demanda le petit Corse, sur la défensive.

Il se retourna, craignant que ses adversaires de la campagne d'Égypte ne l'aient poursuivi jusque Paris. Mais derrière lui, à distance, avançait sa garde, impassible. Pas de momies en bandelettes en vue.

– J'ai oublié de vous dire, reprit l'homme. Les Égyptiens pratiquaient déjà l'apiculture au temps des pharaons. On retrouve d'ailleurs l'abeille dans leurs hiéroglyphes.

– Eh bien ?

– Eh bien, Sire, vous qui cherchez des symboles, l'abeille était pour les Égyptiens signe d'immortalité et de résurrection. Choisissez-la pour vos armoiries et jamais vous ne mourrez...

Le visage de Napoléon s'illumina et ses yeux prirent une teinte nouvelle. Il demanda à son conseiller combien de temps cela prendrait pour broder un semis d'abeilles au lieu du traditionnel semis de fleurs de lys qu'avaient arboré jusque-là tous les rois sur leurs vêtements. Et puis non, diantre, il devait déjà se comporter en Empereur ! Peu importe combien de temps cela prenait. Il ordonna que ses étoffes parsemées d'abeilles en or brodées soient prêtes, sans faute, pour le 2 décembre prochain, jour de son sacre. Puis il s'éloigna, les mains dans le dos, se prenant à rêver qu'il était cet insecte impérial qui sauverait un jour le monde et ne mourrait jamais.

Napoléon rencontre un compatriote

C'est une réalité, sans son bicorne, Napoléon Bonaparte était méconnaissable. Affublé d'une veste de costume noire, d'une chemise blanche, d'un jean moulant slim-fit et de Converse aux pieds, il l'était plus encore. C'est ainsi vêtu qu'il débarqua à l'aéroport Paris-Charles-de-Gaulle en ce matin de printemps, accompagné du vieux marin.

– Voici le professeur Bartoli, annonça le Norvégien lorsqu'ils arrivèrent devant la nouvelle porte d'embarquement. C'est lui qui vous accompagnera en Corse.

Il signalait un homme d'une cinquantaine d'années, grand, maigre comme un parchemin, brun, le type méditerranéen, absorbé dans la lecture d'un roman de Deon Meyer. Il correspondait en tout point à la photographie qu'il lui avait envoyée, à la seule différence qu'il avait troqué son bob en toile recouvert d'hameçons par une coiffe plus citadine, une casquette des Lakers.

– Un de vos compatriotes, un Corse. Vous savez, vous avez encore des milliers de fans un peu partout qui regrettent votre mort. Y en a même qui disent que vous êtes toujours vivant, et qu'on vous a vu jouer aux cartes dans un casino avec Tupac et Elvis Presley.

C'est idiot, Napoléon n'aurait jamais perdu une minute de son précieux temps à jouer aux cartes, que ce soit avec ce Tout-Pâques et ce Clovis Presse-les ou n'importe qui d'autre, mais ils avaient raison en ce sens qu'il n'était pas mort.

À leur approche, l'homme qui attendait devant la porte d'embarquement leva les yeux de son livre. Ils prirent alors la forme de deux grandes soucoupes.

– Pas possible! dit-il.

– Impossible n'est point français, répondit Napoléon.

Bartoli examina le nouveau venu tel un douanier inspectant le sac à main Vuitton d'une touriste française, à la frontière de Vintimille. Le voilà donc devant moi, pensa-t-il, ce grand homme, ce grand homme de 1,68 m... Il comprenait maintenant pourquoi Napoléon avait toujours compensé sa petite taille par une soif de pouvoir et de conquêtes.

– C'est royal! dit-il pour conclure son examen.

– Vous voulez dire *impérial*, corrigea Napoléon, jetant sur la grosse main que tendait l'inconnu un regard empreint de méfiance.

– Professeur Bartoli, de la CGT, la Confrérie des grognards tristes, pas l'autre.

Le mot grognard eut l'effet d'amadouer l'Empereur. Ses valeureux grognards, ses fidèles soldats. Ils grognaient toujours mais n'avaient jamais cessé d'avancer, dans le froid, dans la boue, malades ou bien portants, pour le suivre et pour triompher ou perdre, avec lui, sur le champ de bataille.

Il serra la paluche de l'homme avec énergie.

– Je ne connais point l'autre CGT.

– Une brochette de bons à rien qui passent leur temps à descendre dans la rue. Notre CGT à nous est une société secrète qui a été créée en 1821 avec l'unique intention de prendre soin de votre dépouille mortelle et de la transférer en Corse où on devait l'y enterrer.

– On dirait que tout ne s'est pas passé comme prévu, ironisa Napoléon.

– Voilà pourquoi je suis là aujourd'hui, Sire. Afin d'accomplir la mission que mes prédécesseurs ont initiée.

– En parlant de mission, la mienne est bel et bien

accomplie, dit le marin. Je repars au pays. Mes cabillauds m'attendent !

– Je vous suis infiniment reconnaissant d'avoir pris contact avec moi, monsieur Hansen, dit le professeur Bartoli. La Corse vous doit une faveur. Vous serez toujours le bienvenu là-bas. Toujours.

– Votre Méditerranée, c'est de la soupe. Trop chaude. Mais merci pour l'invitation. Professeur, Sire.

Le vieux loup de mer tendit sa main à l'Empereur qui la serra avec force, respect et chaleur.

– Merci à vous, Vebjørn, pour m'avoir repêché et décongelé.

– C'est mon métier, répondit le Norvégien dans un sourire. Mangez des bâtonnets Findus pour penser à moi de temps en temps... Et profitez de votre retraite. Du repos, de la vie. Du soleil. Prenez quelques couleurs, parce que vous êtes blanc comme un linge.

– Un signe de noblesse.

– Plus maintenant, Sire. La mode est au bronzage.

Disant cela, le marin salua de la tête Bartoli, tourna les talons et disparut dans la foule de touristes.

– Je n'y crois pas, dit le professeur, une fois qu'ils furent seuls. C'est inesp...

– Où est mon cheval ? demanda l'Empereur, indifférent à l'admiration de l'homme.

– Ne vous inquiétez pas, il transite.

– Je ne vous demandais pas un rapport sur l'état de ses selles, mais merci pour l'information.

– Oh ! s'exclama Bartoli réalisant l'ambiguïté de ses propos. Transiter signifie qu'il est expédié à destination. Vous le retrouverez à Ajaccio. Rien à voir avec son transit intestinal... mais c'est cocasse ! Ah ah !

– Bien, trancha Napoléon qui n'était pas d'humeur à plaisanter.

– Il nous reste une bonne heure avant d'embarquer, voulez-vous que je vous apprenne à jouer au sudoku? Vous allez voir, c'est amusant.

– Jouer, amusant? Me prenez-vous pour un enfant que l'on doit distraire? Racontez-moi plutôt comment je me suis retrouvé en Norvège alors que tout le monde croit mes cendres entreposées aux Invalides!

L'homme invita l'Empereur à s'asseoir. Il s'installa dans un fauteuil mitoyen, puis il s'éclaircit la voix, comme qui s'apprête à raconter une longue histoire devant un feu de cheminée.

Où l'on apprend comment Napoléon
est arrivé jusqu'ici

– On peut dire que vous revenez de loin, Sire. Vous êtes officiellement mort le 5 mai 1821 à 17 h 49, à Longwood House. En réalité, c'est l'heure où vous êtes tombé dans le coma. Pour les médecins de l'époque, coma ou décès, c'était juste un détail. En plus, ils étaient impatients de vous charcuter pour percer tous vos mystères. Certains affirment même que vous auriez été empoisonné.

– Empoisonné ? Mais par qui ? demanda Napoléon, trouvant d'un coup un léger goût de cyanure à sa dernière gorgée de Coca-Cola.

– Oh, il y a plein de bouquins là-dessus, mais on n'a jamais vraiment su. C'est comme JFK (rien à voir avec les nuggets de poulet). Quoi qu'il en soit, nous ne pouvions pas tolérer ce carnage. Même si vous-même aviez en quelque sorte ordonné cette boucherie. Vous souhaitiez en effet que votre cœur soit prélevé et envoyé à Marie-Louise, votre seconde épouse, ce qui est d'un romantisme sans égal, je dois bien le reconnaître.

– Ma pauvre Marie-Louise... Je ne l'aimais point de toute manière. Je ne l'ai jamais aimée. À défaut de lui avoir donné mon cœur de mon vivant, je voulais le lui offrir à titre posthume.

– Elle en a bien reçu un, mais c'était celui d'un bœuf... Le vôtre bat toujours ici (il pointa la poitrine de l'Empereur). En réalité, mes aïeuls ont eu l'idée d'intervertir votre dépouille impériale avec celle d'un pauvre homme mort de diarrhées aiguës après avoir prononcé ces paroles historiques : « Vite, faites-moi passer le pot de chambre ! » Seulement voilà, nous sommes arrivés un peu trop tard, en réalité... L'homme d'église tenait déjà votre sexe dans sa grosse main... Enfin, une main de taille normale, rendue énorme par la petite taille de votre...

– Je sais, je sais, dit Napoléon, légèrement agacé. Joséphine et Marie-Louise, ainsi que toutes ces filles que j'ai honorées sur le champ de bataille ou dans les bordels durant mes campagnes, ne s'en sont jamais plaintes, elles.

Bien sûr, il préféra passer sous silence le jour où madame Duchâtel avait éclaté de rire après avoir couché avec lui.

– Ça, c'est vos affaires. Revenons à notre histoire. Imaginez la scène, le prêtre tient votre sexe dans la main...

– Difficile à imaginer.

– On l'assomme et puis on échange les corps. Je dis « on » mais vous comprenez bien que ce sont mes prédécesseurs.

– Je comprends bien. Ce serait idiot de penser que quelqu'un présent il y a deux siècles soit encore là pour le raconter...

– Bref, on vous met dans la glace, tout entier, avec votre cheval. Un peu comme dans *Hibernatus*. Vous n'avez pas vu *Hibernatus*... évidemment. Et vous ne connaissez pas Louis de Funès... Non plus.

L'Empereur secoua la tête.

– Vous voilà donc dans la glace pour vous conserver, la CGT voulait vous enlever pour vous transporter jusqu'en Corse et vous y enterrer, même si vous aviez émis le souhait, dans votre testament, que vos cendres soient dispersées sur les bords de la Seine. Mais vous savez, nous, les Corses, on est un peu comme les mères juives, on ne sait pas partager nos enfants. Les Anglais s'y sont refusés pour ne pas alimenter le mythe et vous ont gardé sur l'île, enfin, celui qu'ils croyaient être vous, et qui était en réalité le mec à la gastro. Vous suivez ? Pendant ce temps-là, on vous a enfermés dans des caisses et puis, on a attendu que ça se tasse. Pas vous. La situation. Jusqu'à ce que vous tombiez dans l'oubli.

Napoléon tiqua. Il aurait préféré tomber dans une fosse infestée de crocodiles plutôt que de tomber dans l'oubli.

Le professeur expliqua que pendant que le vrai Bonaparte attendait sur l'île, au frais, le faux, lui, retournait à Paris, non sans heurts. Il revint sur les problèmes de financement liés au rapatriement, l'histoire du bateau bloqué à Cherbourg à cause de la chute du gouvernement de Thiers et l'installation d'un nouveau ministre anti-bonapartiste, la construction du tombeau, aux Invalides. Le BTP n'avait jamais été autant une sinécure.

– Et puis, cela a été votre tour, mais pas dans la même direction, cap sur la Corse. Sauf qu'un navire anglais a attaqué l'embarcation sur laquelle vous vous trouviez, à hauteur des îles Canaries.

– Encore ces maudits Anglais ! Quand cesseront-ils donc de me tourmenter ?

– Ils ont remorqué le navire vers leur pays sans regarder ce qu'il y avait dedans. Mais les mauvaises conditions météorologiques ont eu raison de leur bateau et donc du vôtre. Vous avez naufragé au large de l'Écosse, et puis vos caisses, enfin, vous et Le Vizir, avez continué le voyage seuls, dérivant pendant des années dans les eaux glaciales du nord de la Norvège. Et puis silence radio. Vous connaissez la suite… Béni soit ce chalutier de Findus ! Je n'y croyais pas. Nous n'y croyions plus à vrai dire.

– En tout cas, on dirait que Dieu veille toujours sur moi, conclut l'Empereur. À défaut de la CGT…

– Mais la CGT vous a retrouvé !

– Vive la CGT alors.

– Vive la CGT ! s'exclama le professeur en brandissant un poing vainqueur.

Y voyant là une provocation à son encontre, et un mauvais augure pour son premier séjour en Corse, le passager qui venait de s'asseoir à leurs côtés, un député FN en partance pour Ajaccio, feignit une soudaine envie de fumer, se leva et s'éclipsa, l'échine courbée et la queue entre les jambes.

Les femmes et le pantalon

L'Empereur tourna la tête et aperçut du coin de l'œil une patrouille de trois personnes dans un drôle d'accoutrement vert. D'étranges petits fusils pendaient à leur cou.
– Qui est-ce ? demanda Napoléon.
– Vigipirate.
– Des pirates ? répéta le petit Corse en sursautant.
– Au contraire, il s'agit de l'armée française. Ils sont chargés de notre protection, ajouta l'homme légèrement embarrassé.
– Des soldats ! s'exclama l'ex-chef de l'armée française.
Et ses yeux brillèrent comme mille médailles. Il fit mine de se lever pour aller les voir, mais la puissante main du professeur Bartoli le retint. C'était la deuxième fois, depuis qu'il était revenu à la vie, que l'on se permettait de le toucher avec autant d'insolence.
– Guillotine !
– Pardon ?
– Ne refaites jamais cela ! dit le petit au grand, tout en dégageant son bras de l'étreinte. Je sais que vous ne coupez plus de têtes, mais je connais d'autres moyens de vous calmer.
– Excusez-moi, Sire, je sais que vous brûlez d'envie de retrouver ces militaires, mais je vous rappelle que votre identité doit rester secrète. Vous ignorez certainement qui est Sacha Guitry, mais il a dit quelque chose d'utile : « Pour vivre heureux, vivons cachés. »

Tout comme le vieux pêcheur quelques instants plus tôt, il lui expliqua que le monde ne devait pas être au courant de son retour. Ce serait un choc terrible. On ne savait pas comment on réagirait à la nouvelle. Il deviendrait peut-être le cobaye de scientifiques sans scrupules. Il les connaissait bien, il en était un lui-même, et il savait ce qu'ils étaient capables de faire sur des grenouilles vivantes. Il lui rafraîchit la mémoire en lui rappelant son retour de l'île d'Elbe, en février 1815. Ce retour, loin de faire l'unanimité chez les Français, avait précipité Napoléon vers sa perte. Les Cent-Jours, d'abord, puis Waterloo.

– Et de nos jours, vous ne pouvez pas vous balader en criant sur tous les toits que vous êtes Napoléon Bonaparte. On vous internerait dans un asile psychiatrique.

L'Empereur trouva que c'était une habitude bien étrange. Mais il ne pouvait qu'approuver que l'on enferme ceux qui prétendaient être lui. Une telle usurpation ne pouvait être tolérée au sein de l'Empire. Il n'y avait et il n'y aurait jamais qu'un seul Napoléon Bonaparte. Lui.

Il signala de son index la femme qui marchait entre les deux soldats. C'était une jeune fille métissée aux courbes avantageuses qui donnaient du fil à retordre à son uniforme qui menaçait de craquer à tout moment. Ce qui l'étonnait le plus n'était pas la présence de cette descendante d'esclaves en métropole, il avait décrété l'abolition de la traite négrière en 1815 pour se mettre la Grande-Bretagne dans la poche, non, ce qui l'étonnait le plus, c'était qu'elle était grimée en soldat. Et qu'elle portait un pantalon.

– Depuis quand les femmes combattent-elles ? demanda-t-il à son compatriote. Et depuis quand mettent-elles des pantalons ? La dernière fois que j'ai vu cela, c'était pendant la Grande Révolution.

Il balaya du doigt les alentours, indiquant toutes ces femmes, jeunes et moins jeunes, vêtues de pantalons. Le professeur expliqua que maintenant les femmes travaillaient au même titre que les hommes, qu'elles mettaient des pantalons et fumaient, qu'elles s'étaient émancipées sexuellement.

– Comment les différencie-t-on des hommes alors ? demanda Napoléon, qui était quelqu'un de pratique.

– On essaie de ne plus les différencier, justement.

– Mon Dieu !

– Il y a même des femmes qui mettent des chapeaux masculins. Geneviève de Fontenay, par exemple.

– Et dire que je prenais Cambacérès pour un dépravé, alors que ce n'était en réalité qu'un visionnaire...

– C'est ce que l'on appelle l'égalité des sexes, reprit le professeur. Certaines d'entre elles gouvernent même des pays. L'Allemagne, par exemple, est dirigée par une femme.

– La Confédération du Rhin, gouvernée par une femme ?

Un soudain désir impérial de reconquérir le pays voisin assaillit l'Empereur.

– À ce propos, que sont devenues mes Allemagnes napoléoniennes ? demanda-t-il.

– Allemandes... répondit le professeur Bartoli.

– Ah.

Il eut la désagréable sensation que ce n'était pas là le seul territoire perdu. On ne pouvait pas s'absenter trente secondes. Préférant se ménager, il décida de changer de thème.

– Partout où je regarde, je vois des gens de toutes les races, de toutes les conditions. Des Africains, des Maghrébins, des Asiatiques, et même quelques rares Français.

– Ils sont tous français, Sire. Seule la couleur change.

– Oh. Vous avez donc trouvé le moyen de les intégrer, de vivre en harmonie, de vivre ensemble, tous, malgré vos différences... Bravo !

– Ne vous emballez pas, tout ce que vous voyez n'est que de la jolie peinture rose. Sous le vernis, l'homme est resté un

46

loup pour l'homme. Il y a toujours des injustices, du racisme, de l'intolérance. Les peuples se font toujours la guerre pour une question de couleur de peau ou de religion…

Le grand Corse insista sur ce dernier mot.

– Ce qui explique ces soldats au milieu des civils… conclut Napoléon, les sourcils froncés. Dois-je comprendre, professeur Bartoli, que nous sommes en temps de guerre ?

Les dessins de la discorde

– Un attentat !

Napoléon brandissait, incrédule, un journal.

À la une, on pouvait lire en gros titre LE CHOC ! ATTENTAT AU JOURNAL *L'HEBDO DES CHARLOTS*, 14 DESSINATEURS ASSASSINÉS. Dessous, une photographie de mauvaise qualité montrait deux hommes vêtus de noir des pieds à la tête, brandissant de grands fusils à côté d'une Clio stationnée en travers d'une rue.

Le professeur acquiesça en se mordillant la lèvre supérieure.

Le corps de Napoléon frémit comme celui d'une butineuse qui, dans la grande salle de la ruche, s'apprêterait à indiquer aux autres un danger imminent. Il avait été le souverain français qui avait échappé au plus grand nombre d'attentats. En France, en Égypte, visé par les jacobins, et même par les royalistes qui avaient essayé de mettre un terme à son mandat et à sa vie, l'Empereur avait échappé à la mort bien des fois. Mais il avait été lui-même son pire ennemi. À vingt-cinq ans, il voulait se jeter sous une voiture et à sa première abdication, il avait ingéré du poison. Vaillant soldat, il ne s'était éteint ni sur le champ de bataille ni lors d'un attentat, ni d'un suicide. Non, la mort n'en voulait pas et la vie semblait avoir d'autres plans pour lui, comme le prouvait ce retour impromptu.

– On sait qui a fait le coup ? demanda-t-il.

– Des islamistes.

– Pour une fois qu'un complot mondial n'est pas l'œuvre des maçons.

Perplexe, le professeur se demanda ce que les Portugais venaient faire dans la conversation.

– Je ne voulais pas vous en parler, dit-il, pour ne pas vous inquiéter, mais je pense que, de toute manière, vous auriez appris la nouvelle tôt ou tard, en Corse. Ce qu'ont fait ces hommes est d'une barbarie sans nom. Il n'y a plus de limites à la violence. C'est insupportable. Même le FLNC n'a jamais fait un truc pareil.

– Le FLNC?

– Le Front de libération nationale corse.

– Libération? La Corse est occupée?

– Non, c'est juste que certains insulaires réclament toujours l'indépendance vis-à-vis de la France. Et le seul moyen qu'ils ont trouvé, c'est de faire péter des bombes un peu partout.

– Nous sommes donc en guerre contre les Corses aussi!

– On ne peut pas dire que ce soit une guerre.

– Ils font quand même exploser des bombes, fit remarquer Napoléon.

– Oui, mais à côté des islamistes, ce sont des enfants de chœur.

– Et comment répondons-nous à ces attaques?

– Par des dessins.

– Pardon? demanda Napoléon, étonné.

– On répond aux armes des terroristes en brandissant des crayons.

– Je ne comprends rien. Des crayons? Bien taillés, alors, et placés à l'extrémité des canons des fusils en guise de baïonnettes!

– Non, non, les crayons sont un symbole. Parce que c'est si lâche de tuer des caricaturistes avec des fusils d'assaut. Pas besoin de partir s'entraîner en Afghanistan pendant des mois pour apprendre à tuer un dessinateur.

Caricaturistes. Le mot renvoya l'Empereur des Français à une douloureuse période de sa vie. Celle de l'humiliation, de la moquerie. Il se remémora les dessins du Britannique Gillray et de ses confrères à son égard. Il se rappela ces gens qu'il avait envoyés en prison pour un mot, un dessin sur lui. Des carica-terroristes... Oups, pensa Napoléon, quand j'étais au pouvoir je faisais guillotiner les caricaturistes. Il ne paraissait pas judicieux de conserver cette pratique. L'opinion publique semblait avoir une tout autre vision des choses.

– Quelquefois, on croit que les caricatures sont inoffensives, mais aucune arme n'est plus dangereuse, finit-il par dire.

– Nos ancêtres ont lutté pour cette liberté d'expression...

– Je sais, coupa l'Empereur, on m'a dit, le droit des hommes, des femmes, des animaux, des Noirs et des homosexuels, c'est ça ? Et les seins d'une certaine Sabrina.

Le professeur le regarda comme on regarde un enfant qui répète les gros mots qu'il vient d'apprendre à l'école.

– Bref, nos ancêtres ont lutté pour la liberté d'expression... et ces terroristes viennent la bafouer jusque chez nous.

– Ces féroces soldats, ils viennent jusque dans vos bras, égorger vos fils, vos compagnes... clama Napoléon. Que revendiquent ces gens-là ?

– Ils n'apprécient pas l'humour. Ils n'apprécient pas la liberté, sous quelque forme que ce soit. Et comme ils ne sont pas assez intelligents ou cultivés pour lutter à force d'arguments, eh bien, ils luttent avec des armes et assassinent des civils. Ils détruisent les journaux à coups de bombes. C'est tellement plus facile que de se lancer dans un débat chez Naulleau ou Pujadas.

Napoléon pensa que c'était là le nom de deux grands intellectuels de cette époque.

– J'ai fermé des journaux lorsque je régnais. Beaucoup de journaux.

– C'est vrai que vous avez énormément censuré la presse.

– Si je ne l'avais point fait, je ne serais point resté deux mois au pouvoir. C'était une question de survie pour moi.

– Mais eux brûlent les livres. Comme les nazis, ou comme dans ce film de Truffaut. C'est vrai, vous ne connaissez ni les nazis, ni Truffaut. Quelquefois j'ai l'impression de parler à un ado ou à un candidat de *Loft Story* qui serait resté un peu trop longtemps enfermé. Bref, l'État islamique brûle tous les livres qui, à ses yeux, représentent la culture occidentale. Le dernier *Harry Potter*, par exemple.

– Harry Potter?

– Oui, bon, le dernier n'est franchement pas terrible, mais de là à le brûler... Vous vous rendez compte, ils veulent détruire tous les livres pour ne plus en garder qu'un seul : le Coran. Ce qu'ils veulent, c'est une société dans laquelle on ne lirait plus qu'un seul livre. C'est horrible. Quel que soit le livre choisi, le Coran, la Bible, le catalogue des 3 Suisses, une telle civilisation ne peut être vouée qu'à l'échec, à l'obscurantisme, à la dictature de l'ignorance.

Napoléon se rappela qu'en traversant le terminal, depuis la porte où ils avaient débarqué jusqu'à celle-ci, le Norvégien et lui étaient passés devant deux librairies dont les vitrines n'étaient garnies que d'un seul et même livre qui s'étalait sur toutes les étagères. Se pouvait-il qu'en Occident aussi, on ne lise qu'un seul livre?

– La Bible? demanda le professeur Bartoli, intrigué, lorsque l'Empereur lui rapporta l'anecdote.

– Non, un certain *50 nuances de Grey*. Pour revenir à nos terroristes, au nom de quoi luttent-ils?

– Au nom de leur dieu, Allah, et de son prophète. Ils prônent une dictature religieuse.

– Quel dieu peut mandater ses fidèles pour tuer des innocents ou des gens qui dessinent?

– Ce n'est pas leur dieu qui leur dit de tuer. C'est eux qui tuent en son nom, c'est bien différent. C'est Dostoïevski qui a dit « Si Dieu n'existe pas, alors tout est permis. » Avec eux, c'est exactement le contraire. Si Dieu existe, alors rien n'est permis.

– Ces gens-là sont des fous, donc !

– C'est ce que l'on entend partout. Mais je trouve que c'est un peu trop facile de dire cela. Je ne pense pas qu'ils soient fous, non. Ils sont, au contraire, très cohérents dans leur projet de reconquête, de destruction et de mort. Ils savent où ils vont et pourquoi ils y vont.

– Ils sont inhumains alors !

– Oh, ils sont très humains au contraire ! Seul un être humain peut tuer gratuitement. Les animaux, eux, tuent pour se nourrir. On disait qu'Hitler était inhumain. C'est faux. Hitler était très humain, car ce qu'il a fait, aucun autre être animal, végétal, minéral n'aurait pu le faire. Tuer par stupidité, torturer par sadisme, tuer pour faire du mal est le propre de l'homme.

– Si je comprends bien, ils ne sont ni fous furieux ni inhumains, et dans quelques secondes vous allez me dire qu'ils ont bien raison !

– Jamais je ne dirai cela, j'essaie juste d'aller un cran au-delà de l'opinion courante, à savoir que ces mecs-là ne savent pas ce qu'ils font et qu'ils ont un petit pois dans le ciboulot. Méfions-nous. Ne les prenons pas pour des débiles, il se pourrait que l'on soit surpris. Je ne justifie pas leurs agissements, non, mais je tente de comprendre leur motivation. Ils ne font que rejeter en bloc notre culture, notre civilisation. Comme nous, nous rejetons la leur.

Napoléon lança un regard empli de compassion sur son peuple qui allait et venait autour d'eux et tomba sur un jeune homme qui portait une drôle de chemise sans col et sans manches sur laquelle était inscrit en grosses lettres JE SUIS CHARLOT.

– Est-ce une punition ? À mon époque, nous condamnions les criminels et les voleurs à porter des pancartes dénonçant leurs crimes et délits. De l'humiliation publique en quelque sorte.

– Oh non, se défendit Bartoli, c'est en rapport avec l'attentat. Le journal s'appelle *L'Hebdo des Charlots*. En signe de solidarité, tout le monde se sent un peu Charlot et l'affiche ouvertement.

– Tout le monde ?

– Le monde entier s'est rallié à cette cause. Des millions de personnes ont manifesté dans la rue un peu partout. Dans tous les pays. Même dans quelques pays musulmans.

Napoléon n'avait jamais aimé les manifestations, cela troublait l'ordre public. Cependant, il se dit qu'il n'aurait pas d'autre choix que d'adopter ces nouvelles coutumes. Aujourd'hui, les citoyens affichaient leur mécontentement en organisant ce qu'ils appelaient des manifestations, un genre de révolution pacifique qui ne durait que quelques heures et n'amenait jamais aucun changement.

Alors, le professeur Bartoli le mit au courant de tout. Al-Qaïda, l'État islamique ou Daesh, les djihadistes, les attentats en France depuis 1995, l'attaque des tours jumelles de New York du 11 septembre 2001, l'attentat de la gare de Madrid du 11 mars 2004, celui de Londres du 7 juillet 2005, Oussama ben Laden. Et Napoléon, qui était très intelligent, assimila toute cette information avec une implacable froideur. Puis avec une immense tristesse.

Toute civilisation avait un début et une fin, et il semblait que le déclin de celle-ci était enfin arrivé. Le gène de la bêtise était de loin le plus tenace, le plus constant chez l'homme. Darwin l'avait oublié, celui-là, et c'est toute sa théorie qui se cassait la figure. Ce n'étaient pas les êtres les plus intelligents qui survivaient, mais bien les plus abrutis. Le djihadisme en était la preuve. L'idiocratie avait gagné. Plus la peine de se demander pourquoi et comment les dinosaures avaient disparu de la face de la Terre. Un tyrannosaure Rex s'était un jour laissé pousser la barbe, avait convaincu ses potes prédateurs qu'en bouffant tous les autres, le dieu des dinosaures leur réserverait soixante-douze tyrannosaurettes vierges dans le paradis des tyrannosaures, et roule ma poule ! Ils avaient débarrassé le monde de leur espèce plus rapidement que Dustin Hoffman compte des cure-dents tombés au sol dans *Rain Man*. Bravo !

Lorsque le professeur eut terminé son récit, il jeta un coup d'œil à sa montre. Il restait cinq minutes avant d'embarquer.

– Excusez-moi, je vais aller aux toilettes, dit-il. Vous n'avez pas besoin de… ?

Devant le regard désolé de l'Empereur, Bartoli se rappela que le pénis de son interlocuteur se trouvait à plus d'une dizaine de milliers de kilomètres de là, dans une boîte à biscuits, sous un lit, au beau milieu de l'étrange et hétéroclite collection d'un médecin à la retraite, dans le New Jersey.

– Pardon… J'avais oublié, s'excusa-t-il. Bien, j'en ai pour une minute. Surtout, ne bougez pas. Et ne parlez à personne.

Le grand Corse disparut dans les toilettes publiques, laissant Napoléon en pleine contemplation des logos sur les portes. Un personnage en pantalon pour les hommes, un personnage en robe pour les femmes. L'Empereur sourit. Les Françaises d'aujourd'hui portaient peut-être des pantalons, il n'en restait pas moins qu'à l'heure de les identifier sur la porte des latrines, elles remettaient la robe et le corset.

Il repensa aux paroles de son compatriote. Les attentats, Daesh, les vendettas religieuses contre son peuple. Napoléon ne pouvait pas laisser les Français dans cette situation. Il n'avait jamais abandonné son pays. Et ce n'était pas maintenant qu'il allait commencer. L'abeille impériale ne déserterait pas la ruche. La paix est le meilleur projet pour la survie de l'espèce, se dit-il. Et puis, le destin l'avait ramené à la vie une seconde fois pour une raison. Il y avait toujours une raison aux choses. Il avait toujours cru aux signes. Jadis, il avait déjà un goût prononcé pour le surnaturel quand tout le pays, illuminé par les Lumières, s'était découvert athée. Son absence de pénis ne l'empêchait en rien d'uriner, mais il préféra se retenir et profiter de l'occasion qui s'offrait à lui pour s'éclipser en douceur. Il voulait répondre à l'invitation du destin. Se fixer un objectif dans la vie était le premier pas sur le chemin du bonheur. Partir en guerre contre ces djihadistes et sauver la France lui parut un bon objectif pour commencer à être heureux. Il se rappela la devise qui l'avait accompagné tout au long de sa première vie et l'avait toujours amené à prendre les bonnes décisions : *À la fin de ton existence, tu seras plus déçu par les choses que tu n'auras pas faites que par celles que tu auras faites.*

Sa retraite bien méritée dans les montagnes corses attendrait. Retraite. Il n'avait jamais aimé ce mot, de toute manière.

Napoléon ne comprend pas

Pendant les premières minutes de son escapade, Napoléon déambula dans le terminal comme une abeille à qui l'on aurait coupé les antennes, désorienté, sonné par les paroles du professeur Bartoli qui ne cessaient de résonner dans sa tête.

Pour comprendre ce qu'est Daesh, l'entendit-il dire, il faut comprendre ce que signifient les mots *salafiste* et *djihadiste*. Pour comprendre le mot *salafiste*, il faut connaître le sens de *islam*. Et pour comprendre *djihadiste*, il suffit de comprendre le mot *violence*, et ce mot-là, ce n'est pas la peine de le chercher dans le dictionnaire, tout le monde le connaît, même vous. Ainsi, Daesh est une organisation armée salafiste, donc revendiquant le retour à un islam s'appuyant sur des interprétations du Coran qui gouvernaient la pensée et les actes il y a plus de dix siècles, et djihadiste, donc imposant les objectifs islamistes par l'usage de la violence. Daesh est l'acronyme de *ad-dawla al-islamiyya fi-l-'iraq wa-s-sam*. C'est un peu compliqué, ce qui est assez normal puisque c'est de l'arabe. Et puis, de toute façon, personne ne vous demande de le retenir. Cela signifie L'État islamique en Irak et à al-Sham, al-Sham étant une région comprenant les États actuels de la Syrie, la Jordanie, la Palestine et le Liban. Daesh souhaite contrôler ces pays (avant de contrôler le monde) et y appliquer une version stricte et dure de la charia, un autre mot nécessitant la compréhension de plusieurs autres mots, ça n'en finit plus, mais que l'on peut résumer comme étant un ensemble de règles conditionnant tout autant la vie publique que la vie privée des musulmans, un ensemble de normes sociales, culturelles, dont le bafouage peut entraîner une *fatwa*, un jugement.

Bref, pour comprendre ce qu'est Daesh, il faut comprendre un sacré paquet de mots, en arabe, en général, ce qui n'est pas une mauvaise chose après tout, puisque nos parents nous ont toujours rabâché qu'il est bon de connaître les langues étrangères, ce qui est plus vrai encore lorsqu'on les parle dans votre pays. Le problème, c'est que même en connaissant tous ces mots, même en les ayant cherchés dans le dictionnaire et même en ayant compris leur sens, leur essence, leur usage, il est impossible de comprendre Daesh.

Il est impossible de comprendre Daesh parce que Daesh exécute les enfants pour la bonne et simple raison qu'ils ont regardé un match de football, parce que Daesh crucifie des enfants ou les enterre vivants.

Il est impossible de comprendre Daesh parce que Daesh exécute les femmes trop instruites, qui deviennent vite un danger et peuvent se lever contre l'obscurantisme aveugle.

Il est impossible de comprendre Daesh parce que Daesh brûle les livres et saccage les musées, parce que Daesh détruit la culture et l'histoire, parce que Daesh n'aime que sa propre culture et sa propre histoire.

Il est impossible de comprendre Daesh parce que Daesh excise les fillettes, l'excision étant l'ablation totale du clitoris, des petites et des grandes lèvres, dans le seul but d'augmenter le plaisir sexuel des hommes, par le rétrécissement du vagin, et d'empêcher l'orgasme des femmes, considéré comme malsain. En plus de cruelle, irrespectueuse, ignoble, c'est une mutilation douloureuse, inutile et irréversible. Un peu comme si l'on s'amusait à couper l'auriculaire des nouveau-nés afin qu'ils ne puissent jamais éprouver le plaisir de se gratter le fond de l'oreille avec.

Il est impossible de comprendre Daesh parce que Daesh fouette ceux qui osent fumer une cigarette, et brûle les récidivistes (c'est bien connu, fumer nuit gravement à la santé). Daesh décapite ceux qui boivent de l'alcool (là aussi, c'est bien connu, l'alcool fait perdre la tête).

Il est impossible de comprendre Daesh parce que Daesh enferme des chrétiens dans des cages avant d'y mettre le feu, parce que Daesh n'aime que sa propre religion.

Aussi loin que Napoléon se souvienne, les Cosaques avaient été les ennemis les plus sauvages et pervers contre qui il lui avait été un jour donné de combattre, et pourtant, à côté d'une telle cruauté, ils semblaient des agneaux inoffensifs. Lui aussi en avait tué des êtres humains, plus qu'il ne l'aurait voulu. La guerre était un monstre affamé qui se nourrissait de son lot d'âmes, mais jamais au grand jamais, il n'avait infligé plus de souffrance que celle nécessaire, celle d'une blessure mortelle, donnée aveuglément sur le champ de bataille. Il n'avait jamais éprouvé de plaisir à ôter une vie. Voilà en quoi on différenciait un homme qui tue pour faire la guerre, d'un homme qui fait la guerre pour tuer. Voilà en quoi on différenciait un homme d'un monstre.

Napoléon, comme nous l'avons déjà dit, était très intelligent, mais il venait de trouver quelque chose qu'il ne comprendrait jamais. Daesh. Et ce, malgré tous les efforts qu'il pourrait y mettre. Et pour la première fois depuis qu'elle s'était réveillée dans ce nouveau monde, l'abeille impériale avait le bourdon.

Napoléon au duty free

Sur son chemin, l'Empereur croisa d'étranges compagnons. Une machine qui distribuait des boissons, mais pas de Coca Light, l'aspirateur d'une femme de ménage, les tableaux d'affichage des vols. Puisqu'il était très intelligent, il ne s'extasiait en rien devant chaque merveille technologique, mais demeurait néanmoins admiratif des immenses progrès qu'avaient mis en œuvre ses descendants. Il était évident que la qualité de vie s'était nettement améliorée. On ne voyait plus de pauvres, d'estropiés, de mendiants en guenilles. Les gens étaient bien plus propres, ne crachaient plus par terre, faisaient leurs besoins dans des endroits appropriés et signalisés où l'on aurait mangé à même le sol, ils avaient de jolies dents blanches, sentaient bon, semblaient en bonne santé, et étaient bien habillés (même si leur tenue était parfois déconcertante, sans arriver aux extrêmes de Cambacérès). Bref, c'était un monde parfait. Et il se serait presque cru au paradis s'il ne s'était pas su vivant à nouveau.

Il se retrouva bientôt au beau milieu d'un flot de touristes russes tout droit débarqués de Moscou. Tel un saumon, il essaya de remonter le courant. Mais les Soviétiques se déplaçant par bancs dans ces latitudes, il lui fut impossible de décider d'une direction et il se résigna à suivre les poissons. Maudits Russes, ils avaient fini par le prendre en étau, plus de deux siècles après la bataille de la Bérézina dans une aérogare de la banlieue parisienne.

Bien entendu, cette petite escapade russe ne pouvait se terminer que dans un seul endroit. Le rayon alcool de ce que l'on nommait un duty free (encore un mot anglais, bien sûr!) Curieux, le Français commença à flâner entre les étals. Il y avait tellement de couleurs qui attiraient l'œil. De nos jours, les échoppes étaient bien fournies et bien éclairées. Les grandes files d'attente aux caisses dénotaient un bien-être social et un pouvoir d'achat supérieurs à ceux d'avant. Les gens consommaient. C'était bon signe. L'économie du pays devait aller bon train. Même si le marin lui avait soutenu que la France était en crise. Tu parles, en 1810, oui, la France était en crise! L'or devait couler à flots aujourd'hui, même si nulle part il ne voyait d'argent. Les pièces de métal semblaient avoir été remplacées par des cartes rectangulaires qu'il suffisait d'introduire dans la fente de petits boîtiers.

Au milieu de toute cette pollution visuelle, son attention fut attirée par une affiche sur laquelle on voyait une belle jeune femme blonde du nom de Barbara Gould s'appliquer une crème sur les joues. Pour rester jeune éternellement, disait le slogan, je suis Barbara Gould. Y voyant un signe du destin, Napoléon s'approcha des étals et prit la crème anti-vieillissement dans sa main. Il en examina d'abord l'emballage. Craignant que, maintenant qu'il était décongelé, le processus de vieillissement ne l'affecte de manière beaucoup plus rapide, il pensa qu'il aurait bien besoin d'un remède, ou, du moins, d'un retardateur. Il décida donc d'être, lui aussi, Barbara Gould et fourra la crème dans la poche de sa veste. Puis il changea de rayon et prit un paquet de six canettes de Coca-Cola Light. Son champagne noir. Oui, ce breuvage pouvait se comparer au champagne, excepté qu'il pouvait en boire tant qu'il voulait sans que jamais la tête ne lui tourne. Sans jamais perdre le contrôle. Une qualité décisive en temps de guerre.

Il trouva un sac à dos *I love Paris* au rayon voisin et y glissa les canettes et la crème de jour, quelque peu déçu que le sac ne soit pas plus grand et ne puisse contenir plus de champagne noir. Pour la peine, il décapsula une canette et la but. Chaque fois qu'il ingurgitait cette potion magique venue des États-Unis, c'était un peu comme s'il trahissait la France. Mais il ne pouvait s'en empêcher. C'était une petite trahison. Une toute petite trahison. Et puis le commandant norvégien lui avait affirmé que Coca-Cola donnait du travail à des milliers de familles françaises. Rassurée, l'abeille impériale, qui avait toujours voulu le bien de sa ruche, balança le sac sur ses épaules.

C'était un bon début de réserves de guerre.

Comme il ne disposait pas de la petite carte rectangulaire qui lui aurait permis de payer tout cela, il se dirigea, à pas de loup, vers la sortie du magasin. Après tout, il était Empereur. Il n'avait jamais eu besoin d'argent. Jadis, il avait même créé sa propre monnaie, à ses nom et effigie. C'était un temps où, la télévision n'existant pas, le peuple ne connaissait le visage de son souverain que par celui qui était gravé sur le franc germinal.

Alors qu'il passait entre deux portiques, une alarme, qu'il prit pour le gazouillis d'une volée d'oiseaux, retentit près de ses oreilles. Il sursauta. Mais comme une jeune fille en jupe à fleurs, chaussettes blanches et sandales, avec une natte de cheveux bruns lui balayant les fesses, correspondant en tout point au profil Rom, sortait aussi à ce moment-là, les mastodontes de la sécurité jugèrent opportun d'arrêter l'innocente en lui sautant dessus. Ce qui laissa champ libre au vrai voleur, qui continua sa route, impuni, vers les toilettes les plus proches.

Le syndrome du caniche

Lorsqu'il sortit des toilettes, le professeur Bartoli fut assailli par un désagréable sentiment de solitude. Le syndrome de la vieille dame qui ressort du Monoprix et s'aperçoit que le petit caniche qu'elle a attaché à un arbre a disparu.

– Merda! s'exclama-t-il dans sa langue maternelle, en proie à une panique monstre.

Il lança des coups d'œil affolés dans toutes les directions. Les battements de son cœur commencèrent à s'accélérer et ses tempes à bourdonner, comme lorsqu'on réalise que l'on vient de perdre son enfant dans un supermarché, ou qu'il vient d'être enlevé et qu'on ne le reverra plus jamais. Il s'imagina être contacté dans quelques minutes par une voix grave et perverse, déformée par une machine ou un simple mouchoir, lui demandant une rançon de quelques centaines de milliers d'euros pour revoir un jour l'Empereur. Imaginait-il cela parce qu'il avait trop vu de films policiers américains, ou juste parce qu'il était corse?

– Sire! murmura le professeur. Mon Dieu, Sire, où êtes-vous? Dites-moi que ce n'est pas vrai!

Il s'approcha d'une femme de ménage qui traînait un énorme aspirateur. Il allait lui adresser la parole lorsqu'il se ravisa, réalisant qu'il ne pouvait décemment pas demander aux gens qu'il croiserait s'ils avaient vu passer Napoléon Bonaparte.

L'Ours de Mossoul

À quelques milliers de kilomètres de là, quelque part en Syrie, entre Raqqa et Al-Thawrah, vivait un ours.

Afin de rester à l'écart des êtres humains, pour lesquels il n'avait aucune, mais alors aucune estime, il avait aménagé sa tanière dans un ancien stade de football désaffecté, à plusieurs kilomètres de tout foyer habité. Il était parti de Mossoul, sa ville natale, et avait avancé jusqu'en Syrie, conquérant les terres qu'il avait traversées tel un nouvel Attila. Là où je passe, l'herbe ne repoussera pas, disait-il, jusqu'à ce qu'un de ses lieutenants lui fasse remarquer que sur les terres désertiques qu'ils avaient traversées ne poussait pas la moindre touffe d'herbe. Eh bien, tu vois, ça marche déjà! lui avait-il alors répondu. Car il pensait que même la nature le craignait.

Lorsque l'ours avait découvert ce qui deviendrait son nouveau refuge, l'endroit n'avait pas encore été abandonné. On pouvait encore y entendre le rire des enfants, les cris de joie qui résonnaient à chaque but et les huées que l'on offrait à l'équipe adverse en espérant lui attirer le mauvais œil. C'était encore un lieu de rencontre, de jeu et de plaisir.

C'est un lieu de débauche, tu veux dire! avait pensé l'ours. Et il avait mis fin à toute cette décadence. Pas à coups de griffes, non, à coups de kalachnikov. C'était un ours moderne, même s'il avait des idées sur le monde, sur la religion et sur les femmes vieilles de plusieurs siècles. Disons qu'il aimait la modernité quand cela l'arrangeait, surtout lorsqu'elle prenait la forme d'un téléphone satellite ou d'un hélicoptère de combat. Ce qu'il n'aimait pas, en tous les cas, c'était le football, cet instrument du mal inventé par les Occidentaux afin d'avilir leur civilisation. Il était persuadé que dans le petit ballon rond se cachait une bombe qui anéantirait leur culture, leurs croyances et leur peuple.

Il ne faisait que se défendre, après tout, même si personne, en Occident, ne semblait le comprendre. L'ours n'était pas fou comme ils le prétendaient et ses agissements étaient maîtrisés et cohérents. Ils s'inscrivaient dans une logique écrasante que ces crétins d'Européens et d'Américains ne saisiraient jamais. Ils étaient irrécupérables.

Oui, il ne faisait que se défendre. C'était juste un ours acculé dans sa grotte que des chasseurs venaient bombarder, lui et ses frères, à coups de Bible, de Coca-Cola, de caricatures indécentes, de cinéma pornographique et d'Ikea. Mais il n'en voulait pas, lui, de la Bible, du Coca-Cola, des caricatures de son prophète, du cinéma et de ces meubles en cageots de pêches. Il n'en voulait pas de leurs livres, de leur art, de leurs peintures, de leurs sculptures profanes. Ils avaient déjà tout ce qui leur fallait ici. Alors ils brûlaient les livres et ils décapitaient les statues, et cela étonnait tout le monde. Quand un mormon boutonneux frappe à votre porte, vous avez quand même le droit de lui dire non, de lui refermer au nez, quand il s'incruste sans votre permission dans votre salon avec ses foutues bibles et ses belles paroles, vous avez le droit de tout balancer au barbecue, non ?

Pourquoi ne le laissait-on pas tranquille ? Pourquoi venait-on le chercher jusque dans sa grotte pour lui vendre des trucs dont il ne voulait pas pour ses enfants, pour ses épouses et lui ?

Oui, il ne faisait que se défendre. Il souhaitait juste protéger sa famille et que ses valeurs millénaires, celles que ses parents et ses ancêtres lui avaient léguées, ne disparaissent jamais. Et il les protégeait. Au moyen d'une violence légitime.

Lui, il comprenait Daesh, et ce, sans même ouvrir un dictionnaire. Car il était Daesh. Il était dans le vrai.

Il voulait proposer au monde une autre forme de vie, bien loin de celle, superficielle et dépravée, que lui offraient les Occidentaux. Pour cela, il servait Daesh parce qu'il trouvait que ces valeurs-là étaient vraies, pures, puisqu'elles gouvernaient déjà la pensée et les actes des siens plus de mille ans en arrière. On critiquait ses méthodes, mais il fallait être dur pour gouverner. Le peuple ne savait pas ce qui était bon pour lui. Voilà pourquoi il appliquait une version stricte et sévère de la charia. Parce qu'il n'avait pas le choix. Dès qu'on laissait un peu de liberté aux gens, ils finissaient par vous bouffer, ou par se bouffer entre eux, ce qui faisait le jeu des Occidentaux qui n'attendaient que ça.

Ils exécutaient les enfants, mais c'était pour la bonne cause, car il ne fallait pas corrompre l'avenir. Quand on a une pomme pourrie dans un panier, on la jette avant qu'elle ne contamine le reste, n'est-ce pas? Que celui qui n'a jamais jeté une pomme pourrie lui jette la première pierre.

Ils exécutaient les femmes trop instruites pour la même raison. Parce qu'elles se lèveraient un jour contre leur propre peuple, gonflées d'orgueil et d'idées tout droit sorties des magazines. Regardez ce que les féministes avaient réussi de l'autre côté du monde. Castrer les hommes, les asservir comme des chiens battus, le regard fuyant et la queue entre les jambes. La politique, comme la guerre, était affaire d'hommes. Alors ils tuaient les plus réfractaires, pour montrer l'exemple. Et ils excisaient les fillettes, pour que jamais elles ne connaissent l'orgasme. Car une femme qui jouit, c'est le début des ennuis. Ça jouit et puis après, ça demande les mêmes droits, ça se présente aux élections et puis ça finit par vous foutre le bordel dans le pays. Les Européens ne comprenaient vraiment rien. Quand avait-il été irrespectueux envers une femme ? L'ours les aimait. Toutes. Il les laissait le servir. Il les laissait le satisfaire. C'était déjà pas mal. La fonction d'une femme n'était-elle pas de servir son mari ? Était-ce si différent en Espagne ou en France dans les années 50 ?

On critiquait le niqab, mais c'était lui qui avait sonné la fin de l'esclavage des femmes en Orient. Quoi qu'en disent les infidèles, elles étaient libres. Affranchies du diktat pesant et si injuste de la beauté. Recouvertes d'un voile intégral, elles n'avaient plus à se soucier de leur apparence, de leurs rondeurs, elles n'avaient plus à aller chez le coiffeur ou au centre de beauté, à se faire injecter du Botox, à dépenser des fortunes dans des régimes chimériques ou dans de nouvelles poitrines. Les musulmanes n'avaient pas à apprendre à marcher avec des talons aiguilles. Elles n'avaient pas à souffrir en s'épilant les jambes à la cire chaude. Elles n'avaient pas à se faire le maillot non plus. Elles étaient libres. Vraiment libres. Oui, quoi qu'on en dise, l'islam simplifiait la vie des femmes.

Pour toutes ces raisons, il comprenait et servait Daesh.

D'un côté il y avait les djihadistes, de l'autre, les infidèles.

Comme toujours dans ces cas-là, les deux camps étaient persuadés d'avoir raison et d'être le gentil de l'histoire. Comme deux amoureux qui s'écharpent parce qu'ils sont en total désaccord mais ne reviennent jamais sur leur position. Quand on y réfléchit, c'est fou comme ce qui est incompréhensible d'un côté de la Méditerranée ne l'est pas de l'autre.

L'Ours de Mossoul, qui répondait dans le civil au doux nom de Mohammed Mohammed, soit deux fois Mohammed, comme si le premier n'eût pas été suffisant pour insuffler la peur dans les esprits, était, comme tout ours qui se respecte, susceptible et sans aucun sens de l'humour.

Cela n'aurait pas été trop grave s'il n'avait pas voulu convertir le monde entier à son image.

Napoléon rencontre un mendiant
qui lui change sa manière de penser

L'Empereur examina son visage dans le miroir mais n'y observa aucun changement notable, si ce n'est que sa peau luisait un peu plus qu'avant, comme celle d'un poisson visqueux. Il reposa la crème de jour Barbara Gould sur le lavabo. L'effet était peut-être moins immédiat qu'il ne le pensait.

À côté de lui, un gros bonhomme vêtu d'une de ces drôles de chemises sans col se lavait les mains tout en lui jetant un regard méfiant.

– En combien de temps cela agit-il? demanda le Corse en signalant le pot de crème.

L'homme éclata de rire.

– Me dites pas que vous croyez à ces sornettes! C'est des trucs de bonnes femmes, ça! Des crèmes qui coûtent la peau des fesses et fonctionnent autant qu'une cuillère dans le goulot d'une bouteille de champagne pour ne pas qu'il s'évente. Autant vous passer de l'eau sur le visage. C'est plus sain et aussi efficace.

L'Empereur allait réagir lorsqu'il fut coupé par une voix qui résonna au-dessus de sa tête et s'adressait à lui. La voix de Dieu. Caverneuse et puissante. *Monsieur Napoléon Bonaparte est demandé au point de rencontre du terminal 2F. Monsieur Napoléon Bonaparte.* Alors qu'il levait les yeux au plafond, le gros bonhomme lui indiqua les haut-parleurs des toilettes.

– Encore une blague d'un petit plaisantin, dit-il en séchant ses mains dans une drôle de machine à vent.

– Sûrement, répondit l'Empereur qui, une fois la surprise passée, reconnut dans l'annonce une stratégie du professeur Bartoli pour l'attirer à nouveau dans ses filets.

– Comment appelez-vous cela ? demanda-t-il en désignant la chemise sans col et sans manches que presque tout le monde portait dans cet aéroport.

– Mon tee-shirt ?

– Un *ticheurte* ? Quel drôle de nom ! Pourquoi cela s'appelle-t-il ainsi ?

L'homme haussa les épaules.

– Je ne sais pas. Peut-être à cause de sa forme en T. T-shirt. Vous savez, c'est de l'anglais…

– Encore cette maudite langue ! pesta Napoléon entre ses dents. C'est une véritable plaie.

Se pouvait-il que la France fût devenue une annexe de l'Angleterre ? Car si celle-ci était peut-être restée cette petite île isolée du Nord, elle semblait avoir soumis le continent à son langage, et donc à sa manière de voir les choses. Elle avait réussi là où lui avait échoué. Même s'il ne s'agissait que d'une domination linguistique. Ainsi, les Anglais, n'ayant plus en face d'eux d'adversaire à leur taille, avaient mis à profit ses années d'absence pour accomplir leur obscur dessein. Dominer la France, pour ainsi dominer le monde.

– C'est une victime de l'attentat ?

L'Empereur désignait le visage féminin qui apparaissait en gros plan sur le tee-shirt de l'homme.

– L'attentat de *L'Hebdo des Charlots* ? demanda le touriste.

– Oui.

– Vous rigolez ?

– Je ne rigole jamais avec les attentats.

– C'est Shakira ! dit l'homme en tirant sur son tee-shirt.

– Quel chat ?

– Shakira.

– Le *chat-qui-rat*?

– Vous ne connaissez pas Shakira?

– Je n'ai pas ce plaisir.

– Oh, je suis sûr que vous avez déjà entendu un de ses tubes.

Illustrant ses propos, l'homme commença à fredonner *Waka Waka, this time for Africa*.

– Vous savez, la coupe du monde de foot.

– Connais point.

– Ah Ah Ah! Vous êtes marrant. Bref, je l'ai acheté durant un de ses concerts à Paris. J'adore. En tout cas, on en a bien besoin en cette triste période.

– Vous êtes Charlot, vous aussi?

– Et comment que je suis Charlot! répondit l'homme comme un cri de guerre.

Puis il se retourna, paniqué à l'idée de penser qu'un djihadiste était peut-être dans un des W-C derrière lui.

Napoléon réalisa alors que le peuple était bien uni et qu'il devrait mettre de côté sa susceptibilité religieuse et sa défiance envers les caricaturistes s'il voulait gagner le cœur des Français. Si tu veux gagner le cœur du peuple, ressemble au peuple, pensa-t-il. La reine de la ruche devrait reprendre des dimensions plus communes et se mêler aux ouvrières et autres bâtisseuses, butineuses et nourricières.

– Cela vous dirait d'échanger votre *ticheurte* contre ma chemise?

L'homme jeta un coup d'œil méfiant à la chemise blanche de l'inconnu. Il pensa d'abord qu'il plaisantait. Puis, voyant qu'il était sérieux :

– Ça dépend, c'est quelle marque?

– Quelle marque? Vous voulez parler du tailleur qui l'a conçue?

L'homme pouffa de rire.

– Vous êtes un comique, vous. Le tailleur… Faites-moi voir cela.

Il s'approcha et écarta de ses doigts boudinés le col de la chemise de l'Empereur au niveau de la nuque.

– Dolce & Gabbana! Mazette!

Il siffla d'admiration.

– Oh, un tailleur corse! s'exclama Napoléon. Ce bon vieux Hansen a pensé au moindre détail.

– Corse? Dites pas à un Corse que Dolce & Gabbana est du pays, sinon il va vous foutre une bombe sous la voiture!

L'homme partit dans un fou rire. Puis il se retourna, paniqué à l'idée de penser qu'un Corse était peut-être dans un des W-C juste derrière lui.

– Si je comprends bien, vous voulez échanger votre chemise Dolce & Gabbana contre mon tee-shirt de Shakira.

– Vous avez tout compris.

– OK, je suis d'accord, dit le touriste en pensant qu'il pourrait toujours se procurer un nouveau tee-shirt de Shakira, mais qu'il ne pourrait jamais s'acheter une chemise à ce prix-là.

Les deux hommes se mirent dans un coin et échangèrent leurs habits sous le regard sidéré d'un vagabond qui se rasait à côté d'eux.

Lorsque le gros bonhomme quitta les lieux, un air satisfait sur le visage, avec sa nouvelle chemise plus que seyante, Napoléon glissa sa main sous sa nouvelle tenue, au niveau de son estomac, et posa devant le miroir.

– Suis-je assez commun? demanda-t-il au vagabond. Est-ce que je ressemble au peuple?

– On dirait l'bon vieux Napoléon avec un tee-shirt de Shakira! observa celui-ci assez justement.

À l'évocation de son nom, l'Empereur sursauta. Il observa ce vieux monsieur hirsute aux cheveux graisseux, sans dents, au visage ridé. Peut-être était-il plus jeune qu'il ne le paraissait. La misère vieillissait les hommes. C'était le premier vagabond qu'il rencontrait. Même si les indigents d'aujourd'hui semblaient plus propres et en meilleure forme que ceux de jadis. Il portait un tee-shirt blanc avec écrit JE SUIS CHARCLO dessus. Ainsi, même le mendiant soutenait son peuple... Alors qu'il avait d'autres soucis que de s'occuper du terrorisme, trouver quelques centimes pour manger par exemple. Quelle belle preuve de patriotisme! Quelle belle démonstration de fraternité!

– Je suis désolé, je n'ai point de pièce à vous donner, mon brave. Je n'ai point de carte rectangulaire, je veux dire.

– Oh, vous en faites pas pour moi. En c'moment, j'ai pas à m'plaindre. Avec toute cette histoire...

Le clochard regarda autour de lui, comme quelqu'un qui s'apprête à commettre quelque chose d'illégal ou à révéler un secret. Une fois rassuré, il agrippa un sac en plastique de Carrefour et en sortit un grand journal à la couverture verte sur laquelle on voyait un homme enturbanné en train de pleurer.

– *L'Hebdo des Charlots* que tout l'monde y s'arrache! En rupture de stock partout. J'ai réussi à m'le procurer. J'les achète à trois euros et les revends à cent cinquant', deux cents euros sur eBay. J'ai un copain qui bosse dans un café-internet.

Abeille? Qu'était-ce donc? Une place de marché où se réunissaient les artisans?

– Vous faire de l'argent sur ces terribles événements... Ce n'est point moral!

– Oh, si tout ce que j'faisais était moral, j'boufferais des pissenlits par la racine depuis belle lurette, mon pauv' monsieur. Et la moralité, quand on est mort, ça sert plus trop à grand-chose. Et pis, j'suis Charlot, quoi qu'on en dise. J'suis de tout cœur avec eux, mais y faut bien que j'mange. Ma bonne action, c'est de leur acheter leur foutu journal! Vous en voulez un ? J'vous l'laisse pour cinquant' euros. Vous avez une gueule qui m'revient ben !

– Non, merci.

Déçu, l'homme rangea à nouveau le journal dans le sac.

– Vous savez, dit-il, si y a queq' chose de bien dans cette histoire, pa'ce que j'pense qu'y faut toujours essayer d'regarder le côté positif des choses, même tragiques, c'est l'rassemblement spontané de tous les humains contre la barbarie, que'que soit leur couleur, leur nationalité, leur culture, leur religion, leur richesse et tout le tintouin. Face à ces horreurs, le monde s'est levé, uni, comme jamais. Du coup, on s'est mis à aimer tous les trucs qu'on trouvait pourris deux jours avant. Le Gangnam Style, Céline Dion ou leurs conneries de Masterchef. Pac'que même si c'est bébête, ça fait pas d'mal, au contraire, les gens s'amusent. Ces conneries, c'est du positif. C'est d'la connerie saine. Celle qui fait rire. Pas celle qui fait pleurer des centaines de familles bousillées. Ça devrait nous servir de leçon. Même si j'sais que dans trois semaines, tout sera red'venu comme avant. Chassez l'égoïsme, y revient au galop comme disait l'autre, pas vrai ?

Le clochard loucha sur la photographie de la jolie femme qui illustrait l'emballage de la crème de jour.

– Vous aussi vous zavez une copine pour pas vous sentir seul ?

– Une copine ?

Napoléon regarda par-dessus son épaule mais ne vit qu'un homme qui fonçait vers un urinoir.

– Barbara Goud'.

– Ah.

– Moi aussi, j'sors jamais sans mon pote, Monsieur Prop'.

Il tira de son sac en plastique un flacon de détergent jaune et le posa devant le miroir, sur l'évier. Un baraqué au crâne rasé aux allures de videur de discothèque leur souriait, les bras croisés sur la poitrine. Puis le vieil homme reprit son rasage comme si de rien n'était, observant dans le miroir ce petit touriste en tee-shirt de Shakira et en jean moulant qui n'avait pas bougé d'un poil et tenait toujours son estomac dans sa main.

– Vous zavez peur qu'i tombe ?

– Quoi donc ?

– Vot' estomac.

– Oh...

Le Corse retira la main.

– Vous vous prenez pour l'bon vieux Napoléon ?

L'Empereur décida de rebondir sur la question du mendiant.

– Vous aimez Napoléon ? demanda-t-il.

– Ça, c'était un sacré type ! Pas comme nos hommes politiques d'maintenant. Tous des mauviettes. On voit c'que ça donne ! Des attentats à tout bout de champ, sans que personne fasse rien pour arrêter ça. En tout cas, s'il était là aujourd'hui, il nous refoutrait un peu d'ordre dans tout ça, j'vous le dis !

Le clochard brandit son rasoir plein de poils comme s'il s'agissait d'un sabre.

– Pas vrai, Monsieur Prop' ?

Sur son étiquette, le malabar continuait de sourire. Il semblait d'accord avec lui.

Finalement, l'Empereur n'avait pas besoin de ressembler au peuple. Il était très bien comme il était. Quelquefois, on essayait de ressembler aux autres en pensant que les gens nous aimeraient un peu plus, mais on se trompait. Les gens nous préféraient tels que nous étions. Au naturel. Parce que nous étions uniques, différents. Je suis Barbara Gould, je suis Charlot, je suis Monsieur Propre. Napoléon trouva qu'à cette époque, on était un peu trop de choses à la fois. Que l'on n'était peut-être plus assez soi-même. Il décida de redevenir celui qu'il était, Napoléon Bonaparte, chef suprême des armées et des Français. Il fut pris d'une soudaine envie de fêter cela.

– Cela vous dit, un peu de champagne noir?

– Du champagne? J'veux mon neveu!

Les yeux du clochard se mirent à briller. L'Empereur sortit une canette et la tendit à l'homme, qui déclina en esquissant une horrible grimace. Qui était ce rigolo qui prenait du Coca-Cola pour du champagne? Il préférait encore boire de l'eau de toilette Adidas.

Tout en se désaltérant, le petit Corse en vint à regretter d'avoir échangé sa chemise contre ce monstrueux *ticheurte* du *Chat-qui-rat*. Tu parles d'un nom, le *Chat-qui-rat*! Il aurait dû rester ce qu'il était, garder sa singularité, et non pas vouloir devenir un autre. S'il s'était fondu dans la masse étant plus jeune, s'il s'était adapté au moule, jamais il ne serait devenu Napoléon Ier. Jamais il n'aurait marqué l'Histoire. Seuls les gens qui revendiquaient leur singularité restaient dans l'Histoire. Depuis le conte du vilain petit canard, on avait fait croire au peuple que celui qui était différent avait tort, que l'agneau noir devait se rouler dans la farine pour ressembler aux autres et réussir. Alors que c'était en restant noir, en restant lui-même, qu'il décuplait ses chances de devenir un modèle. Parce qu'il était unique et qu'au fond de soi, chacun l'enviait. Parce qu'on veut toujours se sentir unique. Et bientôt, c'était le troupeau entier qui se roulait dans le charbon pour lui ressembler.

– Vous avez raison, dit l'Empereur. Je vais « refoutre un peu d'ordre dans tout ça », comme vous dites!

Il se regarda à nouveau dans le miroir et une moue vint déformer son visage. Il manque quelque chose, pensa-t-il, pour que je redevienne celui que j'ai toujours été. Il manque quelque chose, répéta-t-il, en observant avec minutie son reflet. Il réalisa alors qu'il lui manquait son chapeau. Il ne pouvait pas redevenir le grand Napoléon sans son fameux bicorne. Quelquefois, même les hommes les plus solides et les plus puissants avaient besoin d'un objet simple, qui leur était cher, pour retrouver confiance en eux. Un gri-gri, un fétiche.

Avant de partir, il laissa sa crème Barbara Gould à l'indigent pour qu'il s'offre une nouvelle jeunesse, et ne se sente pas si seul. La photographie de la belle blonde sur l'emballage en carton lui tiendrait compagnie. À lui et à son ami. Peut-être n'était-ce là qu'un mauvais tour de son imagination, mais il lui sembla que le sourire de Monsieur Propre s'était lui aussi élargi davantage.

Napoléon part à la recherche de son chapeau

Alors qu'il arpentait le terminal en direction de la sortie, désignée par un obscur panneau Paris-RER B, une idée commença à germer dans son esprit. Le formidable esprit stratège de Napoléon Bonaparte. Il repensa au journal et à la conversation avec le professeur Bartoli, qui devait être en train de se faire un sang d'encre à l'heure qu'il était.

Lui aussi était Charlot. Oui, le grand Napoléon Ier était Charlot, Charlot Ier. Et il l'aurait écrit en gros sur son *ticheurte* si le visage de ce *Chat-qui-rat* n'avait pas pris toute la place.

Comment répondre aux bombes des terroristes islamistes? Fallait-il répondre aux bombes par d'autres bombes? Était-ce la solution? La seule solution? Et puis, ces bombes, où les trouverait-il de toute manière? Non, il sentait que la réponse était ailleurs, et qu'il n'aurait pas à mener une guerre armée. Ce serait une guerre de cerveaux. Une guerre de matière grise. Il soupira, désemparé. Ces hommes-là tuaient des gens qui dessinaient. Ils balançaient des grenades contre des crayons de couleurs. Lui n'avait jamais tué de civils quand il était parti en guerre. Du moins, il avait essayé. Parce qu'il y avait des règles. Vu de l'aéroport, ce nouveau monde était beau, silencieux et sentait bon. Et il se battrait pour qu'il le demeure.

Napoléon repensa à la paix. Faire la guerre pour avoir la paix. La maxime de Végèce avait mal vieilli. D'un autre côté, comment pouvait-on faire la guerre quand on ignorait les forces dont on disposait soi-même? Quand on ignorait les forces dont disposait l'adversaire? Pour la première fois de sa vie, le fin stratège ne contrôlait plus rien. Et il avait horreur de cela.

Il pensa à son cheval qui « transiterait » vers la Corse. Tant pis pour Le Vizir, il le retrouverait plus tard là-bas. De toute manière, quelle pouvait donc être l'utilité de sa vieille monture à une époque où les avions sillonnaient le ciel?

L'Empereur arriva bientôt devant une porte automatique qui s'ouvrit pour le laisser passer. Il gonfla la poitrine, débordant d'orgueil. Malgré son déguisement, les portes, elles, l'avaient reconnu et se félicitaient déjà de son retour.

Il s'enfonça dans un dédale de souterrains semblables à des tranchées, à la recherche du train-qui-roule-sous-terre, sauta par-dessus un tourniquet, comme la plupart des gens, et monta dans la première rame qui passait par là.

Il jeta un coup d'œil au plan collé à côté de la porte du wagon et réalisa qu'il y avait justement une station qui s'appelait Invalides. D'ailleurs, il y avait même un arrêt Wagram et un autre, gare d'Austerlitz. Cela le remplit de joie.

Lors d'un changement, il croisa une nouvelle patrouille de militaires. Il se refréna, mourant d'envie de les apostropher pour leur décliner son identité. Il aurait besoin d'une armée, c'était évident, mais peut-être valait-il mieux parler directement à leur chef. En outre, il ne pouvait s'empêcher de penser aux paroles du professeur Bartoli qui l'avait avisé qu'il finirait dans un hospice pour malades mentaux si jamais il avait le malheur de se présenter sous sa vraie identité. C'était décidé, après être allé chercher son bicorne, il irait voir le dirigeant actuel de la France afin de lui proposer son aide. Et bénéficier, par la même occasion, de son armée. Le plan prenait forme.

Arrivé à la station Invalides, il regagna la surface. Là, il fut pris d'une soudaine envie d'uriner. Il croisa et décroisa ses jambes, exécuta quelques claquettes, tout en jetant des regards partout autour de lui à la recherche d'un endroit à l'abri des regards. On ne pouvait pas toujours disposer de trois ou quatre conseillers ou serviteurs pour former un mur humain qui vous laisserait un semblant d'intimité. Il pesta. L'esplanade des Invalides était une longue clairière herbeuse à découvert. Il tomba alors sur d'étranges carrosses sans chevaux garés le long d'une avenue, sûrement ces « voitures » dont lui avait parlé Hansen, et jugea qu'ils constitueraient de bonnes toilettes.

Il se glissa entre deux véhicules, descendit son pantalon slim-fit sur ses baskets et s'accroupit. L'effort continu et la position inconfortable lui enflammèrent les cuisses et réveillèrent ses hémorroïdes. Quelle plaie! Depuis qu'on l'avait amputé de son sexe, il était obligé de pisser comme une fille. Cette humiliation lui aurait été insupportable à son époque. Mais dans celle-ci, où tout était fait pour que les hommes et les femmes se sentent égaux, la pilule était plus facile à avaler. Les femmes fumaient et mettaient des pantalons. Les femmes pouvaient être soldats et gouverner des pays. Alors pourquoi les hommes ne pisseraient-ils pas assis?

Les bananes explosives

Au même moment, à Londres, un homme entrait au rayon jouets des grands magasins Harrods, retirait son grand imperméable et affichait une ceinture d'explosifs autour de la taille. Il avait un faux air de Joséphine Baker qui aurait troqué ses bananes contre des bâtons de dynamite.

Il appuya sur le bouton rouge de la télécommande qu'il tenait dans la main, ce qui activa le dispositif. Et en moins de temps qu'il ne faut pour dire *Allahou akbar,* tout devint noir.

Le retour de Napoléon aux Invalides

Une joie indescriptible submergea le petit Empereur lorsqu'il aperçut le majestueux édifice se dresser devant lui. Il était tel qu'il l'avait connu. Ils ne l'avaient pas détruit. Quel plaisir de retrouver quelque chose de familier lorsque autour de vous tout avait tant changé.

Il traversa la grande cour des Invalides en marchant d'un pas léger. Alors qu'il était sur le point d'entrer dans le bâtiment, il aperçut, dans une alcôve surmontant un balconnet, la statue verdâtre d'un petit homme portant bicorne, redingote et bottes, la main gauche sous son gilet déboutonné, au niveau de l'estomac. À la voir, on n'aurait jamais dit qu'en 1871, lors de son transport par bateau pour la protéger des combats, elle était tombée dans la Seine, décapitant l'Empereur sur le coup.

Une drôle de sensation l'envahit.

C'était une statue de lui, il n'y avait aucun doute. Même si le nez n'était pas très réussi et ressemblait plus à un bec d'aigle. Ainsi, on se souvenait encore de lui, près de deux siècles plus tard. Au point de lui avoir sculpté une jolie statue. Dieu, ce qu'il aimait les Français d'aujourd'hui !

Il ne fut pas compliqué de trouver le tombeau. Celui-ci était ouvert au public, même si, aujourd'hui, les touristes avaient déserté l'endroit au profit de quelque autre musée d'assiettes cassées. Cela le vexa un tantinet, mais d'un autre côté, il se réjouit d'être seul, sans témoins, pour pouvoir mener à bien sa mission.

Sur un coffre en pierre disposé au milieu de la grande pièce, une inscription disait :

Je désire que mes cendres soient dispersées
sur les bords de la Seine,
au milieu de ce peuple français que j'ai tant aimé.

C'est vrai, il avait bien spécifié cela dans son testament. Sans jamais pouvoir imaginer que ses cendres deviendraient un jour celles d'un pauvre bougre souffrant de diarrhées.

Alors qu'il balayait la pièce du regard, il aperçut son bicorne dans une vitrine, contre le mur. Il enleva sa veste de costume, l'enroula autour du bras et donna un grand coup dans le carreau qui se brisa aussi sec. Puis il y plongea sa main et en sortit la coiffe. Celle-ci étant posée sur une redingote noire, il en profita pour la prendre aussi. Il enfila alors le long manteau par-dessus son tee-shirt. Il prit le bicorne et le fit tourner entre ses doigts. Il le regarda quelques instants, avec nostalgie, un sourire aux lèvres et les yeux brillants. Il le regarda comme un bon ami que l'on retrouve après des années de séparation. Il observa chacune de ses coutures. Il n'avait pas changé. Puis il le coiffa. Il avait cette fâcheuse tendance, une fois son chapeau sur la tête, de se croire le maître du monde. Il eut le sentiment d'être investi d'une force prodigieuse.

Avec sa redingote et son bicorne, Napoléon ne s'était jamais senti autant Bonaparte. Il manque quelque chose, pensa-t-il, se mirant dans la vitrine. Oui, il manque quelque chose, répéta-t-il comme il l'avait fait, un peu plus tôt, devant le miroir des toilettes de l'aéroport. J'ai mon bicorne, ma redingote, ma rage de vaincre et du Coca Light. Il réalisa alors qu'il lui manquait le plus important. Son armée.

Djihadistes 3.0

Au même moment, de l'autre côté de la Seine, dans l'immense immeuble de TF1 qui surplombait la ville, Bruno Lopez posait sa tasse de café fumante sur son bureau. Il regarda un instant la petite main peinte en vert sur le fond blanc de porcelaine et sourit. C'était le cadeau de la dernière fête des Pères de sa fille Eva, deux ans.

Puis il jeta un coup d'œil à l'écran de son ordinateur et son sourire disparut d'un seul coup.

En moins de temps qu'il ne faut pour que ERROR404 s'affiche sur ses trois écrans 40 pouces, la page Internet officielle de la chaîne télévisée, qu'il avait mis plusieurs mois à concevoir, était devenue un site de propagande islamiste radicale et appelait au meurtre.

Napoléon à l'Élysée

Comme il se l'était promis, le petit Corse dirigea ses pas vers le palais de l'Élysée, de l'autre côté de la Seine. Il imaginait que l'endroit continuait de servir de résidence au chef des Français. Du moins, il l'espérait. Maintenant qu'il avait retrouvé une apparence plus ou moins familière, il pourrait rencontrer son homologue et lui proposer de l'aide sans trop avoir à donner d'explications.

Après une demi-heure, il arriva enfin devant l'hôtel particulier dont il avait fait sa résidence impériale le jour du départ de son beau-frère Joachim Murat pour Naples, en 1805.

Un garde vêtu d'un drôle d'uniforme surveillait l'entrée du bâtiment, protégé par une belle grille en fer forgé recouverte de feuilles d'or. C'était étrange de regarder ce qui avait été sa maison pendant des années sans pouvoir y entrer à nouveau librement, comme ces gens qui déménagent puis passent un jour devant le jardin de leur ancienne maison et y voient jouer des enfants qui ne sont pas à eux. L'Élysée avait dû en accueillir des locataires depuis qu'il l'avait quitté! Déjà de son temps, il était passé de mains en mains assez fréquemment. Après leur rupture, Napoléon avait offert la résidence à Joséphine, avant de la lui reprendre en 1812 en échange du château de Laeken, au nord de Bruxelles. Il s'y était alors installé avec Marie-Louise et son jeune fils, le roi de Rome. Deux ans après, le tsar Alexandre Ier, vainqueur de la guerre qui opposait la France à la Russie, prenait possession du palais après l'avoir fait fouiller par ses hommes, de peur qu'il soit truffé de bombes. Et puis Napoléon s'était désintéressé de l'affaire. En exil à Sainte-Hélène, il avait eu d'autres goélands à fouetter. La dernière fois qu'il avait vu le palais de l'Élysée, c'était le 25 juin 1815. La date était restée ancrée dans sa mémoire. Il se revit sortant par la porte du fond du parc, à cause de la foule massée devant l'entrée principale, quelques jours après avoir proclamé son fils, Napoléon II, Empereur des Français. Une espèce de fuite. Voilà le dernier souvenir qu'il avait de cette prestigieuse demeure.

– Je connaissais personnellement Fouché, votre ex-patron, ministre de la Police.

– Pardon?

Devant la drôle de requête et l'insistance de cet hurluberlu en bicorne, redingote et tee-shirt de Shakira, le jeune gardien de la paix chargé de la surveillance prévint l'adjoint de l'adjoint du secrétaire général, qui prévint à son tour l'adjoint du secrétaire général, qui prévint le secrétaire général, qui prévint le directeur du cabinet, qui prévint le conseiller de communication, qui prévint le chef de l'état-major particulier qui prévint le président de la République, qui, Dieu étant indisponible, ne prévint plus personne.

– Et vous me dérangez de mon golf de chambre pour me dire qu'il y a un type qui prétend être Napoléon Bonaparte qui désire s'entretenir avec moi au sujet des malheureux événements qui frappent la France en ce moment? demanda François Hollande, agacé d'avoir raté le trou. Donnez-lui cinquante euros et l'adresse de l'hôpital Sainte-Anne.

C'était la deuxième fois qu'on le dérangeait aujourd'hui en plein travail. La première, c'était pour lui annoncer qu'un citoyen français originaire du Gers répondant au doux nom d'Abdullah Ben Afaf s'était envoyé en l'air avec une trentaine d'enfants au rayon jouets de Harrods, à Londres. Si les Arabes aussi se mettent à la pédophilie, avait-il remarqué, on n'est pas sorti de l'auberge, enfin, du bar à chicha. Avant qu'on ne lui explique que par « s'envoyer en l'air », on avait voulu dire « se faire voler en morceaux ». Ce qui était légèrement différent. Demandez à l'équipe d'entretien qui aurait la charge de nettoyer la scène de crime !

– Je sais que cela peut paraître stupide, mais il paraît que cet homme peut prouver qu'il est bien Napoléon, dit le chef de l'état-major particulier. J'espère qu'il a de meilleurs arguments que son apparence.

– Son apparence ?

– Le garde m'a informé qu'il portait un bicorne et... un jean moulant...

– Un jean moulant ? C'est ridicule ! Le vrai ne porterait jamais de jean moulant. Napoléon n'était pas gay à ce que je sache.

Le chef de l'état-major particulier, qui l'était, lui, ne comprit pas trop cette remarque, car il ne mettait jamais de pantalon serré.

– Oh, ce n'est pas le plus frappant, monsieur. Il arborerait également un tee-shirt de Shakira.

François Hollande éclata de rire.

– De Shakira ? répéta-t-il. De mieux en mieux ! Voyons, ce n'est pas sérieux, mon vieux. Napoléon avec un tee-shirt de Shakira...

– Cet homme prétend être très sérieux au contraire. Et il avance qu'il aurait une solution à tous ces attentats djihadistes. Une solution sans risques. Sans sang, sans perte. Une guerre propre et définitive. L'éradication complète des fanatiques religieux islamistes. La fin du djihadisme en France et dans le monde. Pensez-y, peut-être devriez-vous lui donner une chance... À moins que vous ne préfériez attendre que Valls nous sorte de là et...

– OK, j'ai compris, dit François Hollande en soupirant. Et soit dit en passant, arrêtez tous avec Valls. Il fait du mieux qu'il peut. C'est quand même pas Bruce Willis !

Il tendit son fer à un employé, qui s'en empara aussitôt et le fourra dans un sac duquel dépassaient plusieurs *clubs*, *drivers, shafts* et autres *putters*. Le subalterne enroula ensuite le *green*, démonta le minigolf et rangea tout un tas de machins aux noms anglais imprononçables dans un chariot avant de quitter la pièce.

– Très bien, dit le chef d'État en jetant un coup d'œil à sa montre. Mais je ne lui laisse pas plus de cinq minutes. Mon temps est précieux.

Le chef de l'état-major particulier prévint le conseiller de communication, qui prévint à son tour le directeur du cabinet, qui prévint le secrétaire général, qui prévint l'adjoint du secrétaire général, qui prévint l'adjoint de l'adjoint du secrétaire général, qui prévint le gardien de la paix chargé de la surveillance de la porte, qui laissa entrer l'homme à la redingote.

Cinq minutes après, Napoléon foulait l'immense tapis brodé de fils d'or de ce qui avait été un jour son bureau et était accueilli par deux hommes. Un grand mince au teint hâlé et un petit gros à la mine maladive.

Sans hésiter une seule seconde, il se dirigea vers le petit gros à lunettes et lui jeta dans les bras son bicorne, sa redingote et le sac à dos *I love Paris* débordant de canettes de Coca Light. Puis il s'approcha du grand et bel homme aux cheveux blancs.

– Monsieur le président, dit-il en lui tendant la main, je…

L'autre toussota, embarrassé.

– Ce n'est pas le président, dit une voix sous le chapeau, le sac et le manteau.

– Oh, je suis désolé, répondit le Corse. Pourrais-je m'entretenir avec lui ? Une affaire d'une extrême importance.

– Vous l'avez devant vous, dit François Hollande.

– Vous venez de me dire que ce n'est point le président ! s'exclama l'Empereur en indiquant du menton le conseiller qui souriait, amusé.

– Cherchez bien, il y a quelqu'un d'autre devant vous.

Napoléon regarda dans toutes les directions. Était-ce possible qu'il y ait dans cette pièce quelqu'un avec plus de charisme que le grand aux cheveux blancs, ou lui-même ? Il se retourna vers le domestique en haussant les épaules.

– Je ne vois point.

– *Je* suis le président de la République, dit Hollande, agacé.

Le conseiller, heureux d'avoir été pris pour le chef d'État, récupéra, quelque peu déçu, la redingote, le chapeau et le petit sac à dos.

– Oh, je suis confus, s'excusa Napoléon. Je vous imaginais moins... enfin, plus...

– C'est bon, c'est bon, n'en rajoutez pas, mon vieux. C'est quoi votre problème ? Vous ne regardez jamais la télé ou vous êtes juste con ?

– Je n'ai jamais regardé la télévision, avoua le Corse.

– Ça m'aurait étonné que vous me répondiez que vous êtes juste con ! Bien, je n'ai pas toute la journée. Qu'est-ce que vous me voulez ?

Une rencontre au sommet

Napoléon était confortablement assis sur un fauteuil Louis-XV, un sourire de satisfaction aux lèvres. C'était une sensation étrange de voir quelqu'un d'autre que soi à la tête de son pays, mais il avait déjà dû se faire à l'idée lorsqu'il avait abdiqué devant le tsar Alexandre Ier. Au moins, celui qui se tenait face à lui aujourd'hui était français. Ça restait dans la famille.

C'était un homme un peu grassouillet avec des lunettes et un air ahuri. Ahuri mais sympathique. Afin d'être au diapason avec son peuple, il avait enfilé par-dessus sa chemise et sa cravate, et sous sa veste de costume, un tee-shirt blanc *Je suis Charlot*, sur lequel quelqu'un avait très discrètement rajouté *un* au feutre noir entre *suis* et *Charlot*.

De son côté, ledit François Hollande le regardait stupéfait, la mâchoire décrochée. On fit sortir des gravures et des peintures d'époque et on le compara. Le petit homme qui se tenait devant lui ressemblait à s'y méprendre au Premier Consul de France. Son chapeau, reconnaissable parmi des milliers, paraissait authentique. Son expression et son sérieux avaient une telle puissance que ni le jean slim-fit, ni Shakira, ni le sac à dos *I love Paris* n'ôtaient la moindre once de crédibilité à sa détermination. Le dirigeant n'avait jamais vu quelqu'un avec un aussi grand charisme. Et il l'envia aussitôt.

Il convoqua urgemment Manuel Valls. Puis Nicolas Sarkozy. Pas que ce dernier fût un grand connaisseur de l'ère napoléonienne, mais parce que la presse l'avait maintes fois comparé à l'Empereur. Il demanda aussi qu'on lui ramène le conservateur du Louvre et quelques historiens spécialistes du sujet. Cependant, ce fut le chanteur Serge Lama qui confirma de manière tranchante et définitive que l'homme au pantalon moulant était bien l'Empereur des Français.

Le président actuel n'en revenait pas.

Nicolas Sarkozy non plus, mais pour d'autres raisons : il avait enfin trouvé plus petit que lui. Car si les deux hommes mesuraient 1,68 m, ses talonnettes lui donnaient l'avantage de quelques centimètres. Et rien au monde ne pouvait lui donner plus grande satisfaction. Plus grand que le plus grand des chefs d'État qu'avait connus la France. Il ne pourrait jamais attendre de rentrer à la maison ce soir pour l'annoncer à Carla. Il fallait qu'il lui envoie un texto. Tout de suite. Maintenant.

Alors que l'ex-président pianotait sur son portable pour prévenir sa top model chanteuse de berceuses, les historiens, visiblement émus, s'attroupaient devant l'Empereur décongelé. Ils allaient enfin pouvoir connaître la vérité. Car les historiens passaient leur vie à avancer des faits et à assener des vérités dont ils n'étaient jamais sûrs. Ce qui était à la fois frustrant et grisant. Frustrant car ils travaillaient avec un matériau friable et faillible, la mémoire de l'homme. Les témoignages ou les études déterraient souvent des informations discordantes. Grisant, car jamais aucun Mérovingien ne viendrait les contredire. Ils pouvaient donc tout inventer. Tout et n'importe quoi. C'était eux qui fabriquaient l'Histoire, en somme. Or, pour la première fois de leur vie, il leur était donné de pouvoir vérifier leurs théories sur ce chef d'État qu'une aura de mystère avait toujours entouré. Quels étaient les derniers mots que Napoléon avait prononcés avant de mourir ? « France, l'armée, Joséphine », comme disaient certains ? Ou « Tête, armée, mon Dieu », comme l'affirmaient ses mémoires de Sainte-Hélène ? Pourquoi l'Empereur glissait-il toujours la main sous son gilet ? Était-il aussi intelligent qu'Albert Einstein ?

Hollande, quant à lui, voyait dans le retour soudain et inespéré de l'Empereur un signe du destin. La solution à cette vague d'attentats djihadistes qui gangrenaient le pays. Parce que Valls était loin d'être une solution et il ne faisait pas dans la dentelle. Tout avec lui n'était que polémique et mauvaise publicité. Comment lutter contre les méchants musulmans tout en préservant les gentils ? C'était un casse-tête qui l'empêchait de dormir. Il ne pouvait pas se mettre à dos les cinq millions de musulmans français. Cinq millions de musulmans, c'était plus que la population des Émirats arabes unis. Un vote était un vote, et en ces temps d'infidélités électorales, une voix pouvait faire toute la différence. Voilà qu'il apercevait enfin la lumière au bout du tunnel, et elle prenait la silhouette de Napoléon. En jean slim-fit.

– Désolé de vous avoir traité de con, Empereur, s'excusa le président en serrant la main de son hôte. C'est comme ça qu'on dit ? J'avoue que je suis un peu perdu avec vous. Vous avez été Premier Consul, Empereur des Français, général d'armée, roi puis président de la République d'Italie, Protecteur de la Confédération du Rhin, Médiateur de la Confédération suisse... Comment dois-je vous appeler ?

– Pas de chichi entre nous, appelez-moi Sire.

– Bien, Sire. Je suis François Hollande.

– Enchanté, François de Hollande.

– Non, Hollande tout court, corrigea le chef d'État, tout en pensant que ce ne serait peut-être pas une mauvaise idée, après tout, de s'acheter une particule, comme les Giscard d'Estaing.

– Quel numéro ?

– Pardon ?

– Il y a eu François Ier, François II. Vous êtes le combien ? Je vous avoue que j'ai perdu le compte pendant mon absence.

– Je vous aurais bien demandé de m'appeler François Ier, mais le nouveau pape m'a coiffé au poteau... Enfin, tout ceci n'a pas grande importance, Sire... Vous êtes donc au courant des terribles événements qui secouent notre beau pays.

– La CGT m'en a informé, répondit Napoléon.

François Hollande sursauta.

– La CGT ?

– La Confrérie des grognards tristes.

– Ah... souffla le président, soulagé. Connais pas.

Il nota de demander à ses services de renseignement d'enquêter sur ce parti émergent.

– Et pourquoi sont-ils tristes ?

– Qui ça ?

– Eh bien, les grognards.

– Je ne sais point, répondit Napoléon en haussant les épaules. Peut-être parce qu'ils pensaient que j'étais mort.

– Bien sûr... Mais vous ne l'êtes plus. Bref, revenons à nos moutons.

– Nos méchouis, vous voulez dire... ironisa Sarkozy.

– Oui, quel est votre plan pour lutter contre le terrorisme ? demanda Valls, piqué par la jalousie.

– On m'a mis au courant de la situation et je ferai tout pour que cela cesse. C'est très bien que vous ayez récompensé, en le naturalisant Français, ce jeune Malien qui a aidé les gens à se cacher dans ce supermarché, lors de la prise d'otages. C'est bien normal. Mais vous devriez penser à l'inverse aussi. Vous devriez déjà déchoir de leur nationalité française toutes les personnes ayant pris part à un entraînement d'Al-Qaïda ou de n'importe quel autre réseau, leur interdire le sol français. Vous comprenez, on ne peut point accepter que des gens aillent s'entraîner dans des camps djihadistes et ensuite les laisser entrer à nouveau chez nous, avec un bouquet de fleurs à la main, et les laisser mener leur petite vie dans notre pays, aller acheter leur baguette, jouer au bilboquet et au jeu de l'oie dans les salons le dimanche, jusqu'à ce qu'un jour ils nous foutent une bombe dans un supermarché. Vous expulsez tous les jours de pauvres Africains qui ne demandent qu'à travailler honnêtement en France, alors que vous gardez sous votre toit, tout cela parce qu'ils ont une carte d'identité française, des hommes prêts à couper la tête de vos enfants ? J'avoue ne point comprendre. On ne peut point tolérer l'ennemi chez nous. Il faut être cohérent. Ils ont choisi leur camp. Qu'ils l'assument. Dehors ! Voilà mon premier conseil. Je vous l'offre. C'est gratuit.

– Il est formidable, n'est-ce pas ! s'exclama Hollande en s'adressant au reste de son assistance. Bien que la partie sur les terroristes jouant au bilboquet ou au jeu de l'oie ne me convainque pas totalement. Mais bon, continuez ! Quel est votre plan ? Votre idée géniale ?

– Je ne révèle jamais mes plans, annonça le Corse qui n'en avait pas encore, d'une voix tranchante comme un sabre. Si mon chapeau connaissait mon plan, je le mangerais !

Un des historiens dodelina de la tête en souriant. Cette citation de Napoléon était donc vraie.

– En tout cas, c'est bien la première fois qu'un Corse nous aidera à nous protéger des bombes, dit Sarkozy avec ironie.

Car comme nous l'avons dit plus tôt, l'ex-président, gonflé d'orgueil et d'assurance, se sentait plus grand que le plus grand des chefs d'État qu'avait connus la France. C'était le genre d'homme qui se permettait d'être hautain et ironique avec plus petit que lui, mais n'en avait jamais trouvé l'occasion jusque-là, comme un caniche condamné à errer dans un monde de dobermans.

Napoléon ne sembla pas comprendre la blague sur les Corses.

– Après le Retour du Djihad, l'Empire contre-attaque!
s'exclama Manuel Valls, comme si c'était là une bande-annonce.

– Préparez-moi une pièce avec des hommes, des cartes
et des petits fanions de couleur, dit l'Empereur sur un ton
déterminé. Je veux que l'on tienne à ma disposition un
état-major sur-le-champ!

François Hollande applaudit.

– J'adore! N'est-il pas mignon? Des petits fanions de
couleur, maintenant!

Dans son coin, Valls, qui venait de perdre la faveur de
son patron, grimaçait comme un chanteur de flamenco.

Hollande se frappa le front du plat de la main.

– Décongeler Napoléon pour l'envoyer casser la gueule
aux djihadistes! Pourquoi n'y ai-je pas pensé plus tôt!

Le conseiller du président toussa.

– Parce que vous n'avez pas trop l'habitude de penser,
monsieur.

– Comment? s'exclama Hollande, offusqué.

– Je veux dire qu'il y a des gens qui sont là pour penser
pour vous, tempéra l'homme.

– Ah.

– Et puis, pour tout vous dire, on n'y a pas pensé parce
que décongeler des cendres, ça n'a jamais rien donné...

– Notre jeunesse est perdue, dit Hollande en se tournant
vers Napoléon. Notre jeunesse doute. Je vois en votre
réapparition soudaine un signe du destin afin de redorer
le blason de notre République chérie. Les jeunes ont besoin
de repères, de connaître les valeurs de notre nation. Or, qui
mieux que Napoléon Ier lui-même peut à ce point exalter les
valeurs de la République dans le cœur de notre jeunesse
abandonnée! Napoléon, l'enfant de la Révolution française!
Je vous avoue que je suis en train de penser, pour vous, à
une tournée de toutes les MJC de France afin que vous

puissiez rencontrer nos jeunes et les guider sur le bon chemin.

– Napoléon, prochainement dans ta MJC ! s'exclama Valls en brandissant son index devant lui.

– Je rêve d'une jeunesse forte, laïque, brillante, éclairée ! Et vous ?

– Moi, pour être sincère avec vous, je rêve d'un bon bain, répondit l'Empereur.

Le monologue du président l'ennuyait au plus haut point. Il n'était pas venu pour discuter de la jeunesse ou de l'éducation, mais pour demander des hommes, une armée, un état-major et des petits fanions de couleur. Il fallait faire vite. Éradiquer la soif meurtrière des fous d'Allah avant qu'il ne reste même plus de jeunesse en France à sauver. Ni de MJC. Même s'il ignorait ce que cela signifiait.

– Notre jeunesse a besoin d'une boussole, continua Hollande, ignorant la remarque de l'Empereur. On ne peut pas donner à nos enfants l'exemple de la violence comme unique réponse au désaccord. Nos enfants sont perdus, et j'en veux pour preuve que beaucoup d'entre eux ne comprennent rien à ce qui est arrivé. Regardez, on vient encore de me dire que des élèves de 6ᵉ se sont rebellés dans un collège de Marseille parce qu'ils ne voulaient pas respecter la minute de silence pour les victimes des attentats. Certains disent même que c'est bien fait, que les Charlots n'auraient jamais dû se moquer du prophète, qu'ils tendaient le bâton pour qu'on les batte, qu'ils ont eu ce qu'ils méritaient. Vous vous rendez compte ? Des petits merdeux de dix ans ! Leurs parents doivent sacrément leur monter le bourrichon à la maison. Enfin, heureusement que vous êtes là. Vous allez nous sortir de cette mauvaise passe, monsieur le Sire.

– Je peux vous parler en privé, monsieur le président ? demanda le conseiller, quelque peu préoccupé.

– Bien sûr, Jacques.

Lorsqu'ils se furent retirés dans la pièce d'à côté, à l'abri du regard et des oreilles du Corse, le confident du chef d'État prit son ton de psychologue, un ton calme et posé, qui donnait à chaque fois au président la désagréable sensation que son conseiller s'adressait à un idiot.

– Vous ne comprenez donc rien, monsieur?

– Comprendre quoi?

– Vous ne voyez pas qu'il veut vous piquer votre place! Vous êtes sur le point de commettre une grave erreur.

Hollande pouffa.

– Une erreur? Vous voyez le mal partout, Jacques! C'est d'ailleurs pour cela que je vous ai engagé. Parce que vous êtes complètement mon opposé... Écoutez, je sais que vous voulez me protéger, et je vous en suis reconnaissant, mais je n'ai jamais eu le cul aussi bordé de nouilles! Napoléon Bonaparte. LE GÉNIE de la guerre! Sun Tzu peut aller se rhabiller. Et il revient au moment même où ces foutus islamistes radicaux partent en croisade contre nous. Si c'est pas un signe du destin, ça! Il nous envoie son meilleur joueur.

– Il ne s'agit pas de football, monsieur.

– La guerre, le football, c'est un peu la même chose. Dans les deux on espère être pour l'équipe gagnante. Vous vous rendez compte? Napoléon me donne les instructions. On les suit à la lettre, on gagne la guerre, on met un but, et je remporte le match! Les Français m'acclament, je suis réélu, etc., etc.

Le regard du responsable de communication devint noir. Son ton calme et posé devint cynique.

– Ne vous laissez pas embobiner par son charisme. C'est un manipulateur de première. Vous croyez vraiment que Napoléon Bonaparte restera dans l'ombre et vous laissera récolter tous les honneurs? Je ne le connais pas bien, à vrai dire, c'est la première fois que je rencontre ce type, tout comme vous, mais j'étais bon en histoire-géo, si vous voyez ce que je veux dire.

– Pas trop, non…

– Ce mec-là est un conquérant, un prédateur, un despote. Un requin qui nage seul, un tueur à gages qui travaille en solo. La viande, il se la chasse, il se la cuisine, et il la bouffe tout seul. Il se recoud lui-même la blessure s'il le faut, comme Rambo. Vous voyez maintenant ce que je veux dire ?

– Euh, oui… répondit le président, quelque peu hésitant. Rambo, oui…

– Vous savez pourquoi les Anglais ne l'ont pas enfermé à la tour de Londres ou dans une prison écossaise comme ils le prévoyaient, et l'ont envoyé fissa sur l'île Sainte-Hélène, au fin fond de l'Atlantique Sud, à l'autre bout du monde ? Attention, la réponse est dans la question.

– Je ne vois pas.

Le conseiller soupira.

– Parce que ce mec-là est dangereux. Les Anglais voulaient le tenir le plus éloigné possible de l'Europe. On le voit venir à des kilomètres à la ronde avec son gros bicorne. Si les Français apprennent que Napoléon est revenu, nous sommes perdus. Vous êtes perdu. Excusez-moi, monsieur, mais vous ne faites pas le poids. Personne ne fait le poids. Même Sarko, il n'aurait pas fait le poids, ni même avec cinq cents grammes de talonnettes à chaque pied, et encore moins avec Carla Bruni dans les bras. Elle bouffe que des carottes ! Si vous laissez Napoléon prendre en main le commandement de vos soldats, ça va se savoir. Il va vous tourner en ridicule et on n'a vraiment pas besoin de ça en ce moment. Les Guignols et Laurent Gerra y arrivent déjà très bien.

Et vous y arrivez déjà très bien tout seul, voulut-il ajouter.

– Si vous ne me croyez pas, reprit-il, fiez-vous au moins à la loi de l'alternance morphologique.

Hollande essuya ses lunettes sur son tee-shirt *Je suis un Charlot* et les chaussa à nouveau.

– Qu'est-ce que c'est que ce truc?

– J'ai une théorie rodée sur le sujet. À chaque élection, je suis capable de prédire le prochain président rien que par sa taille.

– Sa taille? Vous voulez dire que le programme électoral ne sert à rien?

– Désolé de vous décevoir, mais seule la taille importe, même si les femmes disent le contraire. J'ai remarqué qu'en France, un président de grande taille succédait toujours à un président de moindre taille. Et vice-versa.

François Hollande leva les yeux au plafond pour essayer de s'imaginer visuellement les différents présidents qui l'avaient précédé.

– De Gaulle mesurait 1,93 m, continua le conseiller pour lui faciliter la tâche. Pompidou, qui vint après lui, mesurait 1,82 m, il était donc plus petit. Lui succéda Giscard d'Estaing, plus grand (1,89 m), puis ce fut un plus petit, Mitterrand (1,72 m), puis vint le tour d'un plus grand, Chirac (1,90), puis plus petit, Sarkozy avec son 1,68, sans talonnettes. Enfin vous, plus grand, avec votre 1,74 m. Une présidence en dents de scie, en quelque sorte.

– Je ne vois pas où vous voulez en venir.

– C'est simple. Après tout ce que je viens de vous expliquer, dites-moi si le prochain président sera plus grand ou plus petit que vous.

Hollande réfléchit quelques instants. Il semblait plongé dans de complexes calculs arithmétiques.

– Il devrait être plus petit? conclut-il, hésitant, comme un enfant qui n'est pas bien sûr de la réponse qu'il donne à son professeur.

– Bravo!

– J'avais une chance sur deux, j'ai dit la première chose qui m'est venue à l'esprit.

– Je me disais aussi.

– Napoléon est plus petit que moi...

– Voilà !

Le conseiller n'eut pas à évoquer son autre théorie, celle de la loi capillaire, qui voulait qu'en Russie, un président chevelu succédât toujours à un président chauve.

– Alors, même pas pour la tournée des MJC ?

Son conseiller le fusilla du regard.

– Que va-t-on en faire ? demanda François Hollande, victime d'une soudaine panique.

– Déjà, on ne peut pas le laisser repartir comme ça, dans la rue, nous foutre le bordel et dire à tout le monde qu'il est revenu. Vous êtes d'accord ?

– On ne va tout de même pas le supprimer, comme Mitterrand l'a fait avec Coluche, Balavoine et Le Luron !

L'homme s'approcha de son président et lui mit une main sur l'épaule.

– Napoléon n'a ni moto ni hélico, et je ne pense pas qu'il soit homo. Ne vous inquiétez pas, monsieur. Laissez-moi m'en occuper. Il existe des endroits où cela ne choque personne d'avoir affaire à des personnes persuadées d'être Napoléon Bonaparte... Si vous voyez ce que je veux dire.

Puis il sourit en dodelinant de la tête.

Le président ne voyait vraiment pas ce qu'il voulait dire.

Napoléon se tire d'un mauvais pas

Napoléon n'était pas con.

Au risque de nous répéter, il était même très intelligent. L'une des personnes les plus intelligentes que la Terre ait jamais enfantées. Napoléon Bonaparte, Albert Einstein, Stephen Hawking, Sylvester Stallone, l'Histoire de l'humanité avait connu, de manière périodique, des cerveaux brillants, privilégiés, qui avaient illuminé le monde de leur intelligence et permis des découvertes considérables chacun dans leur thème de prédilection. La stratégie militaire, la physique, le cosmos, la boxe sur carcasses de viande.

Ainsi, lorsque les deux hommes disparurent dans la salle d'à côté, l'Empereur sentit tout de suite l'embrouille. Il avait un sixième sens pour sentir les embrouilles. Ce don l'avait sorti de plusieurs mauvaises passes dans sa vie et dans ses guerres. Quelquefois un peu trop tard, comme à Waterloo.

Aujourd'hui, il n'était pas encore trop tard, et il décida d'en profiter. Prétextant qu'il devait remettre des pièces dans l'horodateur, il prit congé de l'ex-président, du Premier ministre, de Serge Lama, du conservateur du Louvre et des dix historiens qui le dévisageaient comme une bête curieuse, n'osant pas lui poser les questions qui leur brûlaient les lèvres. Quelques secondes après, il sortait de l'Élysée et saluait le gardien de la paix auprès de qui il insista sur l'importance et la nécessité de sa fonction dans le corps de la police nationale. Remarque que le jeune homme apprécia, lui qui s'était senti converti en simple concierge d'immeuble le jour où on l'avait affecté à la surveillance de la porte.

Qu'à cela ne tienne, puisque Napoléon ne pouvait compter sur l'appui du gouvernement et des forces militaires de son pays, il la lèverait tout seul, son armée, sans l'aide de personne. Impossible n'est point français! se dit-il pour s'encourager, comme il avait l'habitude de le faire lorsqu'il était sur le point de perdre tout espoir.

Tout en errant dans les rues de Paris, l'Empereur se prit à imaginer une armée belle, forte et puissante. Une armée aux couleurs et à la hauteur des ambitions de la France d'aujourd'hui. Il sortit une canette de Coca Light de son sac à dos et en but une gorgée. La première, la meilleure. Dieu, que c'était bon! Il sentit la douleur qui tourmentait en permanence son estomac s'évanouir un instant sous l'effet de l'élixir de santé. Il sentit en même temps sa vessie qui se remplissait. Alors, il sut que dans quelques instants, il lui faudrait à nouveau trouver deux carrosses à moteur entre lesquels se cacher.

Le grand perdant

Le passager Annonciade Bartoli, je répète, Annonciade Bartoli,
passager du vol Air Corsica XK3456 à destination d'Ajaccio,
est demandé porte D43 pour un embarquement immédiat.
L'annonce résonna dans les haut-parleurs de l'aéroport.
À l'évocation de son nom, le professeur Bartoli leva la tête,
tout en continuant d'arpenter les couloirs et les immenses
salles des différents terminaux. Il devait se rendre à l'évidence,
il avait perdu Napoléon. Pour la deuxième fois depuis sa
création, la CGT venait de perdre l'Empereur. Pourrait-elle
un jour le protéger comme il se doit?
   Quel incapable il était!
   Le professeur cacha son visage dans ses énormes mains.
Il venait de perdre Napoléon Bonaparte. Dans quelques
instants, il perdrait son vol pour Ajaccio. Puis il se perdrait
dans l'aéroport, et il perdrait peut-être même la tête.
   Il n'y a pas à dire, c'était un perdant sur toute la ligne.

Napoléon retrouve son cheval
et manque de gagner trois cents euros

Alors que Napoléon se dirigeait vers cette immense tour de métal en forme de A qui s'érigeait au loin (du haut de cette pyramide, combien de siècles le contemplaient-ils donc?) Le Vizir apparut au coin de la rue, provoquant chez son maître une immense joie. Il avait dû s'évader de l'aéroport et retrouver sa trace. Quel animal brillant! À l'image de son maître, se dit l'Empereur. Puis il lui caressa le museau tout en lui disant « bonne bête » et « mon fidèle serviteur », formules auxquelles le cheval répondait par de larges sourires qui laissaient entrevoir ses grandes gencives roses.

L'Empereur l'ignorait, mais puisqu'il n'avait pas pris l'avion, on avait déchargé la grosse caisse enregistrée à son nom. Simple mesure de sécurité. On faisait cela pour tout le monde, et on déchargeait deux fois plus vite lorsqu'il s'agissait d'un passager au nom à consonance corse ou arabe. Intrigué par l'étrange marchandise qui renâclait et cognait à l'intérieur, deux bagagistes avaient ouvert la boîte et s'étaient trouvés face à un majestueux cheval blanc. Ils lui avaient versé un peu d'eau dans un seau en se demandant ce que pouvait bien manger une bête comme ça. Des carottes, des pommes? Les employés n'avaient pas trop eu à se creuser les méninges, car à peine désaltéré, l'animal s'était dressé sur ses jambes arrière et avait henni en signe de reconnaissance. Puis il s'était enfui sur les pistes, convertissant pour quelques secondes Charles-de-Gaulle en hippodrome improvisé. Après avoir causé un vent de panique chez les contrôleurs aériens, plus habitués aux envols de pigeons qu'aux courses hippiques, il avait enfin trouvé une sortie et galopé vers cette odeur de cabillaud qui n'avait pas quitté son maître depuis qu'on les avait repêchés.

Après ces émouvantes retrouvailles, l'Empereur monta sur Le Vizir et s'éloigna au pas. Au premier kiosque à journaux qu'il rencontra, il demanda où il pouvait trouver les islamistes radicaux.

– C'est pour une caméra cachée? demanda l'homme.

Une caméra cachée? Napoléon n'avait pas pour habitude de se cacher de ses ennemis, mais au contraire de leur dire les choses bien en face. Non, Napoléon ne se cachait jamais, sauf entre deux voitures, peut-être, lorsqu'il avait une envie pressante. Cependant, il ne jugea pas opportun de mentionner cela à son interlocuteur.

– En tout cas, des islamistes, c'est pas dans le XVIᵉ que vous en trouverez! s'exclama le vendeur de journaux. Allez plutôt chercher du côté de Barbès ou dans le 9-3.

– Le *neuf Troie*?

– Au nord. Le 93, le département de la Seine-Saint-Denis.

La Seine-Saint-Denis? Non, Napoléon ne connaissait pas. Ce département avait dû être créé après lui. De son temps, le quatre-vingt-treizième département était celui des Deux-Nèthes, chef-lieu Anvers, quand ce morceau de terre était encore français et non belge. Mais il l'avait perdu en 1815. Ah, sous son règne, la carte de France avait quand même une autre gueule! Elle couvrait toute la Belgique, le Luxembourg, la Hollande et pas mal de l'actuelle Italie. Ce n'était pas cette petite France anorexique d'aujourd'hui qu'il avait entraperçue, avec désolation, dans la vitrine d'une agence de voyages. On ne pouvait pas s'absenter trente secondes…

– Au fait, j'ai le dernier *Hebdo des Charlots*, si vous voulez. Il est introuvable ailleurs. Il m'en reste un.

Il s'avança vers l'Empereur, colla son visage au flanc de l'animal et ajouta :

– Si vous le revendez sur eBay, vous pouvez en tirer un bon paquet de fric. Mon cousin en a vendu un ce matin pour trois cents euros !

Napoléon reconnut le journal que le mendiant lui avait montré dans les toilettes de l'aéroport. La même proposition indécente. Quelle drôle de manie ! Se faire de l'argent sur le malheur des autres. Il se contenta de donner un grand coup de talon dans les flancs de son cheval qui se cabra et partit au galop, direction la Seine-Saint-Denis, repère des djihadistes ! La guerre allait enfin pouvoir commencer.

Napoléon a une idée

L'Empereur monta donc vers le nord. Toujours vers le nord. Encore vers le nord.

À son époque, monter vers le nord supposait découvrir des peuplades aux cheveux blonds, aux visages pâles comme des poupées de porcelaine et aux yeux bleus comme le ciel les jours de beau temps. C'était se rapprocher des Vikings. Mais aujourd'hui, les Vikings avaient un autre visage et Napoléon pensa qu'à force de monter vers le nord, il avait peut-être fait, sans s'en apercevoir, un tour complet du globe pour se retrouver en Afrique.

Les visages tannés et la langue parlée le renvoyèrent aussitôt à son expédition d'Égypte de 1798. Les mêmes senteurs d'épices et de poulet, les mêmes moustaches, les mêmes sandalettes. Les Vikings avaient dû perdre une guerre, un jour, et se faire jeter hors de leurs terres. Il n'y avait pas d'autre explication.

Alors que Napoléon se frayait un chemin dans le trafic, un homme sembla être pris soudain d'une irrésistible envie d'étaler un tapis de prière en pleine rue et de s'agenouiller dessus. En quelques minutes, des dizaines de fidèles, pris eux aussi d'une impérieuse envie d'enfoncer leur visage dans le derrière du gars de devant, l'imitèrent, bloquant la circulation et déchaînant la fureur des conducteurs. Les Klaxons entamèrent alors leur assourdissante symphonie sans que personne réagisse. Sauf peut-être quelques Parisiennes qui, se voyant déjà arriver en retard à leur cours de Pilates, en profitèrent pour étaler leur tapis de mousse au milieu des autres et commencer à s'échauffer.

L'Empereur enviait ces peuples. C'était du pain bénit pour les despotes, car ils pouvaient fanatiser les foules simplement en se prétendant prophètes. Il comprenait maintenant dans quel terreau les terroristes étaient nés et avaient poussé. Un terreau pollinisé par une foi aveugle et folle. Le voilà donc, ce repaire de djihadistes, se dit-il. Le vendeur de journaux ne l'avait pas trompé.

Il réalisa bientôt que sa présence dans le quartier ne passait pas inaperçue. Était-ce le cheval blanc ? Le bicorne ? Un chameau et un fez auraient été plus appropriés dans ce paysage oriental. Quoi qu'il en soit, il pensa que, même si la population semblait somme toute pacifique, il était peut-être préférable de ne pas trop traîner dans le coin tout seul. Avant de porter l'assaut, il lui faudrait constituer ses troupes, envoyer des hommes en repérage, vêtus comme les autochtones, en djellaba, en survêtement ou en anorak en Skaï, acheter un lot de sandalettes, dresser un profil des lieux, récolter quelques renseignements stratégiques et établir un plan solide avant de revenir arracher cette victoire des mains de l'usurpateur qui agissait comme en terrain conquis. Il rendrait leur terre aux Vikings.

Entreprenant sa retraite vers le sud, Napoléon se retrouva bientôt dans un quartier peuplé de prostituées et de proxénètes qui lui rappela vaguement son époque et qu'il regarda avec une certaine nostalgie.

Après s'être fait racoler par trois filles aux seins exagérément gonflés, et ce sans même l'aide d'un corset, l'Empereur arriva devant un moulin rouge dont les pales tournaient sous l'effet d'un vent inexistant. De grandes lettres illuminées de même couleur annonçaient Moulin Rouge. Ses créateurs n'avaient pas fait preuve de beaucoup d'imagination. Comment se pouvait-il qu'autant de touristes fassent la queue pour vouloir visiter un simple moulin? N'avaient-ils jamais vu fabriquer de la farine? Ses descendants étaient tout de même incroyables. Autant de technologie pour s'extasier, à la fin, devant un simple moulin à blé!

En s'approchant, son attention fut attirée par de grandes affiches sur lesquelles on pouvait voir des jeunes femmes danser en robes bleu-blanc-rouge, comme si on leur avait enfoncé les fesses et la taille dans de gigantesques cocardes en tissu. Leurs jambes, levées jusqu'au visage, dévoilaient des porte-jarretelles aux couleurs de la France. Napoléon vit dans tout cela un goût exacerbé pour le patriotisme. Il ne lui en fallait pas plus. Des jeunes femmes motivées. Des jeunes femmes soldats, symboles de cette époque d'égalité entre les genres. Ce serait l'occasion, pour l'Empereur, d'adoucir son image en mettant une pincée de féminité dans ce monde débordant de testostérone qu'était la guerre.

Il sourit, heureux et satisfait, devant ces affriolantes Parisiennes.

Il avait enfin trouvé sa Nouvelle Grande Armée.

Baignade dangereuse

Au même moment, à Berlin, un homme entrait en fumant dans la salle du grand bassin d'une piscine municipale. Il retira de son slip de bain ce que tout le monde avait pris pour une dotation généreuse de la nature, et qui n'était autre qu'un bâton de dynamite artisanal, et le porta à l'extrémité de sa cigarette.

Et en moins de temps qu'il n'en faut pour attraper un cancer des poumons, il disparut, lui et son entourage, dans un grand nuage de fumée noire.

Une armée aux couleurs du french cancan

Lorsque le jeune vigile vit arriver cet homme à cheval, en chapeau et redingote, il crut avoir affaire à un nouvel acteur de la revue. Il ne connaissait pas Napoléon (ayant déserté ses cours d'histoire-géo pour aller fumer des joints en cachette), et même s'il l'avait connu, il aurait été bien difficile pour ce pauvre garçon d'imaginer qu'il ait pu renaître de ses cendres, enfin, fondre de ses glaçons. Il le regarda, avec son drôle de chapeau en forme d'enseigne lumineuse de taxi, sa grande cape noire de super-héros et son tee-shirt de Shakira. Les artistes étaient des gens excentriques. Et depuis trois mois qu'il travaillait là, il en avait vu entrer des pelletées entières, d'artistes excentriques.

L'Empereur stoppa net son cheval devant le jeune tavernier maghrébin qui semblait en charge d'accueillir les hôtes. Il descendit et lui tendit les rênes de sa monture avant d'entrer dans le complexe, avec naturel et panache. Interloqué, le vigile se demanda ce qu'il allait bien pouvoir faire de l'animal, qui, comble de malheur, déféqua sur le tapis rouge.

Le petit Corse arriva bientôt dans une immense pièce, au fond de laquelle se trouvait une scène. Au premier plan, des tables et des chaises rappelaient la disposition d'un restaurant. À en croire les couverts, les verres et les belles nappes brodées, les dîneurs assistaient en même temps au spectacle des jeunes danseuses patriotiques.

Sans plus de détours, Napoléon chercha les coulisses.

Derrière la scène, il trouva un couloir étroit dans lequel résonnaient des voix et des rires féminins. On se serait cru, tout d'un coup, dans un pensionnat de jeunes filles. Une bonne humeur flottait sur les lieux et l'homme sourit. C'était exactement ce qu'il cherchait. De la bonne humeur, du positivisme, des guerrières motivées, exaltées par le courage. Les rires provenaient d'une petite loge. La porte était ouverte et le Corse y passa la tête.

Une jeune fille en frou-frou hurla en le voyant. Une autre porta ses mains à ses seins à la manière d'un soutien-gorge de doigts pour les couvrir.

– Excusez-moi, dit Napoléon en détournant les yeux à moitié.

Les quelques filles qui étaient encore nues en profitèrent pour s'habiller. La surprise passée, elles retrouvèrent leurs rires de petites filles. La situation était plutôt cocasse. Après tout, qu'avaient-elles à craindre d'un nabot en manteau et en chapeau, avec un tee-shirt de Shakira ?

Avec tout ce monde coloré dans les loges, on se serait cru dans la cabine du bateau des Marx Brothers.

– Enchantée, je suis Charlotte, dit la fille la plus proche.

Le cœur de Napoléon fit un énorme bond dans sa poitrine. Charlotte ressemblait comme deux gouttes d'eau à Marie Josèphe, sa première femme, son premier amour, à qui il avait donné le joli surnom de Joséphine. Son unique amour. Charlotte avait de plus jolies dents, un sourire éclatant. Pas le demi-sourire que le doux visage de Joséphine avait dû revêtir à cause de dents précocement gâtées. Joséphine, ah, Joséphine, qu'est-ce qu'il l'avait aimée. Ils avaient même partagé le lit, c'est dire ! du moins jusqu'au Consulat, alors que chez les classes aisées, les couples faisaient généralement chambre à part.

– Charlotte ? balbutia Napoléon. Oh, moi aussi, je suis Charlot, ajouta-t-il, pensant qu'elle se référait aux tristes événements qui venaient de secouer la France.

– Charlot? C'est marrant, comme le Charlot des attentats, releva une autre.

– Ça doit être pour Charlie Chaplin, bêtasse, dit une autre fille. Quand ses parents lui ont donné ce nom, il n'y avait pas encore eu les attentats à *L'Hebdo des Charlots*!

– Valentin le désossé, pour vous servir, se présenta un jeune homme aux allures efféminées en tendant une main aussi molle que de la guimauve. Mais vous pouvez m'appeler Valentin, tout court.

– Enchanté, Valentin tout court. Napoléon, répondit le Corse, toujours sous le coup de l'émotion.

Comment cette femme pouvait-elle autant ressembler à son amour défunt? Joséphine, Joséphine. Il ne l'avait jamais oubliée, même après son divorce, et elle était le dernier visage qui lui était apparu avant de mourir. Son nom, le dernier mot qu'il avait prononcé avant de fermer les yeux. Joséphine, c'est toi qui as tout gâché, pensa-t-il. Si tu ne m'avais point trompé avec ce gueux d'Hippolyte Charles, ce vulgaire capitaine de hussards. Échanger un général contre un sous-fifre...

– C'est Charlot ou Napoléon? demanda une autre fille qui n'y comprenait plus rien.

– Je suis Napoléon, répondit l'Empereur.

Charlotte ne pouvait pas être Joséphine. Joséphine était morte. Mais lui aussi s'était cru mort, et pourtant... Si elle avait vraiment été son vieil amour, elle l'aurait reconnu. Ils se seraient embrassés, ils se seraient à nouveau aimés. Mais Charlotte ne vint pas l'embrasser. Elle restait immobile, un petit sourire intrigué sur le visage.

– Napoléon? C'est évident, dit une fille plus intelligente que les autres. La redingote, le bicorne.

– Les Converse et le tee-shirt de Shakira... compléta une autre.

Toutes pouffèrent à nouveau.

– Laissez-les dire, murmura Valentin en s'inclinant légèrement vers le nouveau venu. En quoi pouvons-nous vous aider ?

– Je recherche des soldats, une armée pour la France, du patriotisme ! Des femmes qui dansent en jupe bleu-blanc-rouge. De la voix, du courage ! Je veux le monde qui se lève contre la barbarie au son de la nouvelle révolution française !

Toutes le regardèrent, interdites, les yeux grands ouverts.

– C'est pour Dove Attia ? demanda enfin l'une des filles, brisant le silence.

– Oh, oui, moi, moi ! s'exclamèrent-elles alors toutes en chœur, contaminées par la remarque de cette dernière.

Et en quelques secondes, la joyeuse équipe fut persuadée qu'elle avait affaire à l'agent du célèbre producteur de comédies musicales chargé de trouver les nouvelles stars de demain. Vu l'accoutrement de l'homme, il s'agissait sans doute d'un spectacle sur la vie de Napoléon Bonaparte, un brin modernisé cependant, si l'on se fiait à son tee-shirt. Oui, c'était sûrement cela, une comédie musicale basée sur les exploits de Napoléon et saupoudrée des rythmes et paroles de la jolie chanteuse colombienne. Un mélange détonant. Cela aurait sans aucun doute un succès retentissant, et tous voulaient en être. Et puis on connaissait *Les Dix Commandements, 1789, Les Amants de la Bastille, Le Roi Soleil,* et le merveilleux destin qui attendait tous les chanteurs y ayant participé.

Les filles se regardèrent. C'était une occasion à ne pas laisser passer. Car les conditions de vie et de travail d'une danseuse de french cancan au Moulin Rouge étaient aux limites de la traite des êtres humains. Les cinq amies en étaient même venues à envier celles des enfants qui fabriquaient des Nike au Bangladesh. Leur contrat stipulait qu'elles ne pouvaient pas se permettre de grossir de plus de cinq kilos (elles n'étaient tout de même pas des bouts de viande !), qu'elles devaient suivre une diète stricte à base de jus d'algues et de betterave multivitaminé (quand on vous dit que c'est pire que de travailler dans une mine !) et qu'elles devaient assister à des répétitions à n'en plus finir, même le week-end, à des entraînements de gymnastique quotidiens épuisants qui leur avaient progressivement détruit le corps et avaient déchiré chacun de leurs muscles. Valentin, quant à lui, en avait surtout marre de se désosser et de toujours devoir retomber sur ses parties intimes lors du grand écart. Il portait une coquille, mais cela amortissait peu le choc. Bientôt, il aurait moins de boules que le sapin de Noël d'Oliver Twist. Tu t'en fous, t'es gay, de toute façon, lui disait-on, t'adopteras ! Oui, mais bon, il y avait les mères porteuses aussi, et puis, ce n'était pas une raison pour qu'il se bouffe les testicules chaque soir devant des bus entiers de touristes chinois. Non, il était temps de mettre un terme à cette carrière barbare de danseur de cabaret et d'explorer le monde enchanté de la pop et du théâtre. Il avait toujours rêvé de chanter sur une scène, devant des milliers de personnes, devant des Français, pas des Chinois débarqués des Galeries Lafayette le temps d'une soirée et qui l'oublieraient aussitôt remontés dans leur bus. Ces mêmes Chinois qui parcouraient plus de dix mille kilomètres en low-cost pour venir acheter, à Paris, des souvenirs fabriqués chez eux.

– On vous suit ! dirent-ils tous à l'unisson, un sourire XXL aux lèvres.

Quel engouement ! pensa l'Empereur, aussi radieux qu'eux. Sa Nouvelle Grande Armée était née.

Napoléon à l'hôtel Napoléon

Napoléon dut attendre la fin des répétitions pour pouvoir repartir avec les filles et Valentin. Ce qui étonna le plus l'Empereur, lorsqu'il vit ces beautés en jean et en tee-shirt JE SUIS CHARLOT (elles aussi!), c'est qu'elles ne se ressemblaient pas du tout, alors que lorsqu'elles portaient leur tenue de danseuses de french cancan, sur scène, avec perruque et maquillage, elles paraissaient des quintuplées. C'en était troublant. Sauf Charlotte qui, même une fois démaquillée et dévêtue, ressemblait toujours à Joséphine. Quelle malédiction! Il ne pourrait plus jamais regarder cette fille sans avoir le cœur qui menace à chaque fois de lui défoncer la cage thoracique.

Le Corse se força à revenir à la réalité. Une belle armée de bonne humeur, se dit-il lorsqu'ils sortirent du Moulin Rouge. Car derrière lui, les filles pouffaient pour un rien.

Ce qui le choqua, ce fut la taille de ces demoiselles. Elles mesuraient bien trois têtes de plus que lui. Et leurs jambes étaient infinies. Rattrapé par son complexe d'infériorité, il s'empressa de récupérer Le Vizir des mains du jeune vigile et monta dessus afin de vite prendre un peu de hauteur. Celui-ci eut un succès fou auprès de la gent féminine. Un cheval? Dove Attia a mis les moyens, se dit Valentin. Et tous suivirent ce drôle de personnage, perché sur son pur-sang, tout en essayant de s'imaginer le glorieux avenir vers lequel il les menait.

Le soleil se couchait sur Paris et pour sa première nuit dans cette nouvelle France, Napoléon trouva logique d'aller dormir à l'hôtel Napoléon, situé entre les Champs-Élysées et l'Arc de triomphe. Il était, de plus, persuadé que, l'auberge portant son nom, on se hâterait de lui dérouler le tapis rouge et de lui donner la suite royale. À titre gracieux, bien entendu. Mais avant cela, il fit un détour par l'Arc de triomphe. Il ne l'avait jamais vu achevé. Il se rappela en avoir eu l'idée dès le lendemain d'Austerlitz, sur le champ de bataille, afin que ses soldats puissent rentrer chez eux en passant sous de prestigieux portails. La construction avait commencé en 1806. Quatre ans plus tard, le monument n'étant pas achevé, il avait fait ériger une maquette grandeur nature pour que Marie-Louise, qu'il s'apprêtait à épouser, puisse passer dessous. Une belle cérémonie qui prouvait qu'il était un grand romantique, ou qu'il avait le sens du détail.

En contemplant l'œuvre terminée, aujourd'hui, Napoléon le retrouva tel qu'il l'avait imaginé maintes fois, tel qu'il l'avait vu dessiné sur les plans de Chalgrin et Raymond, tel qu'il l'avait traversé lorsqu'il n'était encore qu'une simple maquette en stuc. Il sourit. Il pensa que cela avait été une bonne idée, après tout. Beaucoup d'années de travail et d'attente, un peu d'argent perdu, mais une bonne idée, oui. Que des centaines de touristes se prennent maintenant en photo devant la belle voûte en pierre massive le confortait dans son sentiment.

En arrivant devant le luxueux hôtel, l'Empereur laissa Le Vizir sur le trottoir et entra dans le hall avec sa troupe. S'il y avait un endroit dans lequel il se sentirait comme chez lui, c'était bien ici. L'hôtel cinq étoiles était un lieu où l'élégance et les dorures du XIXe siècle se mêlaient avec naturel au design et à la technologie du XXIe. Les lampes, les plantes, le bois redonnaient à l'endroit la chaleur des salons impériaux, dans lesquels le petit Caporal aimait tant débattre en prisant du tabac.

– Napoléon Bonaparte, annonça-t-il au réceptionniste, chef des armées et des Français, et il posa son bicorne sur le comptoir en marbre d'un geste théâtral.

L'homme pensa aussitôt avoir affaire à Serge Lama. Le chanteur descendait souvent dans cet hôtel. Était-il en représentation dans le coin ? Il ne poussait tout de même jamais le vice jusqu'à porter le chapeau ou la redingote de son idole dans la rue. Il avait sans doute franchi un pas de plus dans la folie. Pauvre Serge Lama, pensa-t-il. Mais en observant de plus près son interlocuteur, il réalisa qu'il s'était trompé sur son identité.

– Vous désirez, monsieur ?

– Votre suite impériale pour l'Empereur.

– Tout de suite, monsieur.

Le réceptionniste se précipita sur son ordinateur.

– Je peux avoir une pièce d'identité, s'il vous plaît ? C'est une simple formalité.

Napoléon sortit le petit livret bordeaux que lui avait donné le pêcheur norvégien pour voyager en avion jusqu'à Paris. Il le tendit à l'homme qui lui adressa son plus beau sourire.

– Puis-je avoir votre carte bancaire, s'il vous plaît ?

L'Empereur ne comprit pas la question.

– Ma carte bancaire ?

Il se retourna vers Valentin le désossé, qui était derrière lui.

– Il veut votre carte de crédit, expliqua celui-ci. Pour payer la chambre, je suppose.

– Oh, la petite carte rectangulaire ! Je crains qu'il y ait un léger malentendu, déclara le Corse au réceptionniste. Je suis Napoléon Bonaparte, premier Empereur des Français. Celui dont vous voyez le portrait sur cette gravure, là.

Il pointa du doigt le tableau accroché au mur dans le dos du concierge.

– Vous ressemblez en effet étrangement à Napoléon, dit celui-ci sans même se retourner, mais il est mort il y a presque trois cents ans. Juste un petit détail, me direz-vous. Par ailleurs, votre passeport est au nom de Lionel Messi.

L'homme esquissa un large sourire en indiquant la page du passeport où se trouvait la photographie.

– ME-ssi? répéta incrédule l'Empereur en accentuant bien la première syllabe.

Ce brave Hansen avait même pensé à lui mettre un nom corse sur ses vrais faux papiers. Quelle délicate attention.

– Mais si vous maintenez être Napoléon Iᵉʳ ou Lionel Messi, continua le réceptionniste, alors je me verrai dans l'obligation de passer un petit coup de fil. J'hésite encore entre la police et les hôpitaux de Paris. Vous avez une préférence?

Ainsi donc, son nom n'était pas le seul à vous envoyer chez les fous. Il y avait aussi celui de ce Lionel Messi. Et qui sait combien d'autres encore.

– Très bien, vous avez gagné. Combien coûte la chambre? demanda-t-il, résigné.

– 1 400 euros la nuit, monsieur. Hors taxes, bien entendu.

L'Empereur se tourna vers Valentin et lui fit signe de payer d'un geste de la main. Les yeux du jeune danseur faillirent sauter hors de leur orbite comme deux pop-corn.

– Mais bien sûr, Sire, dit celui-ci, je vais vous payer une chambre à 1 400 euros, c'est juste un mois de salaire. C'est pas grave, les prochaines semaines, je mangerai des pâtes et j'irai faire quelques tapins au Bois de Boulogne si jamais j'y arrive pas.

– Merci, Valentin, votre sens du sacrifice vous honore.

– NON, MAIS ÇA VA PAS LA TÊTE! Et en plus, il me croit! Je suis intermittent du spectacle, comme vous! Allez demander à Dove Attia. C'est pas lui qui paie vos frais?

Dove Attia? Qui était donc ce Dove Attia dont ils ne cessaient de répéter le nom depuis tout à l'heure? Un général des armées italien? Non, sans doute un homme de théâtre.

Ils avaient parlé de comédie musicale dans les loges. Pour ne pas passer pour un idiot, il feignit de le connaître.

– Ah oui, Dove Attia ! Bien sûr… Mettez la chambre sur le compte de Dove Attia, ajouta-t-il en se tournant à nouveau vers le réceptionniste.

Quelques secondes après, Napoléon et toute sa troupe étaient fichus dehors par la sécurité de l'hôtel de luxe.

Napoléon et les reines d'Angleterre

Assis sur un bout de trottoir, les pieds dans le caniveau, Napoléon raconta toute son histoire.

– Vous n'êtes pas de la troupe de Dove Attia, alors? conclut l'une des filles, déçue, lorsque le général eut achevé son récit.

– Ta gueule, Mireille, tu vois bien que c'est Napoléon! NA-PO-LÉ-ON! Allô Mireille? Ici la Terre, tu nous reçois? Tu as Napoléon devant toi, et toi tu nous parles de Dove Attia! Mais ma grand-mère, elle sait même pas qui c'est, Dove Attia!

– Pourquoi? Napoléon est producteur, peut-être! lança une autre fille.

– Napoléon... répéta Valentin, incrédule.

– Napoléon... répéta Charlotte, les yeux pétillants.

– Et comment on peut être sûr que vous êtes vraiment Napoléon? demanda Hortense.

– Posez-moi n'importe quelle question et j'y répondrai. Vous verrez alors que je suis bien le vrai premier Empereur!

Mais la culture générale n'était pas le fort de Mireille, Charlotte, Peggy, Adeline, Hortense et Valentin. Et encore moins l'Histoire.

– Si vous êtes français, pourquoi ils ont pris un petit Chinois pour faire votre rôle dans *Le Dernier Empereur*? fut la question la plus intelligente que put poser Peggy.

Napoléon la regarda sans trop en saisir le sens.

– Je peux vous montrer mon sexe, si vous voulez, répondit-il, comme si c'était là, la preuve ultime.

Personne ne comprit ce qu'il entendait par là mais on déclina gentiment la proposition. Se faire rabrouer de son propre hôtel devait l'avoir secoué.

– Pauvre Napoléon, quelle honte quand même ! s'exclama Adeline.

Valentin expliqua alors au Corse, d'une voix douce et amicale, que 1400 euros représentaient une sacrée somme. Pour qu'il comprenne mieux, l'une des danseuses essaya même de convertir la somme en francs germinal sur une application de son smartphone, mais c'était le seul qui manquait. Il y avait bien le franc suisse, le franc Pacifique, le franc congolais, le franc cambodgien, et même le franc albanais, mais aucune trace du franc germinal. Elle referma son téléphone, satisfaite d'avoir au moins appris quelque chose. Il y avait vingt-cinq sortes de francs différents utilisés dans le monde. Copieurs !

– Je suis désolé de vous avoir laissé penser que c'était pour une comédie musicale, dit l'Empereur à ses troupes. Je voulais juste lutter contre les terroristes, rétablir la paix en France, pour nous, pour nos enfants de la patrie.

Les filles et Valentin le regardèrent avec tristesse. L'Empereur déchu. L'aigle affaibli. L'abeille prise au piège sous un verre retourné. Le grand conquérant en proie à une invincible détresse. Ce n'était pas pour une comédie musicale, mais il n'y avait pas que cela dans la vie, après tout.

– On va vous aider ! dit Charlotte.

– Après tout, on est tous Charlot ! dit Mireille.

– On est tous Napoléon, ajouta Peggy.

– Et être Charlot, c'est lutter pour notre liberté, ajouta Adeline. Prendre les armes contre ceux qui veulent nous faire taire !

– Oui, on va leur péter la gueule à ces sales Arabes ! s'exclama Valentin, la bave aux lèvres.

Napoléon éclata de rire.

– Valentin, j'ai rencontré beaucoup d'Arabes pendant mon expédition en Égypte et je peux vous assurer qu'ils ne sont point sales. Ils sont même beaucoup plus propres que moi, qui prenais déjà un bain presque tous les matins! Et je me considère l'un des hommes les plus propres qu'a vus l'Empire.

Il expliqua alors comment les Égyptiens se lavaient les fesses avec une éponge et un seau d'eau à chacun de leur passage aux toilettes, alors que lui et ses hommes s'essuyaient avec du papier sale. Du papier rugueux et sec qui... qui... Oh, mon Dieu, qui...

– Qui écorche le derrière comme le papier hygiénique rose dans les TGV? demanda Valentin.

Napoléon ignorait ce qu'était un TGV mais la grimace du danseur désossé en disait long sur la qualité du papier.

– Oui, comme du papier hygiénique de *tégévé*, répéta-t-il, quand ce n'était point des ronces ou des orties!

Et l'Empereur commença à raconter des anecdotes croustillantes sur son beau voyage aux sources du Nil. Il soutint que les Arabes étaient propres, et d'une culture merveilleuse. Ils n'avaient peut-être pas inventé les chiffres comme on le disait (le mérite revenant aux Indiens), mais ils avaient inventé l'alchimie et l'algèbre. Ils avaient divulgué le zéro, trouvé dans un ancien livre indien, ils avaient dessiné la première carte du monde, ils avaient découvert la réfraction de la lumière et la magie des miroirs, ils avaient mesuré le temps en regardant les étoiles, et rédigé l'un des plus importants traités de médecine. Et voilà que les enfants de leurs enfants de leurs enfants détruisaient des millénaires de savoir en un coup de kalachnikov, en un coup de marteau-piqueur, en quelques inepties professées devant des fidèles aveugles. Oui, les Arabes étaient issus d'une culture merveilleuse. Ils avaient construit des choses si belles. Si la troupe était descendue jusque la place de la Concorde, Napoléon aurait même pu en admirer l'un des fleurons. Ce majestueux obélisque qui, en son temps, s'érigeait encore devant le temple de Louxor et était devenu l'un des plus beaux monuments de Paris.

Toute la troupe écoutait l'Empereur avec attention alors qu'elle parcourait, le cœur léger, les rues de Paris, lui sur son cheval, elle à pied. Dans leur imagination, les pavés de la capitale, balayés par le khamsin, un vent de sable brûlant venant du désert d'Égypte, avaient disparu sous les chemins terreux qui serpentaient entre les échoppes colorées et bruyantes du Caire. Pour un moment, Le Vizir était devenu Anhour, un dromadaire sur la bosse duquel se balançaient un paisible Napoléon et son extraordinaire faim de conquête.

Bientôt, la pensée de l'Empereur revint à Paris et à ses étranges coutumes.

– C'est étonnant qu'il n'y ait pas plus d'accidents que cela. Tous le nez dans leur téléphone. C'est bien comme cela que ça s'appelle, n'est-ce pas ?

Intrigué par tous ces gens qu'il croisait, plongés dans d'étranges petits appareils, Napoléon n'avait pu s'empêcher de poser la question.

– C'est ça, répondit Valentin.

– Mais ils ne téléphonent pas, là !

– Ils téléphonent, ils chattent, ils textent, ils envoient des emails.

– Oh.

Autour d'eux, des touristes de toutes nationalités prenaient, avec leur téléphone, ce que Napoléon apprit être des photographies, un ingénieux procédé qui permettait d'enfermer les gens que l'on aime dans une petite boîte pour toujours les avoir dans notre poche. En plus de téléphone, calculatrice, encyclopédie, station de jeux, cuiseur de pop-corn, ami et famille, un téléphone servait aussi de cœur et de mémoire artificielle à ceux qui en manquaient.

– Les téléphones, c'est pour se parler de loin, continua Valentin. De très loin.

– Comme des missives?

– Un peu, sauf que c'est beaucoup plus rapide. Disons même que c'est instantané. Et pas besoin de messager.

– Vous ne savez pas ce que vous perdez. C'était bien le messager. C'était toujours lui que l'on tuait en premier. Mais qu'ont-ils donc de si important à se dire, tous? Moi-même sur le champ de bataille, je n'ai jamais envoyé autant d'ordres à mes hommes et autant de nouvelles du front à Paris ou à mes arrières.

– Ils racontent leur vie sur Facebook. C'est une invention merveilleuse. Tu te rends compte s'il fallait prévenir cinq cents personnes par téléphone que tu vas dormir ou leur dire ce que tu vas manger!

– Et ça intéresse quelqu'un?

– Ça fait un malheur. Là, tu vois, tous ces gens sont en communication avec le monde entier. Ils sont avec leurs amis.

– Oui, mais là ils sont seuls avec leur petit appareil. Ils ne sont pas avec leurs amis.

Valentin était touché par autant d'innocence. Et, à la fois, de perspicacité.

– Oui, mais leur petit appareil, comme tu dis, leur permet d'être avec les gens qu'ils aiment partout sur le globe, en temps réel.

Le danseur de french cancan était passé au *tu*, touché et ému. Napoléon ne se formalisa pas. Il se souvint du temps où il obligeait tout le monde à le vouvoyer, même sa mère. Elle était bien la seule à s'en affranchir, d'ailleurs. « Maman, s'il vous plaît, je suis quand même l'Empereur! » lui disait-il devant un tel affront. « Et moi, je suis ta mère! » avait-elle pour habitude de répondre. Letizia Bonaparte, aussi belle qu'autoritaire, était une tête d'homme sur un corps de femme. On ne la contredisait pas, et même l'homme le plus puissant de France ne s'y serait pas amusé. Aujourd'hui, il décida d'abandonner ses principes. Après tout, ses amis et tous ceux qu'il connaissait étaient morts depuis bien longtemps. Valentin et les filles, c'était un peu sa nouvelle famille.

– Mais ils ne sont pas avec les gens qu'ils aiment, là, insistat-il, puisqu'ils sont tout seuls, à marcher dans la rue, avec pour compagnie leur petit appareil.

– Tu as peut-être raison, reconnut le danseur. Ils ont l'impression d'être accompagnés. Mais, en réalité, ils sont seuls.

Le petit Corse tiqua à la vue d'une famille assise à une terrasse de bar. Le père et les deux enfants mangeaient, chacun le nez fourré dans son smartphone ; la mère, elle, semblait parler toute seule. J'ai épousé un portable, devait-elle se dire. Et j'ai eu deux jolis portables avec lui.

Chaque fois que Napoléon et sa Nouvelle Petite Grande Armée croisaient une patrouille de Vigipirate, l'Empereur descendait de son cheval et les abordait pour essayer de les convaincre de s'enrôler pour rallier sa cause. Puisque cela n'avait pas fonctionné avec les dirigeants du pays, autant tenter directement avec les troupes. Napoléon était un véritable orateur, proche de ses hommes, qui savait parler aux gens, les toucher, les motiver avant de partir au casse-pipe. En dépit de ce que l'on avait toujours dit de lui dans les livres d'Histoire, Napoléon était un homme d'une grande humanité et non cet ogre que l'on avait si souvent dépeint.

Mais aujourd'hui, lorsqu'il se présentait comme étant Napoléon Bonaparte, premier Empereur des Français, les militaires répondaient « Bien sûr, et moi, je suis la reine d'Angleterre ! » ce qui ne laissait jamais de surprendre l'Empereur de réaliser à quel point la France regorgeait de soldats, tous sexes confondus, se prenant pour l'illustre Britannique. Il y avait donc des noms interdits, Napoléon Bonaparte et Lionel Messi, et des noms autorisés, la reine d'Angleterre. Il ne sut qu'en penser.

Puis les militaires éclataient de rire. Était-ce à cause des filles du french cancan ? Du cheval ? De Valentin et de sa démarche de pantin désarticulé ? Tout cela avait un peu des airs de cirque ambulant, d'accord, mais bon, c'était pour sauver la France. Il l'aimait, lui, sa jolie troupe multicolore. S'il avait eu de l'argent, il aurait enrôlé des mercenaires, c'est évident, mais il n'avait pas un sou, pas une seule petite carte rectangulaire. En général, il remplissait ses caisses après avoir mené la guerre, pas avant, lorsqu'il mettait à contribution les pays vaincus. Mais voilà, il n'avait encore vaincu aucun pays, et c'était maintenant qu'il avait besoin de fonds.

Napoléon et le Front national

– En réalité, toute cette histoire de djihadistes est du pain bénit pour le Front national, dit Valentin, un brin d'herbe entre les lèvres.

– Le Front national?

Napoléon tapota le flanc de son cheval. L'animal, qui était en train de s'abreuver dans le petit bassin, sortit le museau de l'eau et se mit à brouter le gazon, à quelques centimètres d'un cygne qui séchait ses plumes au soleil. Le Vizir avait l'air heureux de cette petite halte au parc Monceau et de ce retour inopiné à la nature. Les filles aussi. Elles se prélassaient à l'ombre d'un chêne en se racontant des trucs de filles et en riant. Cela changeait des répétitions strictes et harassantes au Moulin Rouge. Qui aurait assisté à pareille scène bucolique n'aurait jamais cru que la troupe se trouvait en plein cœur de Paris, excepté peut-être ces quelques badauds qui, portables en main, s'affairaient à immortaliser leur rencontre avec celui qu'ils pensaient être Christian Clavier en pleine répétition de Napoléon II dans le VIIIe arrondissement.

– C'est un parti politique. Ça devrait te plaire, leur programme est une espèce de machine à remonter dans le temps. Un retour au Moyen Âge. Ce serait peut-être une solution pour que tu rentres chez toi, d'ailleurs, que le FN gagne les élections!

– Je suis né en 1769, mon garçon, un peu de culture, diantre!

Le Moyen Âge s'étend du ve au xve siècle, soit jusqu'au début de la Renaissance. Je ne suis pas si vieux que cela !

– Tout est relatif...

– Il y a des programmes électoraux maintenant ? Et moi qui me suis embêté à organiser un coup d'État ! Alors, que proposent-ils aux Français, ces frontistes ?

– De le redevenir, tout simplement. Redevenir français. Ils prônent le retour au franc, la fermeture des frontières, la fin de l'immigration, la rupture avec la construction européenne, la restauration de la souveraineté nationale et tout le toutim.

– La fin de l'immigration ? Tu sais, moi-même, je suis issu de l'immigration, bien qu'elle soit de l'intérieur ! Je suis d'origine modeste et n'ai appris à parler français qu'à l'âge de dix ans. Comme quoi, tout le monde a sa chance dans ce monde, à force d'efforts et de volonté. Le mot *immigré* ne veut rien dire, la chose la plus importante est de se sentir français. Quant à la rupture avec la construction européenne, je pense que c'est une grossière erreur. Nous sommes plus forts ensemble, c'est d'une logique implacable. Et je dis cela alors que je hais les Anglais, que je ne peux pas voir les Allemands et que les Espagnols ont fichu mon frère dehors à coups de botte dans le derrière ! Mais j'ai toujours été partisan d'une Europe unie.

– Dis plutôt que tu voulais une France aux dimensions de l'Europe ! Tu repoussais sans cesse les frontières comme si t'avais jamais eu assez de place.

– Tu as raison, c'est parce que je suis né sur une île... En tout cas, je croyais en l'Europe. Pour moi, une guerre entre Européens est une guerre civile, ni plus ni moins. Et je suis vraiment heureux de voir ce que vous avez réussi à faire. Tu sais, la cohabitation est toujours difficile. C'est comme les vieux couples. On ne supporte plus les petites manies de l'autre, la perruque mal rangée qui sèche sur la poignée de porte, les colifichets que l'autre ne retire pas avant d'aller au lit et que tu retrouves le lendemain entre les fesses. Mais lorsqu'une difficulté surgit, lorsqu'une guerre éclate, on se sent uni contre l'ennemi et l'on donnerait sa vie pour l'autre. Le Portugal qui donne sa vie pour la Pologne, alors que tout les sépare, la langue, les traditions, des milliers de kilomètres, je trouve cela beau. Taxe-moi de romantique, mais je trouve cela d'une beauté sans pareille.

– On dirait que tu as mis de l'eau dans ton vin, dit le danseur en caressant l'échine blanche du Vizir.

– Quelle drôle d'idée, bien sûr que je mets de l'eau dans mon vin ! Et je ne vois point ce que cela vient faire dans notre conversation.

Napoléon pensait au chambertin qu'il avait l'habitude de boire coupé avec de l'eau, comme c'était la pratique nécessaire, le vin pur étant imbuvable jadis. On n'en était qu'aux débuts de la chaptalisation, ce procédé inventé par un chimiste nommé Chaptal, que l'Empereur avait bien connu, et qui consistait à ajouter du sucre dans le vin pour augmenter son degré d'alcool.

– On t'a toujours fait passer pour un génie de la guerre qui voulait écraser le monde.

– C'est une vision assez réductrice de ma personne. En tout cas, la fermeture des frontières et l'arrêt de l'immigration me paraissent une sottise. Ton Front national ne me convainc guère.

– Moi, je ne sais pas. Je doute. Après tout ce qui vient de se passer, je me suis surpris à penser que peut-être... c'est une hypothèse de voter FN.

– Peut-être ? Une hypothèse ? Tu n'as quand même point l'air très convaincu.

– Ça va un peu contre mes principes, mais j'ai peur. J'ai l'impression que bientôt, on va se faire bouffer par les islamistes. La France d'aujourd'hui doit te paraître bien différente de celle de ton époque.

– Ça, tu l'as dit. Mais en mieux, Valentin. Crois-moi. En mieux. C'est une chance inouïe que celle que vous avez de vivre maintenant. Et je ne dis point cela pour le Coca Light ou les programmes électoraux. Je parle du vote des femmes, des vaccins, de la Sécurité sociale, du droit au travail, de l'accès au savoir. Avant, c'était misère, violence et compagnie pour une grande partie du peuple, crois-moi. On ne mesure jamais assez sa chance, Valentin. Tu es un homme libre et vivant. Réjouis-toi de cela.

Il vit naître des étoiles dans les yeux du jeune homme.

– Tu sais comment parler aux gens, toi. Tu sais comment donner envie de vivre.

– Cela est nécessaire, mon garçon, quand on dirige des armées de soldats vers une mort presque certaine. En tout cas, moi, je sais pourquoi je ne voterai jamais Front national.

– Pourquoi ?

– Parce que je n'ai aucune envie de revenir à mon époque, Valentin.

Napoléon dort au Formule 1

L'hôtel Napoléon n'était pas le seul à avoir des prix prohibitifs. En règle générale, les hôtels parisiens étaient chers. Or, l'argent était le nerf de la guerre. Thomas More en parlait déjà dans *Utopia*, en 1516. Et les choses n'avaient guère changé depuis. L'Empereur avait pris la formule comme devise. Même si aujourd'hui, son nerf était plutôt rongé. Jusqu'à l'os.

Et puisque entreprendre une guerre sans argent était une folie, il demanda à Valentin de lui en donner un peu. La première dépense consisterait à lui trouver une chambre d'hôtel bon marché.

– J'ai un petit onze mètres carrés dans le Marais, proposa le danseur élastique.

Devant le mutisme du Corse, il crut bon de préciser :

– Oh, tu te vois déjà en train de monter le bivouac, à la belle étoile, dans un marais infesté de moustiques ! On l'appelle comme ça, mais ce n'en est pas un ! Ne t'inquiète pas.

– Je connais le Marais. Ce quartier existait déjà de mon temps. Avant la Révolution, c'était même le lieu de résidence de toute la noblesse parisienne. Après, c'est devenu le quartier des ouvriers et des artisans.

– Et maintenant, c'est notre quartier, dit Valentin avec fierté. Enfin, celui des gays. Et des juifs aussi. Et des juifs gays.

– Des juifs heureux ? Intéressant, je n'en ai toujours connu que des déprimés. Je suis heureux de voir qu'ils ont retrouvé leur optimisme.

– Des gays, pas des gais ! Je suis gay.

– Moi aussi, je suis gay après avoir bu un bon coup de champagne.

– Pas gai, gay, avec un *y* !

– Oui, gay avec un *y*.

– Oui, mais là, c'est pas du vieux français. Je suis homo, Napoléon, un pédé, une folle, une pédale.

– Une pédale ? Mon Dieu, je ne comprends rien.

– Je suis un homme qui aime les hommes.

Il y eut un grand silence.

– Ah, finit par dire l'Empereur.

– Ça te dérange ?

– Point du tout.

Le visage de son ami Cambacérès lui revint en mémoire. Son bon ami. Tante Turlurette. On aurait dit que le destin prenait un malin plaisir à toujours l'entourer d'hommes qui aimaient les hommes. Le pouvoir avait ceci qu'il attirait comme un aimant les hommes et les femmes, sans discrimination de sexe. Gay, un mot fantaisie que le deuxième Consul aurait sans doute aimé. Peut-être que cela l'aurait aidé à affirmer publiquement cette différence qu'il avait toujours dissimulée sous le terme de « célibataire » (à cinquante et un ans, tu parles !) Il aurait nié être homosexuel même sous la torture. Napoléon se souvenait d'un jour que Cambacérès était arrivé en retard, sous prétexte qu'il avait été retenu par des dames. N'y tenant plus, le petit Corse lui avait envoyé à la figure « Lorsqu'on a rendez-vous avec l'Empereur, on dit à ces dames de prendre leur chapeau et leur canne et de foutre le camp ! » Pour lui montrer qu'il n'était pas dupe. Au moins, Valentin était fier, lui. Il avait raison. Quoi qu'en pensent les autres, dans la vie, il fallait toujours être fier de ce que l'on était.

– Comment on disait avant ? demanda le danseur de cabaret.

– On appelait ça un taré.

Valentin éclata de rire.

– Sympa !

– Ce n'est point moi qui le dis. La médecine jugeait l'homosexualité comme une maladie mentale. La loi, comme un crime puni de tortures. Je l'ai moi-même dépénalisée.

– C'est chic de ta part. Enfin, voilà, je vis dans le Marais depuis que je suis sorti du placard il y a trois ans. Enfin, mon placard, c'était plutôt un placard Ikea en kit. Tout le monde s'en doutait. Alors tu viens dormir chez moi ?

Pauvre enfant, pensa l'Empereur. Ses parents l'ont forcé à vivre toute sa vie dans un placard. En sortir pour s'enfermer dans une boîte à chaussures. La vie pouvait vraiment se montrer odieuse avec certains. Il n'avait rien contre Valentin, mais il n'était tout de même pas trop emballé à l'idée de passer la nuit dans onze petits mètres carrés avec un homme qui aimait les hommes.

– Je suis fatigué, mentit-il.

Napoléon était très intelligent et Napoléon n'était jamais fatigué. S'il y avait deux vérités immuables sur cette Terre, c'était bien celles-là. En réalité, pour sa première nuit, il préférait dormir dans une chambre rien que pour lui. Il voulait être seul pour penser un peu. Et prendre un bon bain.

– Toujours seul au milieu des hommes, je rentre pour rêver avec moi-même et me livrer à toute la vivacité de ma mélancolie, déclama-t-il, comme il l'avait écrit à vingt ans.

– Qu'est-ce qu'il raconte ? demanda Mireille, s'approchant des deux hommes.

Valentin donna alors un billet de cinquante euros à Napoléon et lui conseilla d'aller dans un Formule 1, en périphérie de Paris. Ce serait plus pratique, en outre, pour « garer » son cheval.

– Je te donne cinquante euros, mais je sais que demain, tu m'en demanderas tout autant. Pourquoi ne vendrais-tu pas ton chapeau ? Sur eBay, je suis sûr que tu trouverais un débile prêt à débourser plusieurs centaines de milliers d'euros pour l'authentique bicorne de Napoléon ! Avec ça, tu pourrais t'acheter une casquette. C'est plus pratique et moins... voyant.

Abeille, le fameux marché dont lui avait parlé le mendiant de l'aéroport et le vendeur du kiosque à journaux.

– Vendre mon chapeau ? s'insurgea l'Empereur. Jamais !

Cela mit fin à la conversation. Et la troupe se dispersa, non sans avoir promis de se revoir le lendemain.

Deux heures après, Napoléon arrivait sur le parking du Formule 1 de la porte de Châtillon, sur le périphérique sud de Paris. Formule 1, répéta-t-il, cela devait être un bon hôtel. Le 1 en témoignait. Et cela tombait bien, car Napoléon s'était toujours appliqué à être premier en tout. Et puis, Formule 1, ça sonnait français, au moins. Pas comme ces hôtels qu'il avait croisés sur sa route, et qui finissaient tous par Inn, comme Holiday Inn, signe de la supériorité linguistique anglaise. Le seul hôtel où il aurait aimé dormir aurait été le Joseph Inn...

Il laissa Le Vizir sous un toit en métal, entre deux carrosses nommés Clio et 406, qu'il n'aurait pas à user comme toilettes, et loua une chambre avec le billet de banque que Valentin lui avait donné.

La chambre coûtait 44 euros. Il fut ravi de voir que la petite monnaie métallique subsistait lorsqu'on lui rendit le change. Puis il alla s'acheter, au distributeur automatique de la réception, un sandwich insipide au thon et à la mayonnaise qu'il partagea avec sa monture, devenant pour quelques instants l'attraction des clients de l'hôtel.

Lorsqu'il prit connaissance de « ses appartements », il sut pourquoi il venait de payer 44 euros, alors que la suite royale de l'hôtel Napoléon en valait trente fois plus. Il fit le tour de l'habitation. D'un simple regard. Car un simple regard suffisait à en embrasser la totalité. Monter le bivouac n'était pas une expression dénuée de sens ici. Bon, les meubles étaient inexistants et le style d'un manque de goût certain, mais au moins, c'était propre. C'était déjà ça. Il n'attraperait pas la gale comme durant le siège de Toulon, en 1793.

Il entra dans la salle de bains, quoique le terme soit impropre là aussi, puisqu'il ne s'agissait ni d'une salle, ni d'un bain car il n'y avait pas de baignoire. Pour la première fois de sa vie, Napoléon regretta de ne pas être plus petit. Il aurait ainsi pu se baigner dans le lavabo. Quel était donc ce genre d'auberge où l'on ne pouvait pas se prélasser dans un peu d'eau chaude pour soigner ses hémorroïdes ? Après deux siècles, tout ce dont rêvait l'Empereur était un bon bain chaud. Il se rappelait la baignoire que ses hommes trimballaient partout avec lui sur le front, pendant les campagnes. C'était sa motivation, après une journée à combattre, cette baignade qui l'attendait dans la douceur et la chaleur de sa tente impériale.

C'était décidé. Demain, il achèterait une baignoire portable. Et puis, il se souvint qu'il n'avait pas d'argent et repensa aux paroles de Valentin. Il ne voulait pas être considéré comme un assisté, pire, un parasite, un « faux-bourdon ». Jamais il ne l'avait été et ce n'était pas maintenant qu'il allait commencer. Peut-être était-il temps de se défaire de son vieux chapeau. Le bain attendrait. Il repensa à la guerre qu'il s'apprêtait à entreprendre. Il y allait de la survie de la France. La survie de son peuple. La reine des abeilles devait sauver sa ruche.

Napoléon vend son chapeau sur eBay

Napoléon redescendit à la réception.

En entrant, il y avait repéré un petit ordinateur, cette drôle de machine en forme de fenêtre que lui avait décrite le commandant de chalutier pendant leur voyage jusqu'à Paris. Ordinateur, du latin *ordinator*, « celui qui met de l'ordre ». Il aimait ce mot. *Empereur* aussi venait d'un mot latin (*imperare*) qui signifiait « ordonner, commander en maître ». Napoléon était donc aussi un ordinateur à sa manière.

– Puis-je? demanda-t-il à l'homme à la mine grisâtre qui se trouvait derrière le comptoir de contreplaqué.

– C'est 10 euros l'heure.

Napoléon regarda la paume de sa main. Il ne disposait que de 3,50 euros.

– Et pour 3,50 euros? demanda-t-il.

– Vous avez droit à vingt minutes.

– Très bien.

Il lui tendit les pièces de monnaie et l'homme lui donna un code imprimé sur un petit morceau de papier.

– Vous pouvez vous connecter.

– Pourriez-vous m'expliquer un peu comment cela marche? Je ne suis point trop au fait de ces choses.

L'homme au visage triste et aux vêtements sombres examina son client des pieds à la tête, enfin, au chapeau. Il tiqua sur le tee-shirt de Shakira. Il se traîna vers l'ordinateur avec une lenteur d'escargot. Il se souvint des sempiternelles séances d'informatique qu'il donnait à ses parents lorsqu'il allait manger chez eux le dimanche. Il devait toujours répéter la même chose. Sa mère notait tout consciencieusement sur un carnet. Mais ils ne comprenaient rien, et ne comprendraient jamais rien. Ils n'étaient pas nés à la bonne époque, c'est tout. Il fallait qu'ils se fassent une raison. Et l'homme qui se tenait en face de lui non plus n'était pas né à la bonne époque.

– Vous n'êtes pas né à la bonne époque, lui dit-il.

– Comment le savez-vous ? demanda Napoléon, intrigué.

L'autre haussa les épaules et soupira, comme si la Terre entière venait de lui tomber dessus. Il était devenu l'Atlas grec du Formule 1.

– Je vous ai rentré le code et ouvert Internet, dit-il après quelques secondes à pianoter sur le clavier.

Internet, la fameuse encyclopédie.

L'Empereur avait bien observé l'hôtelier pendant la manœuvre. Il fallait appuyer sur les touches dotées des lettres que l'on voulait entrer pour former un mot, puis une espèce de savonnette reliée par un fil dirigeait une petite flèche d'archer sur le tableau. En appuyant sur la savonnette, on pouvait ouvrir ou fermer des fenêtres qui correspondaient à des recherches différentes. Comme nous l'avons déjà dit, Napoléon était très intelligent. Il avait tout de suite compris le fonctionnement. Plus vite, en tout cas, que les parents du réceptionniste.

Il se demanda alors quel serait le premier mot qu'il entrerait dans l'ordinateur. Il attendit que l'homme reparte derrière son comptoir. Puis il repensa à tout ce que lui avait expliqué le professeur Bartoli.

EI.

Il écrivit le mot d'un seul doigt, avec application. L'ordinateur ne laissait pas de taches d'encre sur les doigts comme ces maudits porte-plume. Merveilleux !

EI. Pour État islamique.

Voilà par quoi commenceraient ses recherches. Car avant de se lancer dans la guerre, il lui fallait connaître son ennemi. Connaître ses actions, ses défauts, ses défaites passées, mais aussi ses victoires, et puis, surtout, l'endroit où il se cachait.

Napoléon retrouva tous les mots que lui avait appris le professeur Bartoli lors de leur conversation à l'aéroport. *Daesh, salafiste, charia, fatwa, djihadiste, al-Sham.* En quelques minutes de son forfait, il emmagasina dans son cerveau toutes ces informations sur le principal réseau djihadiste du monde, l'État islamique (EI ou Daesh) qui étendait, telle une pieuvre, son emprise sur des villes comme Raqqa, devenue capitale de la terreur, ou Mossoul, et, en plus de contrôler les âmes et les cerveaux des hommes, contrôlait des raffineries de pétrole. Tout cela représentait une armée de 20 000 soldats prêts à mourir pour anéantir les infidèles, ces chiens d'Occidentaux. Pour cela, ils avaient à leur disposition 3 000 Humvee, ces espèces de voitures à mi-chemin entre la Jeep et le Hummer de combat, 50 chars lourds et plus de 50 000 armes individuelles, des pistolets, des kalachnikovs, des lance-roquettes, des couteaux. Le plus surprenant était que ces équipements leur avaient été offerts par des pays contre lesquels ils les avaient maintenant retournés. La Russie, la Chine, les États-Unis. C'était l'ironie de la vie. L'ironie de la guerre.

L'État islamique, c'était aussi des enfants d'à peine six, sept ans, enlevés puis endoctrinés et entraînés. On s'en servait de kamikazes dans les attentats suicides, ce qui mettait fin à une enfance qui n'en avait jamais été vraiment une. Comme celle, touchante, de ce petit Radwan dont Napoléon lut l'histoire, les yeux rouges et humides. On ne réservait pas meilleur sort aux femmes. Cachées du monde extérieur, que ce soit derrière leur burqa à grillage ou à la maison, les femmes n'étaient bonnes qu'à satisfaire les désirs de leur mari, s'adonner à la couture, à la cuisine, et s'occuper des enfants. Un peu comme à son époque finalement.

Napoléon réalisa qu'il s'était trompé, que ces djihadistes étaient pires que ce qu'il pensait, que toute trace d'humanité les avait abandonnés depuis longtemps, et qu'ils n'étaient pas installés au nord de Paris, dans le quartier de Barbès, qui n'avait jamais appartenu aux Vikings, mais dans les immenses plaines et montagnes d'Afghanistan, de Syrie et d'Irak. Il mémorisa l'emplacement exact du principal camp d'entraînement sur la carte d'état-major de la DGSE, qui la publiait sans aucun scrupule sur le Net avec la ferme intention de montrer que les services secrets français le connaissaient, parce que c'était les meilleurs services de renseignement du monde. Napoléon mémorisa le visage de Mohammed Mohammed, l'Ours de Mossoul, un gros bonhomme à barbe et aux yeux morts, avec une serviette de table en guise de bicorne. Le plus grand leader de ces assassins.

Une fois qu'il eut en tête l'emplacement du foyer terroriste qui frappait le monde impunément, sous le nez même de l'Onu, de l'Otan, de l'Unicef, de l'Unesco et de tous les trucs avec un *n*, il réalisa qu'il ne lui restait plus que cinq minutes. Pas pour sauver le monde, non, pour profiter du forfait Internet. Il repensa alors aux conseils de Valentin et écrivit le mot *Abeille*. Où était donc ce fameux marché dont tout le monde parlait ?

Au bout d'une minute, il s'aperçut, après avoir feuilleté les cent quarante-trois premières pages d'un certain Google, et acquis des quantités astronomiques de savoirs sur le petit insecte qu'il avait pris pour symbole, que le mot *abeille* ne désignait aucun marché parisien.

– On m'a dit que je pourrais vendre des effets personnels sur *Abeille*, dit-il au réceptionniste.

– eBay ?

– Ah ! *Baye* ! Merci.

Il écrivit le mot mais toujours rien, excepté la biographie et la filmographie d'une certaine Nathalie Baye. Charmante.

– *Baye ?* Je ne trouve rien. *Baye* comme *bayer aux corneilles ?* Comme *bâiller d'ennui ?* Comme *ça fait un bail ?* Ou comme *vous me la baillez belle ?* Faut être précis, mon brave !

– E-Baaaay, articula l'homme, agacé. E-B-A-Y ! COMME EBAY !

S'il avait fermé les yeux, il se serait cru en pleine conversation Skype avec sa mère.

L'Empereur pesta encore une fois devant la prédominance de l'anglais dans la langue française, écrivit ce drôle de nom sur l'ordinateur et cliqua sur le site.

Il passa les pages, les yeux illuminés comme un enfant devant une vitrine de jouets. On vendait de tout sur eBay. De tout, sauf un bicorne ayant appartenu à Napoléon, ce qui tombait plutôt bien. Il avait l'exclusivité. Il en tirerait donc un bon prix.

Et avant que sa session de vingt minutes ne s'achève, l'affaire fut réglée.

L'incroyable histoire de Radwan

Aujourd'hui, Radwan, douze ans, a reçu un cadeau.

Ce n'est pas son anniversaire et celui qui le lui a offert est un parfait inconnu. Aujourd'hui, Radwan a reçu son premier fusil. Mais pas comme ceux que l'on offre aux petits Européens, en plastique, avec un embout de canon rouge. Non, Radwan a reçu son premier vrai fusil. Il s'appelle kalachnikov parce que c'est un certain Mikhail Kalachnikov qui l'a inventé. Il aurait mieux fait de se casser une jambe ce jour-là. Sa machine à tuer, c'est un fusil automatique, c'est-à-dire qui tire autant de cartouches qu'il y a dans son chargeur, d'un seul trait, du moment qu'on laisse le doigt appuyé sur la détente. Quand on a les doigts assez longs pour arriver jusqu'à la détente, bien sûr. Ce qui n'est pas si évident pour un petit garçon. Vous noterez que l'on dit détente, et pas gâchette. Gâchette, c'est dans les films. Parce que dans les films, ils n'y connaissent rien en vraies armes qui tuent.

On a envoyé à la guerre Radwan et son nouvel ami Kalachnikov. Enfin, on l'a envoyé se faire tuer pour être plus précis. L'enfant se rappelle encore le poids de l'arme qui lui pend au cou, les détonations qui lui explosent aux oreilles, le sable qui lui pique les yeux et la peur qui lui noue l'estomac. Ce n'est pas un jeu. Non, ce n'est pas comme quand il jouait pour de faux avec ses copains en imaginant qu'ils étaient des soldats valeureux. Il n'y a rien de courageux à faire une guerre dans laquelle on vous pousse quand vous avez douze ans. Il se souvient du sourire et des gentils mots de ces hommes barbus, de l'odeur de la sueur et du sang, partout autour de lui. De ces autres enfants qui, comme lui, ont reçu un cadeau d'anniversaire qui leur a fait prendre dix ans d'un seul coup et les a changés en hommes.

Radwan n'a que douze ans, il a une fossette sur la joue droite qui rend folles les filles, et il est sur le point de devenir un homme. Il se revoit encore dans la maison familiale, chez lui, en Syrie, dans son beau pays défiguré par les événements. Il se souvient des manifestations dans les rues et de son grand frère qui est parti à la guerre pour la bonne cause, au nom d'une Syrie libre, au nom de la liberté tout court. Car c'est comme cela que tout a commencé. Cette guerre, Radwan veut en être, lui aussi, parce que c'est un garçon, et qu'il y a déjà longtemps que la société, la télé et les livres se sont chargés de lui mettre dans le crâne que le rôle d'un garçon, c'est de mourir à la guerre. C'est toujours si beau, si romantique la guerre, dans ces jolies histoires, et le jeune soldat revient toujours à la fin, sain et sauf, plus beau qu'au début même, parce qu'une petite cicatrice lui barre le sourcil droit et lui donne une allure de mauvais garçon, il revient et se marie avec la fille qu'il a laissée au village et dont il est éperdument amoureux. Mais dans la vraie vie, la guerre, c'est laid et ça pue la merde. Parce que ça pue la mort et que la mort, ça pue la merde. Que personne ne vous attend au village parce qu'il a été brûlé et que la cicatrice au sourcil droit s'est convertie en un œil en moins, ou un bras en moins, enfin, plein de choses en moins, et rien en plus.

Radwan a laissé dans un coin le ballon dégonflé avec lequel il jouait dans la rue jusqu'à ce que les bombardements le contraignent à rester enfermé chez lui. La bonne nouvelle, c'est qu'il n'a plus à aller à l'école. Mais il ne voit plus les copains non plus. Alors il ne sait plus quoi penser. Beaucoup sont morts d'ailleurs. Et puis, ses copains sont devenus des adultes à barbe, armés jusqu'aux dents, qui tiennent des propos qui ont du sens lorsque, tout autour de lui, plus rien n'en a. Ils se font appeler Daesh. Ils disent soutenir la révolution et lutter pour la liberté. Il n'en faut pas plus à Radwan, exalté par des idées de justice et le sentiment de devenir un héros, pour s'enrôler. Il aimerait porter la barbe, lui aussi, mais ses joues sont aussi glabres que des fesses de nouveau-né. Au lieu de se précipiter, il aurait dû écouter les premiers signes que le destin lui lance. Son frère est mort. Tant pis, il part quand même. Avec davantage de force pour le venger. Sans rien dire à ses parents, sans rien dire à personne. Il se fout de mourir. On lui raconte tellement de jolies histoires sur tout ce qui lui arrivera s'il meurt pour la cause, en martyre. On ne lui promet pas de vierges, parce qu'il ne sait pas encore ce que c'est, mais on lui promet qu'au paradis il pourra jouer avec soixante-douze ballons tout neufs, gonflés, de jolis ballons aux couleurs des équipes dont il aimait tant regarder les matchs. Cela lui suffit, même si le prix à payer est lourd au début. Plus de télé, plus de dessins animés, plus de bonbons, tout cela est terminé. Il est devenu un homme et doit se comporter comme tel. Cet homme qui, armé de sa kalachnikov, se sent investi d'une mission. Il pense faire le bien. Chaque fois qu'il tue quelqu'un, il pense être dans le vrai. Alors il tire, tire, tire, sur des hommes, sur des femmes, sur des enfants pas plus grands que lui. Il tire, tire, n'arrête pas de tirer, de recharger son arme et de tirer à nouveau. Il ne ressent aucune culpabilité à appuyer sur la détente. On lui dit qu'il est un bon musulman, il le croit, et que plus il tuera de gens et plus grande sera la reconnaissance d'Allah. Pour l'instant, la reconnaissance de ses pairs se limite à vingt euros par mois. Son premier salaire. Une fortune en d'autres circonstances, mais une misère pour ce qu'il doit endurer. Sa peur vaut bien plus que cela. Il réalise bientôt qu'il ne veut plus combattre, qu'il ne veut plus bouffer de la merde dans des abris de fortune, au milieu du bruit et du froid nocturne, qu'il veut retrouver la chaleur de son foyer, de sa maman et de son papa, qu'il n'est pas à sa place, ici. Qu'il n'est pas ce soldat valeureux qu'il voyait en rêve, qu'il n'est même pas un homme. Il le sait car il pleure comme un enfant, tous les jours, tous les soirs, toutes les nuits, et qu'il murmure « maman ». Un homme, ça ne pleure pas et ça ne réclame pas sa mère. Et puis, un jour, il voit quelque chose qu'il n'aurait pas dû voir. Il voit comment l'on traite ceux qui ont le malheur de ne pas obéir. Il est interdit de fumer, de boire de l'alcool, de voler. Cela tombe bien, car il a toujours pensé que ce n'est pas bien et que ce n'est pas de son âge. Parce que sa maman l'a éduqué ainsi. Mais il n'estime pas pour autant que cela doive être puni aussi violemment. On frappe les coupables, on les torture. Sa maman ne le frapperait jamais comme cela, elle ne le torturerait pas pour avoir fumé une cigarette ou avoir volé une pomme.

Alors il comprend tout. Il vient de voir le visage du diable à la lumière du grand jour. Il réalise que depuis le début, on lui cache la vérité, qu'on le préserve pour qu'il obéisse aveuglément. Il apprend que ses adversaires ne sont pas les monstres qu'on lui décrit, mais les soldats qui combattaient à ses côtés. Il se rend compte qu'il combat contre le bien. Il se rend compte qu'il lutte pour le mal. Il comprend que c'est Daesh qui a tué son frère et ses copains. Qui a tué tous les gens qu'il aimait. Pour son âge, il comprend beaucoup de choses. En particulier, qu'il est pris en étau entre sa propre armée, qui le liquidera à la moindre incartade, et l'adversaire, qui le tuera parce qu'il est dans la bande des méchants. Il n'a aucune chance d'en réchapper.

Alors Radwan décide de s'évader pour retrouver sa maison, sa famille, sa vie d'avant. Même s'il ne sera plus jamais ce petit garçon innocent au regard plein d'étoiles. Même s'il ne pourra plus jamais voir un pistolet d'enfant en plastique de la même façon. La peur au ventre, il déserte, une nuit, et réussit à atteindre son village après plusieurs jours de marche. Mais une fois à la maison, l'histoire n'est pas terminée pour autant. Parce que les barbus sont partout. Et qu'ils ont changé leur sourire d'anges pour celui du diable. Parce qu'ils ont tombé les masques et exécutent maintenant, à la lumière du jour, des gens d'ici pour des broutilles. Un mauvais regard ou un mot de travers. Ses parents le cachent à la cave depuis. Ils attendent que les forces internationales interviennent pour chasser l'État islamique de leur région, de leur pays, de leur vie, de la face de la Terre. Ils prient et attendent que les Américains, les Européens, les Russes viennent protéger leurs enfants. Ils attendent que le reste du monde s'intéresse à eux.

Ils attendent.

Ils attendent.

Et en attendant, ils meurent.

Napoléon gagne une voiture

– Je viens de gagner une Ferrari Testarossa, qu'en pensez-vous ?

L'homme ne prit même pas la peine d'ouvrir les yeux. Assis derrière le comptoir, il somnolait, la tête dans le creux de son coude.

Ferrari, prononça l'Empereur comme pour s'imbiber de tout le charme de ce mot. Fe-*rra*-ri, dit-il en roulant les *r* et en accentuant la deuxième syllabe. Les Corses construisaient vraiment de belles voitures.

– J'en pense que vous ne devriez pas croire tout ce qu'on vous dit sur Internet, finit par répondre le réceptionniste d'une voix étouffée.

– Et pourquoi ça ?

– C'est de l'arnaque.

– Mon Dieu, vous pensez vraiment que l'on essaie de m'arnaquer ?

Voyant que son client ne le laisserait pas dormir tranquille, l'homme se redressa sur sa chaise.

– Je ne sais pas combien de voitures j'ai gagnées dans ma vie. À l'époque, vous receviez même la clé de la bagnole dans votre boîte aux lettres. Et puis vous deviez passer la prendre chez le concessionnaire le plus proche. Si jamais vous y alliez, vous étiez cuit. Ils vous montraient alors l'astérisque et les petites mentions minuscules sur le prospectus, vous appreniez qu'il fallait payer un acompte, et puis je ne sais quoi encore. Bref, vous ressortiez effectivement avec une voiture, mais aussi avec un crédit à rembourser sur dix ans.

– Fichtre, c'est horrible ce que vous me racontez là !

D'abord Napoléon n'aimait pas, mais alors pas du tout, que l'on essaie de l'arnaquer. Ensuite, il ne pouvait pas se mettre un crédit de dix ans sur le dos. Il avait déjà des problèmes pour se payer dix minutes d'Internet dans un Formule 1. Il se remémora le déficit de deux milliards qu'avait connu la France sous son règne à cause de tous les emprunts qu'il avait dû contracter. Il frémit. C'était fini, les crédits.

– Oh, vous savez, il y a pire… Vous n'avez rien payé, j'espère.

– Je vous explique, en réalité, je voulais vendre mon chapeau. Contre de l'argent, j'entends. À la rigueur, un frigo pour garder mes Coca-Cola Light au frais ou une baignoire portable, ce qui manque cruellement dans un hôtel de votre standing, soit dit en passant. Les enchères sont montées très haut, et cet homme m'a proposé une Ferrari. Il y avait une photographie du carrosse. En voyant le logo, ce cheval noir sur fond jaune, j'ai tout de suite pensé à un signe du destin. Cela m'a rappelé Marengo, ma valeureuse monture. De toutes, ma préférée. La victoire de Marengo, en Italie, a été si grande que j'ai baptisé de ce nom le cheval que j'ai monté durant la bataille. Bref, étant donné qu'il ne me restait plus que trente secondes de session, j'ai validé l'échange.

– Je comprends rien à votre histoire, dit le réceptionniste.

Piqué par la curiosité, il se leva, contourna le comptoir et s'approcha de l'Empereur. L'écran était noir. La session était terminée.

– Attendez, on va remettre Internet. C'est la maison qui invite.

L'homme alla chercher un nouveau code et pianota sur le clavier.

– Voilà, on a une heure devant nous.

Napoléon gagne un jet privé

La première chose que fit Napoléon le lendemain matin, après avoir bu la première canette de Coca Light de la journée, fut d'aller récupérer sa Ferrari Testarossa. Il traversa la réception et salua l'homme gris, qu'une barbe d'une nuit rendait plus grisâtre encore. Celui-ci hocha la tête. Il n'en revenait toujours pas. Comment pouvait-on troquer une Ferrari contre un simple chapeau? Il s'était proposé de fouiller, dès le dimanche suivant, le placard où son père rangeait ses vieux chapeaux, de les prendre en photo et de tout mettre sur eBay. Lui aussi, il gagnerait une voiture de luxe. Au volant de son bolide, il partirait loin de ce Formule 1 miteux dans lequel il passait ses nuits à rendre service à des clients bizarres. Et pauvres. À des clients bizarres et pauvres qui ne savaient même pas utiliser un ordinateur, qui lui demandaient son aide et terminaient la soirée avec les clés d'une Ferrari dans la poche, tout cela grâce à lui. Le monde était vraiment injuste.

Alors que le réceptionniste rêvait les yeux ouverts, Napoléon monta sur Le Vizir et mit le cap vers Neuilly. Il avait donné rendez-vous aux filles du french cancan et à Valentin le désossé deux heures plus tard, aux pieds de l'Arc de triomphe, devant la tombe du Soldat inconnu. Il aimait bien les symboles. Il imagina la tête de son armée lorsqu'elle le verrait arriver au volant de sa nouvelle voiture. Et il sourit. Puis il repensa à la guerre contre les djihadistes qui l'attendait. Et son sourire disparut.

Neuilly n'était plus cette petite bourgade tranquille à quelques kilomètres de Paris. Elle avait été avalée par la grande ville, comme tous les villages qui formaient jadis la périphérie de la capitale et qu'un brin de campagne séparait alors.

Il retrouva le millionnaire dans le parking privé d'une résidence qui l'était plus encore. Lorsqu'il arriva, perché sur son cheval majestueux, celui-ci leva la tête, admiratif, déjà conquis.

– Dites donc! s'exclama-t-il. Si j'avais su que vous aviez aussi le cheval, je vous l'aurais échangé contre une vieille Rolls que j'ai héritée de mon grand-oncle, ou contre un avion.

À l'évocation du mot « avion », Napoléon tiqua. Un engin volant, voilà qui servirait grandement ses projets. Plus qu'une Ferrari d'ailleurs. Et il se rappela la sensation de toute-puissance qui s'était emparée de lui lors de son premier vol avec le vieux loup de mer. L'attaque depuis les nuages, que trouver de mieux? Vous demeuriez intouchable. Le monde était à vos pieds. Et les bateaux des Anglais, de ridicules et minuscules fourmis tout en bas. Cela marchait aussi avec les djihadistes.

– Un avion?

– J'ai un petit jet privé, un Embraer Phenom 100E. C'est un bimoteur. État neuf.

Le Corse ne comprit rien à tout ce charabia mais cela avait l'air d'être parfait pour la guerre. Il aimait son cheval, pour sûr, mais Le Vizir ne faisait pas le poids contre un avion. Napoléon avait appris que dans la vie, il ne fallait pas s'attacher, car les émotions desservaient souvent la raison, et puis, la guerre, c'était la guerre.

– Ferrari, c'est bien? Je veux dire, à part être joli, ça fonctionne bien? demanda l'Empereur en désignant la voiture rouge qui brillait au soleil.

– C'est ce qu'il y a de mieux. Trois cent quatre-vingt-dix chevaux sous le capot et un étalon sur le siège conducteur, c'est ce que j'ai l'habitude de dire.

– Trois cent quatre-vingt-dix chevaux sous ce capot de rien du tout?

Impossible! Même des poneys n'y rentreraient pas.

– Et c'est une Testarossa... Avec ça, les poulettes vont tomber!

Napoléon était content, car il voulait toujours ce qu'il y avait de mieux. Mais il y avait vraiment une écurie sous le capot? Il n'en revenait pas. En outre, ce serait la ruine pour tous les nourrir. Et qui s'occuperait d'eux?

– Et votre monture, elle est authentique? demanda le millionnaire en tournant autour de la bête.

– Je vous présente Le Vizir, robe fleur de pêcher, légèrement truitée alezan, arabe pur-sang, cadeau de Selim III, sultan de Turquie. Il s'est illustré dans de nombreuses batailles et a accompagné mes derniers jours. Qui ne semblent plus être les derniers...

L'homme siffla.

– Le Vizir...

Il tapota la marque faite au fer rouge sur la cuisse de l'animal. Un beau N surmonté d'une couronne.

– C'est marrant, parce que je l'ai vu empaillé au musée de la Guerre, il n'y a pas très longtemps.

– Sûrement un faux. Vous avez l'authentique devant vos yeux.

– Vous avez peut-être raison, il y a toujours eu des doutes quant à son authenticité. À propos, vous saviez que la première lettre du nom des chevaux de Napoléon indiquait la date de leur achat par les écuries impériales selon l'ordre alphabétique? Un peu comme les noms des ouragans aux États-Unis. Le V de Vizir indique que c'est l'un de ses derniers chevaux, sinon le dernier.

– Vous m'apprenez quelque chose, mentit l'Empereur.

Bien entendu, c'est lui qui avait instauré ce génial procédé mnémotechnique.

– Je peux voir le chapeau?

Le petit Corse descendit de sa monture et le tendit à l'homme qui en inspecta chaque couture.

– Y a pas de doute, c'est bien le vrai, finit-il par dire. Il y a quelques années, j'en ai tenu un semblable dans les mains. À son retour de Waterloo, Napoléon a laissé son bicorne chez son chapelier, Poupard et Delaunay, à Paris, pour qu'il lui refasse une petite beauté. Il n'est jamais revenu le chercher.

Bon sang, c'est vrai, je l'avais complètement oublié celui-là! pensa l'Empereur.

– C'est la petite-fille du chapelier qui l'a retrouvé un jour dans une malle et a décidé de s'en défaire. Elle l'a donné à un petit musée de province alors que je lui en offrais une belle somme. Mais on dirait que cela valait le coup d'attendre jusqu'à maintenant... C'est la redingote?

L'homme se permit de toucher du bout des doigts le grand manteau noir pour en estimer la qualité. Là aussi, il n'avait aucun doute sur son origine.

– Tant que nous y sommes, vous avez autre chose? demanda-t-il. Je suis collectionneur et spécialiste de Bonaparte, comme vous aurez pu le constater. Bonaparte, et puis son époque aussi. Ah, quelle époque! La nôtre, c'est vraiment de la merde.

Le peuple continuait de se plaindre, comme de son temps. Les gens pensaient toujours qu'ils étaient nés à la mauvaise époque et que leurs problèmes s'arrangeraient avec les années. Mais ce n'était qu'un leurre. Si l'on était malheureux à une époque, il y avait de fortes chances qu'on le soit à une autre. Quelqu'un d'heureux l'était en tout temps. Si l'on n'était pas heureux avec tout ce que l'on avait, on ne le serait pas avec ce qui nous manquait. C'était une évidence. Mais quand même, aujourd'hui, les gens se plaignaient pour se plaindre. Ils avaient de la chance. Ils avaient tout pour eux. Tout était si facile. Il y avait même des machines qui lavaient le linge pour vous, c'est dire !

– Alors, vous avez autre chose ? demanda l'homme, arrachant l'Empereur à ses pensées.

Mis à part lui-même, le Corse n'avait plus rien d'époque à proposer.

– Vous n'auriez point le sexe de Napoléon, par hasard ? demanda-t-il pour toute réponse.

– Ah non, il m'est passé sous le nez, enfin, manière de parler ! Le plus grand regret de ma vie. Ça me désole.

– Pas plus que moi, croyez-moi !

– J'ai bien des cuillères, des abeilles en or massif, des caleçons, et même une seringue de lavement ayant appartenu à l'Empereur lui-même. Elle est dans l'état « dans son jus » comme on dit. Et c'est pas une métaphore !

Napoléon grimaça à la pensée de ces souvenirs douloureux.

– Le tee-shirt et le sac à dos *I love Paris* ne sont point d'époque, crut-il bon d'avouer lorsqu'il s'aperçut que l'homme louchait sur son *Chat-qui-rat*.

– Bien, je vous échange votre bicorne, votre redingote et votre cheval contre ma Ferrari et mon Embraer. Les deux avec le plein d'essence et de carburant.

Napoléon n'était jamais parti en guerre sans son bicorne, sa redingote et son cheval. Mais il y avait un moment où il fallait se défaire des gris-gris et croire en soi. Une bonne fois pour toutes. Toutes ces vieilleries n'avaient plus aucune utilité dorénavant. Il fallait s'adapter. L'adaptation était un signe d'intelligence. Et Napoléon, rappelez-vous, était très intelligent. L'Empereur demeura silencieux pendant quelques secondes. Son interlocuteur prit cela pour une hésitation.

– J'ajoute un bidon de carburant extra.

Il pouvait bien ajouter un bidon de carburant extra. C'était une affaire unique, formidable. Le chapeau, la redingote et le cheval de Napoléon pour le prix d'une Ferrari et d'un Embraer. C'était inouï. Il y a quelques années, un industriel coréen avait payé, lors d'une enchère, deux millions d'euros juste pour l'un des chapeaux de Napoléon. Deux millions le bicorne, cela faisait cher la corne ! Pour environ trois millions d'euros, lui avait toute la panoplie. Oui, il pouvait bien ajouter un bidon extra.

– Deux bidons !

– Et une baignoire portable et un frigo, négocia le Corse.

– Marché conclu. Vous avez un minibar et une mini-baignoire dans le jet.

L'Empereur serra la main de l'homme et embrassa son cheval sur le museau en signe d'ultime adieu.

– À propos, dit le millionnaire avant d'aller chercher son Embraer, vous ressemblez comme deux gouttes d'eau à Napoléon Bonaparte ! Si je ne savais pas ses cendres exposées aux Invalides, je vous troquerais tout de suite contre une villa sur la Côte d'Azur, 1 200 m2 loi Carrez, trente pièces, piscine infinie, Jacuzzi trente-six positions, salle de billard, bibliothèque, salle de cinéma privée, grand garage, idéal pour une Ferrari et un Embraer... État neuf.

Napoléon fut tenté mais décida d'en rester là.

Retour à l'Arc de triomphe

En fin de matinée, Napoléon arriva à l'Arc de triomphe dans sa Ferrari qui tirait une remorque sur laquelle étaient posés le jet privé et deux gros bidons de carburant.

Ce n'était pas trop pratique de rouler avec tout ce bazar dans les rues étroites et encombrées de Paris, mais bientôt, il serait loin d'ici, dans les grandes étendues ensablées syriennes, près de Raqqa, où il pourrait manœuvrer en toute tranquillité.

Il repéra bientôt sa petite armée et klaxonna. Les filles et Valentin restèrent un moment interdits, puis ils reconnurent, au travers du pare-brise légèrement fumé de la voiture de sport, celui qu'ils appelaient Napy et qui était devenu leur ami.

– Fe-*rra*-ri! cria Napoléon en baissant sa vitre. C'est une voiture corse!

Bien sûr, tout le monde savait que Ferrari était italien mais personne ne voulut le contredire. Il était si touchant. Et puis, cela ne devait pas être évident pour lui. Être projeté comme ça, du jour au lendemain, dans un monde où il ne pouvait plus s'accrocher à aucune référence.

Au volant de sa voiture de luxe, Napoléon venait de prendre une tout autre importance aux yeux des danseuses, et de Valentin, qui fantasmait sur les hommes riches et puissants. La petite troupe se précipita donc vers le nouveau venu comme des abeilles sur une fleur. Les filles touchèrent le capot lustré de la voiture rouge pour vérifier qu'elles ne rêvaient pas et Valentin monta sur le siège passager. Seule Charlotte, légèrement en retrait, semblait insensible au charme de la berline.

– Hier, je te prête cinquante euros et aujourd'hui tu te ramènes avec une Ferrari et un jet privé ? dit le désossé, mi-offusqué mi-amusé.

– J'ai aussi une baignoire et un réfrigérateur plein de Coca Light ! répondit l'Empereur en baissant les lunettes de soleil Ray-Ban noires que le millionnaire lui avait offertes. Disons que tes cinquante euros ont fructifié !

– Il faudra que tu me donnes la recette... et que tu me rendes mes cinquante euros.

– Impossible, je n'ai point d'argent.

Valentin pouffa.

– C'est vrai. J'ai troqué tout cela contre quelques bibelots. Je n'ai point une thune.

– Thune ? Tu as vite appris l'argot à ce que je vois !

– Oh, on disait déjà cela à mon époque. L'expression vient du roi de Thune, le chef des mendiants de la cour des Miracles. Une thune correspondait à ce que l'on donnait à un mendiant. Une pièce, quoi.

– On peut monter dans ton avion, dis, on peut monter dedans ? demandèrent en chœur les filles.

– On te suivra jusqu'au bout du monde, ajouta Hortense.

– Cela tombe bien, les filles, parce que c'est justement là qu'on va ! répondit l'Empereur.

Il leva les yeux vers l'Arc de triomphe.

Un bel augure pour cette guerre qui débutait.

La Nouvelle Petite Grande Armée (NPGA)*

Aux commandes de son avion qui se frayait un chemin dans le trafic parisien, Napoléon s'émerveillait de ses hommes, enfin, de ses femmes et de son homme. Il ne pilotait pas, bien entendu, puisqu'il se trouvait sur la remorque, mais simulait la conduite en tournant le manche à chaque coin de rue et en appuyant sur toute une ribambelle de boutons dont il ignorait la fonction. Devant, Valentin conduisait la voiture de sport, avec Peggy à ses côtés, un sourire XXL aux lèvres.

Napoléon récapitula. Cinq belles danseuses de french cancan, donc, aux guibolles superbes pour aguicher et détourner l'attention des djihadistes, et Valentin, l'homme désossé, qui pouvait se glisser par n'importe quelle ouverture ou se plier dans la plus petite des valises, un jet privé tiré par une Fe-*rra*-ri. Quelle belle Nouvelle Petite Grande Armée, pensa-t-il. C'était, en soi, une bonne équipe, mais qu'en ferait-il? Quel était le plan? Il n'en savait toujours rien. Il avait menti à François Hollande et à sa troupe. L'inspiration ne lui était pas revenue. Elle n'avait pas encore dû se décongeler.

La seule chose qu'il savait, c'est qu'il lui manquait des hommes. Et des armes, enfin, des objets qui lui permettraient

---

* Un acronyme fait tout de suite plus sérieux. Par exemple, Onu, FBI ou PMU.

de vaincre et de convaincre les méchants djihadistes. Malgré les années, malgré l'époque, les choses n'avaient pas beaucoup changé. Sans armée, il n'était rien. Rien du tout. Juste un petit homme qui se donnait des airs de grandeur. Et cela lui en ficha un coup.

La progéniture de la reine

Napoléon appuya sur le Klaxon de l'Embraer et la Ferrari s'arrêta en double file. Là, au beau milieu de la rue de Rivoli, il convoqua un conseil de guerre extraordinaire, car avant toute chose, expliqua-t-il, il lui faudrait trouver un généalogiste.

– Un généalogiste? Pour quoi faire? demanda Valentin, intrigué.

– Regarde-nous. Nous ne sommes point assez et les djihadistes, des milliers. J'ai pensé que l'on pourrait agrandir notre Nouvelle Grande Armée avec mes descendants. Si les militaires ne veulent point se rallier à notre cause, mes descendants, eux, ne pourront refuser. Ils sont le sang de mon sang, la chair de ma chair.

– Combien en as-tu?

– Si j'avais été une abeille, à part l'impériale, j'aurais été une butineuse, si tu vois ce que je veux dire.

– Tu devrais donc avoir assez de progéniture pour constituer une Grande Armée qui vaincra ces sales... pardon, ces propres djihadistes.

– Non, Valentin, pour djihadistes, le terme « sales » n'est point impropre...

Où Napoléon doit prouver
qu'il est bien Napoléon

Le cabinet du généalogiste Dominique Dessouches se trouvait au premier étage d'un immeuble à la façade ancienne (*ancien* étant un adjectif somme toute relatif pour un homme né au XVIIIe siècle...) L'Empereur était tombé sur la plaque dorée fixée au mur en flânant dans les rues dans sa voiture de sport. Valentin lui avait donné un cours rapide de conduite et, Napoléon, pour la raison que vous connaissez, avait appris tout aussi vite. Il avait également découvert, avec soulagement, qu'il n'y avait pas trois cent quatre-vingt-dix chevaux sous le capot. Le cheval ou cheval-vapeur n'était autre qu'une unité qui mesurait la puissance d'une motorisation automobile correspondant à celle d'un cheval qui tire soixante-quinze kilos au pas, soit un mètre par seconde.

Garer une voiture était tout de même un peu plus compliqué que garer un cheval. C'est donc avec une certaine appréhension qu'il exécuta le premier créneau de sa vie. Une chance qu'il ait laissé la remorque et le jet privé sur le parking du Formule 1 ! Il ne se débrouilla pas mal pour un A (oui, Valentin avait tenu à lui coller un A sur la lunette arrière de sa Ferrari), mais bloqua tout de même quelques minutes le trafic, pas plus que le temps d'une prière à Barbès, déchaînant ainsi la foudre des mâles envieux qui se trouvaient derrière lui et avaient toujours rêvé de conduire un jour une voiture aussi prestigieuse. Imperturbable, Napoléon sortit de sa Ferrari Testarossa sous les sifflements et les huées et salua le peuple. Il avait l'habitude. Puis il entra dans l'immeuble.

Après avoir monté à pied un étage et sonné à une porte, il avançait maintenant dans le couloir d'un vieil appartement au plancher usé. Accrochée aux murs, une suite de tableaux représentant des arbres composait une magnifique forêt verte en deux dimensions. En collant son nez sur quelques vitres, il remarqua que sur chaque feuille était inscrit un prénom suivi d'un nom de famille.

– *Ligni Vitæ*, dit une voix derrière lui. L'arbre de vie.

Napoléon se retourna. Il vit un homme élancé, d'une cinquantaine d'années, venir vers lui d'un pas élégant. Il avait le crâne rasé et portait une veste en velours verte de la poche de laquelle s'échappait la pointe d'un petit mouchoir en tissu mauve assorti à son pantalon. Ses chaussures rouges à pointe brillaient d'un éclat neuf. Il avait autour du cou une cravate verte nouée de sorte qu'elle ressemble à un papillon. Il était la palette de peintures de Michel-Ange incarnée. À voir sa garde-robe, cet homme non plus ne paraissait pas être né au bon siècle. Il se demanda si un chalutier de Findus l'avait retrouvé, lui aussi, dans une caisse, congelé, en pleine mer de Norvège.

Avec une grâce peu commune, l'homme caressa de son doigt filandreux le verre de l'un des tableaux, depuis le sommet de l'arbre jusqu'à ses racines.

– Je ne suis pas jardinier, continua le généalogiste, et pourtant, j'ai consacré ma vie aux arbres. Les branches, les feuilles, ces milliers de noms qui poussent comme des bourgeons, toutes ces histoires, ces secrets, ces histoires passionnantes ensevelies par les années et l'oubli, ces drames familiaux. Je suppose que telle était ma destinée puisque je m'appelle Dessouches… On dit souvent que l'homme descend du singe et que le singe descend de l'arbre. Mais l'homme descend aussi de l'arbre. Et l'homme remonte aussi dans l'arbre, ça dépend de ce que l'on cherche… Voulez-vous grimper dans l'arbre ou en descendre ?

– Excusez-moi, dit Napoléon, à la fois perdu et étonné d'être sollicité après un tel monologue, je ne comprends point votre question.

– Êtes-vous à la recherche d'ascendants ou de descendants?

– De descendants.

– Bien, bien, dit le dandy en dodelinant de la tête et sans quitter du regard le tee-shirt de Shakira de son visiteur qu'il semblait trouver du plus mauvais goût. Généralement, on vient voir un généalogiste pour retrouver des aïeux, des aïeux célèbres...

– À vrai dire, dans ce cas-ci, c'est moi l'aïeul célèbre, plaisanta Napoléon.

Mais l'homme ignora ses paroles et continua de parler.

– Les descendants, c'est plutôt l'affaire des détectives privés ou de la police, mais vous m'avez l'air sympathique, alors j'ai envie de vous aider. Vous avez de la chance, vous êtes tombé sur le meilleur généalogiste sur la place de Paris. Le meilleur de France même. Et certaines célébrités pensent même que je suis le meilleur du monde. Mais ma grande modestie m'empêche de vous dire qui ils sont. Suivez-moi.

Il l'invita à entrer dans son bureau, un immense espace dans lequel régnait un désordre indescriptible. Les murs n'étaient pas épargnés. Il semblait ne jamais recevoir personne, et, paradoxalement, avoir beaucoup de travail. Il enleva délicatement un gros chat noir qui dormait sur un livre ouvert qui reposait sur une colonne de revues érigée, à son tour, sur le fauteuil qu'il proposa à son client. Puis il alla s'asseoir de l'autre côté du bureau, le félin dans les bras.

– Je ne reçois jamais personne, crut-il bon de préciser. Internet, ajouta-t-il en montrant son ordinateur.

Le petit Corse ne comprit pas si l'homme était fier de lui montrer qu'il possédait Internet ou s'il voulait dire par là qu'il ne recevait jamais personne parce que sa clientèle le sollicitait par l'intermédiaire d'Internet. L'Empereur pencha, avec raison, pour la deuxième option.

– Alors, dites-moi tout.

– Eh bien voilà, je souhaiterais retrouver mes descendants.

– Oui, ça, vous me l'avez déjà dit. Enfants ? Petits-enfants ? L'Empereur leva les yeux au ciel.

– À vrai dire, petits-enfants, voire arrière-petits-enfants, ou arrière-arrière-petits-enfants.

– Comme vous y allez ! s'exclama l'homme en levant un bras au ciel, ce qui réveilla le chat qui bondit et se noya dans l'océan de papiers éparpillés au sol. Vous n'êtes pas si vieux, voyons !

– Plus que vous ne pensez, répondit l'Empereur en lui lançant un clin d'œil, mais je prendrai cela comme un compliment. La glace conserve, ajouta-t-il pour insinuer que lui aussi avait été repêché dans un glaçon.

Si l'autre était né à une autre époque, il comprendrait forcément l'allusion. Mais il ne réagit pas. Le généalogiste ne venait pas du passé, comme lui. C'était juste un original.

– Et puis, je suis un homme Barbara Gould, insista-t-il.

Le dandy tiqua. Mon Dieu, pensa-t-il, je viens de tomber sur un autre taré. Pourquoi avait-il toujours affaire à des tarés ? Pourquoi les tarés étaient-ils si intéressés par leurs ancêtres ? Qu'espéraient-ils trouver tout en haut de leur lignée ? Des hommes brillants ? Des Lavoisier, des Pascal, des Platon, des Napoléon ? Mais les tarés engendraient des tarés qui engendraient, à leur tour, des tarés qui engendraient des tarés qui n'engendreraient jamais que des tarés. Émile Zola ne s'était pas trompé.

– Bien. Commencez par me dire votre nom.

L'homme prit un joli stylo à plume et une feuille et attendit, clignant des yeux.

– Bonaparte. Napoléon Bonaparte.

Le généalogiste commença à écrire les premières lettres

comme un enfant appliqué puis stoppa net. Il leva le regard vers son interlocuteur. À nouveau, il loucha sur le tee-shirt de Shakira.

– Comme Napoléon Bonaparte?

L'Empereur acquiesça d'un mouvement de tête.

L'homme se frappa le front du plat de la main, comme s'il venait à peine de comprendre quelque chose d'évident. Il revissa alors le capuchon du stylo et le rangea dans sa poche. Puis il se leva, contourna son bureau et fit mine de prendre son interlocuteur par le bras pour le soulever de son siège.

– Vous vous êtes trompé d'étage, monsieur! Je suis désolé de vous avoir embêté avec toutes mes histoires d'arbres, de feuilles, de racines, je croyais que vous vouliez voir un généalogiste. Le cabinet du Dr Tocquaine, c'est l'étage du dessus. Ne vous inquiétez pas, j'ai l'habitude que les gens confondent les deux étages. Il y en a même qui entrent ici croyant être chez le Dr Tarrin, le dentiste du troisième. Vous trouvez que mon bureau ressemble à un cabinet d'odontologie?

L'homme continuait de parler et de tirer sur le bras de Napoléon, mais celui-ci n'avait pas soulevé son impérial derrière d'un seul millimètre.

– Je ne suis point venu voir ce Dr Tocquaine, dit l'Empereur, agacé. Je suis venu vous voir, vous. J'ai besoin des services d'un généalogiste.

– Je sais que cela fait bizarre la première fois, mais le Dr Tocquaine est un excellent psychiatre. Vous pouvez y aller en toute confiance, monsieur Napoléon Bonaparte. Il écrit même des livres!

Le petit Corse se souvint alors des paroles du professeur Bartoli. C'était clair comme de l'eau de roche de l'île Sainte-Hélène. Ne dites jamais que vous êtes Napoléon, on vous enfermerait dans un asile. Il ne lui restait pas d'autre alternative que de lui prouver son identité.

– Posez-moi n'importe quelle question et j'y répondrai. Vous devrez alors reconnaître que je suis réellement Napoléon Ier.

L'argument, qui n'avait pas fonctionné avec les filles du french cancan, fit mouche avec le généalogiste et toucha en plein cœur cet amoureux de l'époque napoléonienne. C'est fou ce que les gens aimaient Napoléon de nos jours !

– Vous lui ressemblez énormément, c'est un fait, mais il est mort en 1821, à cinquante-deux ans. Et même si ce n'était pas le cas, cela ne changerait rien à notre affaire. Il aurait aujourd'hui plus de deux siècles !

– Je vous l'ai dit, la glace et la crème de jour Barbara Gould. Allez-y, posez-moi une question.

Le généalogiste sourit.

– Vous êtes touchant, vraiment, mais qu'est-ce que cela prouverait ? Vous pourriez très bien avoir appris la vie de ce grand homme par cœur. Telle que je la connais moi-même sans être lui pour autant...

– Posez-moi une question à laquelle seul Napoléon pourrait répondre.

– Dans ce cas-là, je n'aurais pas la réponse et vous pourriez me dire n'importe quoi.

– Vous avez raison, reconnut l'Empereur. Appelons-en à la science, alors. À la biologie, à la génétique. Nul ne peut discuter la science, n'est-ce pas ? Combien mesurait Napoléon ?

– Il était tout petit, dit l'homme, avec une tendresse telle que l'on aurait dit qu'il décrivait un chaton. D'ailleurs, on parle de « syndrome de Napoléon » ou du « syndrome du petit homme ». Le Dr Tocquaine en connaît un rayon là-dessus. Il pourra vous expliquer tout cela mieux que moi.

– En réalité, j'étais de taille moyenne pour mon époque ! se défendit le Corse. Maintenant, vous êtes tous grands. Et puis, je sortais souvent accompagné de ma garde impériale, constituée d'hommes sélectionnés pour leur grande taille et leur carrure, alors, évidemment à côté d'eux...

– Tous les historiens et spécialistes du sujet s'accordent à dire que Napoléon mesurait 1,68 m.

– Très bien, mesurez-moi.

Le généalogiste invita l'Empereur à se coller à la toise de sa porte et le mesura. 1,68 m précis. Pas un millimètre de plus, pas un millimètre de moins.

– Et alors ? dit-il. Simple coïncidence. Si tous les gars de 1,68 m étaient Napoléon, y aurait du monde au portillon ! De l'Élysée…

C'était incroyable tout ce qu'il y avait à faire pour prouver que l'on était bien soi. Ce Serge Lama n'avait pas mis autant de temps, lui, pour confirmer qu'il était bien l'Empereur. Et sa troupe l'avait cru sur parole. Ce Dessouches était tatillon. Un vrai emmerdeur, oui.

– Peut-être. Alors auscultez-moi. J'ai un ulcère à l'estomac, un trou de la taille d'un petit doigt, paraît-il.

Il montra son estomac. Le généalogiste tiqua à nouveau sur Shakira.

– Levez votre tee-shirt, s'il vous plaît.

Napoléon s'exécuta. Mais son ventre ne montrait aucun signe de maladie.

– Les rapports médicaux anglais de l'époque, dit-il, et notamment ceux du docteur Rutledge parlaient, en se référant à la plaie de votre estomac, d'une déchirure assez grande pour y passer le petit doigt. Le problème, c'est qu'on ne peut pas voir un ulcère à l'œil nu. En revanche, le charcutage d'une autopsie… Napoléon a été autopsié peu après son décès sur l'île Sainte-Hélène. Or, vous n'avez aucune marque.

Il sourit, satisfait de sa petite démonstration. Ça y est, l'affaire était conclue.

– Je n'ai point été autopsié, corrigea le Corse. On a changé mon cadavre par celui d'un autre. Et mes cendres ne sont point exposées aux Invalides puisque je suis là, devant vous, en train de vous parler. Mais si vous ne vous fiez qu'à ce que vous voyez, alors regardez bien !

Disant cela, il laissa retomber son tee-shirt du *Chat-qui-rat* sur son ventre et baissa son jean moulant et son slip jusqu'aux chevilles.

Dominique Dessouches ouvrit la bouche, stupéfait.

– Monseigneur Vignali a coupé le pénis de Napoléon… balbutia le généalogiste.

– Cela est exact. À mon plus grand regret…

L'homme alla s'asseoir à son bureau, abasourdi.

Il mit son visage entre ses mains. Soit ce taré avait poussé le vice de se faire amputer de son membre viril juste pour ressembler à son idole, soit il était une femme, soit il avait bien en face de lui le vrai Napoléon Bonaparte. Le pire, c'est que les trois hypothèses lui paraissaient aussi folles les unes que les autres.

Napoléon pose deux conditions

Napoléon lisait vite.

C'est donc avec une rapidité prodigieuse qu'il feuilleta le gros livre qu'il venait de prendre sur l'une des étagères de la bibliothèque.

– Ah ah ah! hurla-t-il tout d'un coup, en se tenant l'estomac d'une main. Cela ne s'est point du tout passé ainsi!

– Quoi donc? demanda le généalogiste, occupé à mettre son téléphone portable sur le mode appareil photo.

Mais la technologie semblait ne pas être sa tasse de thé.

– Waterloo.

Il prononçait « Ouatère-l'eau ».

– Comment marche ce foutu iPhone! jura l'homme.

Quand il était plus jeune, chaque appareil avait une fonction bien précise, et il suffisait d'appuyer sur un seul bouton pour que ça marche. Aujourd'hui on réunissait tout dans un seul objet et on se retrouvait avec des milliers de boutons. On n'y comprenait plus rien. C'était comme les télécommandes universelles. À chaque fois qu'il voulait allumer le magnétoscope, c'était la porte du frigo qui s'ouvrait, et il mettait trois ans pour enclencher le DVD.

– Ici, il est écrit que j'ai perdu sept drapeaux et étendards, alors que j'en ai perdu une bonne dizaine!

Puis, réalisant qu'il ne devrait peut-être pas s'en vanter, le petit Corse arrêta de rire.

– Bon, j'y arriverai pas, conclut l'homme, déçu de ne pouvoir prendre une photo de son client si spécial. On verra plus tard. Je me calme. Je me calme. Tout est normal. Napoléon est debout devant moi et lit un bouquin…

L'homme cligna des yeux plusieurs fois. Mais à chaque fois qu'il les ouvrait, Napoléon Bonaparte, vêtu d'un tee-shirt de Shakira, d'un jean moulant et d'un sac à dos *I love Paris* se tordait de rire en lisant un livre sérieux sur la guerre de Waterloo. Souffrait-il d'hallucinations dues à la surcharge de travail ? Était-il devenu fou ? Devait-il prendre rendez-vous lui aussi chez son voisin du dessus ?

– Bon, vous acceptez le travail ? demanda l'Empereur en refermant le livre d'un coup sec.

– Euh oui, répondit l'homme.

– J'ai deux conditions.

– Dites.

– Je ne dispose point de temps.

– Je suis très rapide. Et puis, qui ne connaît pas votre histoire ? Cela va être du gâteau ! s'exclama l'autre d'un air enjoué.

– Je ne dispose point d'argent. Pas une thune. Mais puisque tout travail mérite salaire, je peux vous proposer de vous laisser faire un tour de Ferrari Testarossa comme paiement. Elle est garée dehors.

L'argument toucha en plein cœur cet amoureux de belles voitures. Décidément, Bonaparte était bourré d'arguments qui le touchaient en plein cœur.

– Et comment Napoléon s'est-il procuré une Ferrari, si ce n'est pas indiscret ?

L'Empereur lui raconta alors toute l'histoire.

– Laissez-moi vous poser une condition à mon tour, dit le généalogiste lorsque l'autre eut terminé son récit. Si je parviens à vous trouver des descendants, ce dont je ne doute pas, je ne vous donnerai qu'un seul nom par jour, ainsi que ses coordonnées, et vous me laisserez conduire votre voiture une petite heure à chaque fois. D'accord ?

– Très bien, marché conclu, dit Napoléon.

Et ils se serrèrent la main avec vigueur.

– Je reviendrai demain matin, donc.

– J'aurai du nouveau. Je vous le promets. Vous logez où ?

– Au Formule 1.

– Mon Dieu, si c'est pas malheureux... Venez donc dormir chez moi. Je vous montrerai ma collection de livres sur vous. Vous pourrez vous esclaffer toute la nuit en disant que ce n'est pas ainsi que les choses se sont passées.

– Êtes-vous gay ?

Les yeux du généalogiste prirent la taille de deux pneus Michelin surgonflés.

– Pardon ?

– Peu importe, coupa l'Empereur. Je vous remercie pour l'invitation, mais mon Formule 1 me sied à merveille maintenant. J'y ai trouvé mes aises. C'est la première nuit la plus dure.

– Je comprends. Bien, à demain alors ?

– À demain.

Dominique Dessouches n'y croyait pas. Mais d'un autre côté, s'il avait été victime d'une hallucination, il serait fixé dès le lendemain matin.

Napoléon tombe amoureux

Lorsqu'il revint au Formule 1, Napoléon trouva Charlotte sur le parking. Elle l'attendait, debout, adossée au fuselage de l'Embraer.

– Qu'est-ce que tu fais là ? demanda le petit Corse, troublé.

– Je voulais te voir. Parler un peu… Faire connaissance.

Il sentit son cœur frapper fort dans sa poitrine.

– Viens, dit-il, nous serons mieux dans ma chambre. Il me reste du champagne noir.

– Du champagne noir ?

– Oui, quelques canettes de Coca Light.

Les historiens avaient peut-être relayé, au cours des années, qu'il n'était pas un bon coup, mais tous s'étaient toujours accordés à dire que Napoléon savait parler aux femmes.

– Du champagne noir… répéta Charlotte dans un sourire qui fit fondre le cœur du plus grand Empereur de l'Histoire.

Était-il un doux rêveur, ou était-ce pour rendre les choses plus attractives ? Pas étonnant que ses hommes l'aient suivi jusqu'en enfer. Si, pour lui, le Coca Light était du champagne, la guerre, c'était quoi ? Une fête chez Eddie Barclay ? Elle l'imaginait sur le front, hurlant à ses hommes : « Tous à la fête d'Eddie !!! Y aura même Johnny Hallyday, et du champagne ! » Et tous se lançaient derrière lui, fous de joie, fusils et sabres au poing, remontés comme des piles de mille volts, prêts à se faire massacrer en Russie.

Une fois dans la chambre, la jeune danseuse s'assit sur le bord du lit, face à lui, resté debout. Avec son 1,87 m, elle assise, lui debout, c'était peut-être la seule manière pour eux de pouvoir se regarder dans les yeux.

– Bien, dit-il en souriant, embarrassé par la situation. Tu veux un Coca Light?

La jeune fille acquiesça en se mordillant la lèvre, ce qui mit l'Empereur un peu plus mal à l'aise. Pourquoi perdait-il tous ses moyens devant les femmes qui l'attiraient vraiment, lui qui avait vaincu les Prussiens, les Autrichiens, lui qui avait conquis une bonne partie de l'Europe et fait plier les hommes sur son passage?

– Du peu que j'ai lu sur toi, tu n'étais pas célèbre pour ta galanterie. Qu'est-ce qui me vaut ce traitement de faveur?

Pourquoi nier? C'est vrai, il avait la réputation de ne pas être galant. Dans les salons, il n'hésitait pas à interrompre la conversation des dames en se plaignant de leur tenue («Votre robe est sale, n'en changez-vous donc jamais?») ou de leur physique («Quelle déception! On m'avait assuré que vous étiez jolie...») Mais sa goujaterie légendaire n'était qu'une arme de défense contre les femmes qu'il craignait vraiment, celles qui forçaient les portes de son cœur à grands coups de massue. Comme quoi, l'abeille la plus piquante pouvait quelquefois devenir le plus mielleux des insectes.

– Il n'y a que les imbéciles qui ne changent pas d'avis.

– On disait déjà ça avant?

– Ton époque n'a pas le monopole de l'imbécillité!

– Eh bien, on dirait que tu as mis de l'eau dans ton vin...

Mais qu'avaient-ils donc tous avec cette histoire d'eau dans le vin? D'abord Valentin, maintenant Charlotte. Oui, il mettait de l'eau dans son vin. Et alors? Encore heureux! Et ces ignares qui n'avaient toujours pas compris qu'un bon vin ne se dégustait jamais pur!

– Je sais ce que tu pensais des femmes. Ta misogynie et tout.

– …

– *La femme est la propriété de l'homme. Les hommes sont faits pour le grand jour. Les femmes sont faites pour l'intimité de la famille et pour vivre dans leur intérieur.* T'as vraiment dit tout cela ?

Impossible de dire le contraire. Son code civil rédigé en faveur des hommes, les lycées et universités réservés aux hommes. Toutes ses idées parlaient pour lui. Internet était une atteinte à l'intimité. Impossible de pouvoir garder un secret.

– Tu sais, c'était une autre époque, d'autres mœurs. On ne peut pas comparer.

– Tu penses la même chose aujourd'hui ? demanda-t-elle, et ses yeux prirent une teinte nouvelle.

– Je pense que… je pourrais faire un effort.

Ils sourirent.

Il sortit deux canettes de son sac *I love Paris* et en tendit une à Charlotte. Il venait à peine de les prendre du minibar de son avion. Elles étaient encore fraîches. Très fraîches. Comme il les aimait.

– Désolé, je n'ai pas de coupes, s'excusa-t-il.

– Pour le Coca ?

– Pour le champagne noir, corrigea l'homme.

Charlotte sourit de toutes ses dents.

– Tu sais, tu ne fais pas ton âge, dit-elle en ouvrant la canette.

Un psshhhhhiiiittt résonna dans toute la pièce.

Psshhhhhiiiittt répondit celle de Napoléon.

– En bien ou en mal ?

– Tu fais plus jeune, bien sûr. Pour un mec de trois cents ans, tu te portes assez bien, je trouve…

Les paroles de la femme le rassurèrent. Bien qu'il n'ait vu aucun effet apparent dans le miroir des toilettes de l'aéroport, la crème de jour paraissait fonctionner.

– Je suis un homme Barbara Gould, annonça-t-il avec fierté.

Charlotte pouffa.

Elle avait de belles dents blanches prêtes à le dévorer.

– Oh, je vois. Napoléon est métrosexuel!

Elle dodelina de la tête, silencieuse, comme si elle n'arrivait pas à trouver les mots qu'elle voulait vraiment dire et cherchait à dissimuler ses sentiments sous une couche d'humour. Elle sourit, gênée, et but une nouvelle gorgée de Coca-Cola pour se redonner du courage. Napoléon fit de même.

– C'est bien que tu assumes, y a plein d'hommes qui se mettent des crèmes de visage et qui assument pas.

– J'ai toujours tout assumé, répondit l'homme prenant un air souverain.

Charlotte rigola. Son sourire s'estompa presque aussitôt, elle devint rouge, hésita puis se lança enfin.

– Tu sais, il existe un proverbe, de nos jours, qui dit « malheureux au jeu, heureux en amour », mais je n'ai jamais eu de chance au jeu. Ni en amour... Je n'ai jamais gagné le moindre centime au Loto.

– Loto?

– Et en amour, je suis toujours tombée sur des paumés.

– Paumés?

– Des chômeurs.

– Chômeurs?

– Des mecs qui profitent des Assédic, quoi.

– Assédic?

Les conversations promettaient d'être longues.

Le Corse acquiesçait de la tête sans trop savoir ce que tout cela signifiait. Mais vu le sourire triste de la danseuse, cela devait être une mauvaise chose. Charlotte semblait avoir besoin de s'exprimer. Lors de ses campagnes, Napoléon avait toujours laissé parler ses officiers, mais aussi ses hommes du rang, lui raconter leur journée, ce qu'ils éprouvaient, ce qu'ils pensaient de ces batailles dans lesquelles ils luttaient, lui raconter comment étaient leurs femmes, leurs enfants, ce qu'ils comptaient faire une fois la guerre terminée. C'était important. Il les écoutait d'une oreille attentive et arrivait toujours à trouver un petit mot d'encouragement.

– Toi, je peux le voir dans tes yeux, dans ton regard, tu es un homme, un vrai, continua-t-elle. Tu n'as rien perdu de ta grandeur passée. Malgré le temps qui file, les hommes qui furent un jour des hommes le restent à jamais. Et les grands hommes, des grands hommes...

L'Empereur avait dans le regard l'intensité d'une bombe à neutrons. Charlotte comprenait maintenant comment il avait pu réussir à bouger des troupes entières, à faire marcher et avancer des soldats malades, blessés, fatigués, démoralisés dans les paysages inhospitaliers de la Russie ou de l'Égypte. Elle comprenait qu'on ne le désertait pas. Que seule la mort pouvait séparer ces guerriers de leur chef. Que malgré le désespoir d'une guerre perdue d'avance, on restait à ses côtés pour mourir avec lui. Elle comprenait pourquoi il avait conquis une bonne partie du monde et comment il réussissait encore à exalter le cœur des Français. Elle comprenait que son nom soit resté dans les mémoires, et dans le programme scolaire de l'Éducation nationale. Empereur, ce n'était pas un rôle qu'il avait usurpé ou s'était créé de toutes pièces. Non, ce titre, il le portait sur lui, dans ses gènes, dans son sang. Elle avait lu quelque part que quand il n'était qu'un enfant, sa mère l'appelait « mon petit empereur », car il affichait déjà une passion irrésistible pour tout ce qui avait à voir avec l'armée. Elle, si économe d'habitude, n'avait pas regardé à la dépense pour faire plaisir à son petit Nabulio, l'encourageant dans sa voie en lui offrant tambours et sabres en bois pour ses anniversaires.

Il avait un magnétisme incroyable.

Et l'aimant attirait Charlotte.

Elle avança sa bouche vers lui.

– Avant que cela n'aille plus loin entre nous, il faut que je te dise quelque chose, annonça-t-il d'un air préoccupé.

Il préférait tout lui avouer maintenant sur sa partie manquante plutôt que de lire la surprise ou l'horreur dans ses yeux lorsqu'elle glisserait sa main dans son slip et n'y trouverait rien.

– Je sais, tu es un homme divorcé. Je l'ai lu sur Wikipédia.

– Non, ce n'est point ça, je...

– Chuuut...

Elle posa son index sur les lèvres de l'Empereur qui, les petits espaces favorisant les grands sentiments et le rapprochement entre les êtres, se jeta sur elle comme sur un pays à conquérir.

– Doucement, ronronna-t-elle face à tant d'impétuosité. Doucement... On dirait que tu n'as pas embrassé une femme depuis des années.

– Depuis des siècles, corrigea-t-il.

Un voisin inattendu

Le taxi laissa Annonciade Bartoli devant le Formule 1.

Du coin de l'œil, celui-ci aperçut, sur le parking, une Ferrari équipée d'une remorque sur laquelle était attelé un petit jet privé. Il se demanda quel taré pouvait bien dormir dans un Formule 1 en ayant autant d'argent. Sans doute un multimillionnaire à la recherche de sensations fortes. Voire extrêmes.

Une fois dans sa chambre, le professeur sortit d'un sac en plastique jaune les deux bouteilles de whisky qu'il avait achetées au duty free de l'aéroport. Il en ouvrit une, prit le gobelet en plastique laissé à sa disposition dans la salle de bains pour se laver les dents et se servit une bonne rasade d'alcool. Il alluma la télé. Le visage passé aux UV de Jean-Pierre Feaucul apparut en gros plan. Il soupira. Au lieu d'être en Corse en train d'écouter les histoires passionnantes de Napoléon Bonaparte dans sa petite maison de campagne, devant un bon plat de charcuterie, il était là, dans un Formule 1 à la porte de Châtillon, à boire du whisky bon marché et à regarder *Qui veut gagner des milliards ?*

– Qu'est-ce qui peut m'arriver de pire, hein ? demanda-t-il aux deux bouteilles qui le regardaient sans rien dire.

La réponse vint de la chambre d'à côté. À travers la cloison en Placoplatre, il entendit les hurlements de plaisir d'une femme. Ou était-ce d'une louve ? Lorsqu'il crut l'entendre crier « Vive l'Empereur ! » il se dit que toute cette histoire lui était montée au cerveau et qu'il ne tenait vraiment plus l'alcool. Un verre de whisky et il était déjà soûl. Dépité et persuadé d'être victime d'hallucinations auditives, il se rendit dans la salle de bains, se boucha les oreilles avec des boulettes de papier hygiénique et se resservit un verre pour oublier.

Prier tue

Au même moment, à Madrid, une femme arabe vêtue comme n'importe quelle Espagnole, c'est-à-dire en Desigual des pieds à la tête, à la seule différence qu'elle cachait ses cheveux sous un voile couleur moutarde, entrait dans la nef d'une église. Elle se dirigea d'un pas décidé vers le confessionnal et s'agenouilla devant le grillage en bois de cerisier.

Et en moins de temps qu'il ne faut pour dire « Pardonnez-moi, mon père, parce que je vais pécher », elle sortit un pistolet de son sac à main aux estampes bigarrées et tira, au nom d'Allah, deux cartouches dans la tête du prêtre qui venait d'ouvrir son rideau. Puis elle se retourna et vida son chargeur sur une dizaine de personnes qui priaient, exauçant le vœu de ces quelques fidèles venus trouver, en ces lieux sacrés, un peu de repos.

Les seins des femmes

La première chose que fit Napoléon en se réveillant le lendemain matin fut d'embrasser Charlotte. Avec tendresse. Elle continuait de dormir, blottie contre lui. Cette folle nuit lui revint en mémoire. Il se revit, couché sur elle, caressant ses longs cheveux ondulés après leur premier baiser ardent.

– Il faut vraiment que je te dise quelque chose.

Elle l'avait regardé, sûre que ce qu'il dirait ne changerait rien à ses sentiments. Et il lui avait avoué qu'il ne pourrait jamais lui faire l'amour. Parce qu'il n'avait plus de pénis. Enfin, parce que son pénis ne lui appartenait plus et qu'il se trouvait dans la boîte à biscuits d'un médecin américain à la retraite, à quelques milliers de kilomètres de là, de l'autre côté de l'océan Atlantique. Une fois la surprise passée, elle lui avait répondu que l'absence de pénis n'empêchait ni l'amour, ni de le faire. Les lesbiennes faisaient bien l'amour, non ? Et puis elle en voulait pour preuve qu'elle avait connu des brouettes d'hommes bien membrés qui ne lui avaient jamais offert un seul orgasme. Cela avait rassuré Napoléon. S'étaient ensuivies des étreintes et des caresses merveilleuses entre les deux amants, qui n'avaient fait que conforter la danseuse de french cancan dans ce qu'elle venait de dire. Il lui avait donné du plaisir. Un immense plaisir. Plus de plaisir qu'aucun autre homme ne lui avait jamais donné dans sa vie. Il était fougueux mais attentionné. Protecteur. Viril. Elle s'était abandonnée dans ses bras. Elle s'était abandonnée à sa nature animale. Et elle avait hurlé comme une louve et crié « Vive l'Empereur ! » en espérant que personne ne l'entende.

De son côté, Napoléon ne se sentait plus le même homme qu'avant, lorsqu'il expédiait en quelques minutes ce qu'il croyait n'être qu'un anti-stress. Avec Charlotte, il avait envie que cela dure, comme avec Joséphine, au début. Ils avaient été un couple fusionnel tous les deux. Il était sûr que son amour avait commencé à décliner le jour où il avait appris qu'elle ne pourrait jamais lui donner d'enfant. Puis lorsqu'elle était venue lui rendre visite en Italie avec son capitaine de hussards dans sa valise. Traîtresse. Ah, s'il avait pu l'enfermer dans son cœur, il l'y aurait mise au cachot. Par la suite, il avait jeté son dévolu sur Marie-Louise, par dépit. Une jeune fille de dix-sept ans, apte à lui donner ce que Joséphine n'aurait jamais pu lui offrir. Un héritier. Il avait épousé un ventre, comme il se plaisait à le dire. Il ne l'avait jamais aimée.

– Puisqu'on en est aux confidences, lui avait-elle dit, moi aussi, je dois t'avouer quelque chose. Je me suis fait refaire les seins*…

Napoléon avait alors appris que les apodesmes, mastodetons, sangles, mamillares, brassières, bandeaux, corsets, corselets et autres engins de torture de son époque avaient été remplacés par de discrets et confortables dispositifs de soutien baptisés de noms barbares tels que *push-up* ou *Wonderbra*. Pour celles qui ne trouvaient pas cela suffisant, comme Charlotte, il existait une solution beaucoup plus efficace et permanente, le bistouri. Les canons de la beauté étant passés de l'aristocrate au teint laiteux et bien portante, aux courbes rassurantes et généreuses, à la courtisane aux cutis brûlés, affamée et squelettique, qui courait jadis les Invalides à la recherche d'un morceau de pain, il n'était pas rare de croiser

---

* Pour ceux qui ont du mal avec les flash-back, ici, c'est Charlotte qui parle, pas Marie-Louise d'Autriche.

aujourd'hui, dans la rue, des donzelles arborant une paire de fesses dodues à la place des seins. Fidèle à l'adage de ce bon vieux guillotiné de Lavoisier, *rien ne se perd, rien ne se crée, tout se transforme*, on vidait désormais les derrières pour remplir les poitrines. C'était, en quelque sorte, la science du transvasement des tubes appliquée à l'esthétique du corps humain. Une autre solution, bien plus rapide et économique, aurait été de marcher sur les mains mais personne ne semblait l'avoir envisagée.

– Tu m'en vois ravi, dit le Corse. Tes seins chauds et lourds remplis de fesses sont un délice sans pareil.

– Je ne l'aurais pas dit comme ça, mais bon, je le prendrai pour un compliment. Je dois t'avouer autre chose, Napy. Je...

Allait-elle lui parler de ses poils? Où était donc passée cette chaude fourrure que les femmes cultivaient autrefois entre leurs cuisses et sous leurs bras pour réchauffer le cœur des hommes?

– Je ne m'appelle pas Charlotte.

Loupé! Le mystère de la pilosité disparue resterait à jamais sans réponse.

– Et comment t'appelles-tu? avait demandé Napoléon en fronçant les sourcils.

La scène s'était alors déroulée comme au ralenti.

– Jos...

Le cœur de l'Empereur s'était mis à battre à cent à l'heure. Se pouvait-il qu'en plus de ressembler à celle qui avait fait chavirer son cœur il y a près de deux siècles, cette femme ait le même prénom que Joséphine?

– Jos... avait articulé la danseuse avec difficulté.

Les tempes de Napoléon bourdonnaient.

– Josette, avait-elle fini par dire.

Les épaules de l'homme s'étaient affaissées d'un coup. Il semblait soulagé.

– Ouf, j'ai eu peur!

– Ah bon ? avait dit Charlotte, surprise. En général, c'est le contraire avec les mecs !

– Je trouve que c'est un joli prénom.

– Ne te fous pas de moi !

– Je ne me fous point de toi.

– En 1820 peut-être, mais de nos jours, c'est une horreur, un tue-l'amour… J'aimerais que tu continues de m'appeler Charlotte, avait-elle supplié en esquissant une moue de petite fille.

– Tes désirs sont des ordres.

Elle aimait lorsque le plus grand général que la Terre ait connu lui disait cela. Et ils s'étaient étreints à nouveau, d'un désir neuf, entre les draps brûlants. Napoléon et Josette-Charlotte.

Les trois enfants de Napoléon

Napoléon replaça une boucle brune derrière l'oreille de Charlotte et la regarda une dernière fois. Il sut qu'elle compterait dans cette nouvelle vie que le destin venait de lui offrir. Il pensa un instant lui laisser une petite note écrite de sa main, un de ces billets qui l'avaient rendu célèbre parmi la gent féminine.

Je me réveille plein de toi.
Ton portrait et le souvenir de l'enivrante soirée d'hier
n'ont point laissé de repos à mes sens. Douce Charlotte,
quel effet bizarre faites-vous sur mon cœur...
Je serai heureux de retrouver ton petit cul, ce soir.

Et après, on osait le traiter de goujat !
Mais l'Empereur dut laisser ses aspirations à rimer pour plus tard. Car à part le rouleau hygiénique râpeux du coin toilettes, il n'y avait pas de papier dans cette chambre. Il se sépara avec précaution du corps chaud de la jeune fille, se leva et enfila son tee-shirt du *Chat-qui-rat*, son jean moulant, ses baskets Converse et ses Ray-Ban, avant de quitter la chambre à pas de loup.
Puis il se rendit en Ferrari au cabinet du généalogiste.
– J'ai réussi ! dit l'homme en recevant Napoléon avec chaleur.
Il était d'autant plus heureux qu'il n'avait pas halluciné. L'Empereur des Français, Premier Consul de France n'avait

pas été le fruit de son imagination. Ce qui l'arrangeait. Il n'aurait pas travaillé toute la nuit pour rien.

– Bien. Vous êtes un homme de parole. Au rapport, officier !

– Cela n'a pas été de tout repos, mais j'y suis parvenu. J'ai ressorti mes bouquins d'Histoire. J'ai analysé des souvenirs de familles, j'ai exhumé des lettres, des testaments et j'ai trouvé...

Napoléon attendait, en proie à une grande nervosité. Il essayait de s'imaginer ses descendants. Il voyait des grands hommes. Peut-être des hommes politiques. Ou des stars de la télévision. De la chanson. Il était très sensible à la musique et à la voix. Il ne se rappelait d'ailleurs plus combien de cantatrices avaient fini dans ses draps en soie.

– J'ai trois noms.

– Trois noms ? C'est tout !

Voilà à quoi se résumait l'héritage de Napoléon Ier ? Trois pauvres noms sur un ordinateur ? Lui qui voulait former une armée pour reconquérir le monde.

– Votre fils Napoléon François Charles Joseph n'ayant pas eu de descendance, j'ai dû m'attaquer à la ligne directe de vos liaisons illégitimes avec Éléonore Denuelle, Marie Walewska et Albine de Montholon.

Ces trois noms réveillèrent de lointains souvenirs dans l'esprit de l'Empereur.

– Ces trois lignées n'ont, en tout et pour tout, donné que trois descendants directs vivants. Je suis désolé de vous apprendre cela. La bonne nouvelle, c'est qu'ils habitent tous Paris, ou en région parisienne ! ajouta l'homme d'un air enjoué. Vous n'aurez donc pas à partir aux quatre coins de la France.

– Et la mauvaise nouvelle ?

– Comment savez-vous qu'il y en a une ?

– S'il y a une bonne nouvelle, c'est qu'il y en a forcément une mauvaise, non ?

– Disons qu'ils ne sont peut-être pas tout à fait le genre de descendance à laquelle vous vous attendiez.

– Pourriez-vous être plus explicite?

– Ce sont des... marginaux.

Le généalogiste secoua la tête en se mordant les lèvres. Pauvre Napoléon. Ce serait un sacré coup pour lui.

– J'ai quand même mérité mon petit tour en Ferrari, pas vrai? dit-il en arrachant les clés des mains de son client avant que celui-ci ne change d'avis.

La première descendante

Georgette vivait au comptoir du bar Le Chaud Lapin, dans le quartier de Pigalle. Elle en était le pilier. Littéralement parlant, que son acception se réfère au monde de l'architecture ou à celui du rugby. Un bon gros pilier. Du genre de ceux qui soutiennent des cathédrales ou composent le XV de France. Ils avaient dû construire l'établissement autour d'elle, d'ailleurs, parce que, vu ses dimensions, elle ne passait sûrement pas par la porte. On ne pouvait pas dire qu'elle ait beaucoup de grâce. En revanche, pour ce qui était de la graisse... Elle en avait à revendre. Des wagons entiers. Elle aurait pu fournir à elle seule la matière première pour la confection de dix mille sticks pour lèvres Nivea et Labello. Elle était LA solution au massacre des baleines et des bébés phoques au Groenland. Dans un souci de se rendre plus aguichante, elle avait revêtu un débardeur à paillettes noir (parce que ça amincissait) dont dépassaient un gigantesque ventre, qui était à lui seul une concurrence déloyale à Flanby, ainsi que deux énormes bras qui avaient la taille de ses cuisses. Le poulet à quatre cuisses existait bel et bien. Ce n'était pas une légende.

Devant elle, il y avait un ballon de vin blanc presque vide, une soucoupe de cacahuètes et quelques tickets de loto sportif froissés. Voilà l'être que lui avait signalé le racoleur qui faisait les cent pas sur le trottoir. Il devait sûrement y avoir erreur. Le sang impérial de Napoléon ne pouvait couler dans les veines de cette femme qui descendait du vin blanc bon marché comme du petit-lait, dans l'espoir que quelques clients de passage se perdent dans ce bar miteux et soient assez soûls pour vouloir s'aventurer en elle. S'aventurer était le mot adéquat pour qualifier l'expédition qui attendait le malheureux. Dans le cas où la dame de compagnie pourrait encore être en mesure d'offrir quelques services. Mais quels services ? Elle ne semblait même pas en état de pouvoir faire la conversation.

Napoléon s'approcha d'elle.

– Georgette Glouze-Buonaparte ?

On ne pouvait pas dire que son nom soit plus attractif.

– Georgette Glouze-Buonaparte ?

Plus il le répétait et plus il trouvait que c'était vraiment un nom à la con.

Il était dix heures du matin mais la femme était déjà en état d'ébriété avancée. Elle ne réagit pas. Elle ouvrit ses gros yeux vitreux de batracienne et siffla le fond de son verre de blanc en aspirant fort comme si c'était de la soupe.

– Georgette ?

Elle leva enfin les yeux, intriguée. Qui pouvait encore connaître son vrai prénom ? Il y avait belle lurette que personne ne l'appelait plus ainsi.

– Je m'appelle Sharon, corrigea-t-elle.

Comme elle était assise sur un petit tabouret et arrivait au niveau de la poitrine de l'Empereur, elle crut que c'était Shakira qui s'adressait à elle.

– Shakira ? Alors ça pour une surprise…

– Je ne suis point le *Chat-qui-rat*, répondit un Napoléon gêné. Je voulais juste m'entretenir avec vous. Je suis de votre famille.

Georgette leva un peu plus le regard et rencontra les yeux de l'homme. Elle sembla reprendre vie, un instant. Elle cligna des yeux et le considéra de la tête aux pieds. Avant d'éclater de rire. Un rire gras et sonore. Comme un énorme crachat qui n'en finit pas. Vraiment tout pour plaire, cette fille-là.

– Elle est bien bonne ! T'entends ça, Johnny ?

Napoléon se retourna, sur la défensive. Johnny était un cadavre avachi sur une chaise dans un coin. Un filet de bave s'écoulait de sa bouche pour tomber sur la table. La projection des lumières roses et bleues de la boule à facettes pendue au plafond donnait à la flaque de salive des airs d'arc-en-ciel.

– Je suis votre arrière-arrière-grand-père, dit le petit Corse en revenant vers elle. Napoléon Bonaparte, premier Empereur des Français.

Il déballa alors le discours que lui avait sorti, à sa grande surprise (et horreur), le généalogiste une demi-heure plus tôt dans son cabinet. Son descendant Grégoire de Vinzelles-Buonaparte avait eu un enfant illégitime avec une entremetteuse qui tenait un bar à Pigalle, Nancy Glouze. Un sacré lascar. Pendant la journée, notaire, marié, trois enfants. De nuit, il se transformait. Joueur, flambeur, vendeur de crack. Il mettait même les robes et les talons aiguilles de sa femme. On ne connaissait pas les gens… Dominique Dessouches avait conclu son histoire en mentionnant la célèbre théorie d'Émile Zola sur la tare, qui se léguait de génération en génération entre les membres d'une même famille. Les tarés, les Rougon-Macquart en connaissaient un rayon.

– Et qu'en est-il de ses enfants légitimes ? avait demandé l'Empereur, effrayé par le récit.

– Les enfants de Zola ?

– Non. De Grégoire de Vinzelles.

– Tous morts étouffés dans leurs habits cintrés Zara après un repas très copieux chez McDo. Terrible.

Lorsque l'Empereur eut terminé son récit, Sharon ne réagit pas. Mais quelque chose au plus profond d'elle semblait avoir changé. Elle écarquilla les yeux et examina avec attention ce petit homme habillé d'un jean moulant et d'un tee-shirt de Shakira, le visage laiteux, les cheveux noirs et les yeux de braise. Il ne lui ressemblait pas et pourtant, il émanait de lui une grande bonté et sincérité qui donnaient envie de croire à tout ce qu'il vous disait. Papa Vinzelles. Elle se rappelait bien cette histoire. Sa mère la lui avait racontée maintes fois. Un riche homosexuel refoulé qui l'avait engrossée un soir de beuverie avant de la laisser tomber sans vergogne pour ne pas salir sa réputation. Pauvre maman. Ainsi donc, ce mec était de la famille de son père, de cette ordure.

– Salaaaaaud! hurla-t-elle, habitée par une folie soudaine. Johnny, nique-lui sa race!

Mais Johnny continuait de baver, inerte. Il ne semblait pas en état de niquer la race de qui que ce soit. Alors elle n'en cria que plus, agitant ses quatre cuisses dans tous les sens, comme un poulet mutant nourri aux OGM ou Moby Dick traqué par le capitaine Achab.

Au moment où l'énorme femme tentait de se lever du tabouret, Napoléon crut bon de sonner la retraite, avant que le maquereau, alerté par la baleine, ne vienne le jeter dehors, de manière beaucoup plus désagréable et expéditive, ou qu'il ne finisse écrasé sous sa petite-petite-fille. Les batailles contre les femmes sont les seules que l'on gagne en fuyant, se dit le petit Corse. C'était vrai jadis. Cela le demeurait aujourd'hui. Surtout en cet endroit.

Le deuxième descendant

Le deuxième descendant, Jonathan Ducond-Buonaparte, vivait (euphémisme pour « était interné ») à la résidence Sainte-Verge (euphémisme pour « asile de fous »), à quelques encablures de Paris, que Napoléon parcourut dans sa Ferrari Testarossa au châssis lustré.

L'Empereur gara sa voiture sous le regard hagard de quelques pensionnaires drogués, en robe de chambre et pantoufles, en pleine promenade bucolique... sur le parking. Une inscription gravée dans la pierre annonçait *Résidence Sainte-Verge*. Ne manque-t-il point un *i*? se demanda Napoléon, exaspéré que le destin lui rappelle sans cesse sa terrible condition. Sainte-Vierge, oui, c'était sûrement cela.

Il se dirigea vers la réception, pressentant que c'était déjà une mauvaise idée. Que pourrait-il tirer d'un homme interné dans un institut psychiatrique? La rencontre avec sa première descendante avait déjà été un échec.

– Bonjour, je suis un parent de Jonathan Ducond-Buonaparte.

Il éprouva une grande honte à prononcer une phrase pareille. Jonathan Ducond-Buonaparte. Y a pas à dire, lui aussi avait vraiment un nom à la con. Était-ce une caractéristique de tous ses arrière-petit-fils?

– Vous dites? Dupond?

En plus, si la réceptionniste insistait...

– Ducond, corrigea l'Empereur à voix basse pour ne pas

trop attirer l'attention sur lui. Comme du con, mais en un seul mot avec un d à la fin.

Comme dans connard, pensa-t-il. La malédiction dont on l'avait menacé en Égypte pour avoir profané la terre des pharaons était donc vraie. Il était maudit sur sept générations.

La vieille dame souleva le combiné de son téléphone et annonça à un interlocuteur mystérieux la présence du nouveau venu.

— Le professeur arrive, dit-elle quand elle eut raccroché.

— Merci.

Napoléon se mit sur le côté et attendit. Un homme qui passait par là et qu'il ne connaissait pas le salua d'un geste de la main. Il lui rendit son salut par courtoisie. Puis l'homme s'adressa à la réceptionniste.

— Bonjour madame Trouillet.

— Bonjour monsieur Chanteloup, alors, pour qui vous prenez-vous aujourd'hui ?

— Dieu m'a dit que j'étais le pape, répondit-il, en prenant un air sérieux.

— Oh, je vois.

À ce moment-là, un vieillard passa en fauteuil roulant devant la réception et les apostropha.

— Ce n'est pas vrai, je ne lui ai jamais rien dit du tout !

— Ah oui, quand même, dit Napoléon en lançant un regard complice et empli de compassion à la secrétaire lorsque les deux patients disparurent. Cela ne doit point être facile tous les jours.

— Oh, vous savez, on s'habitue vite. D'ailleurs, je ne sais pas si c'est bon signe. Ils sont gentils et attachants. Et puis, pour se protéger, on a une technique infaillible dans le personnel.

— Ah bon ?

— On se raconte des blagues entre nous. Ça nous permet de décompresser. De nous sentir vivants. Vous savez, c'est pas évident de vivre avec des zombies toute la journée. Et puis aussi, ça nous permet de vérifier que nous ne sommes pas encore devenus fous. Les fous ne racontent jamais de blagues, et ils les comprennent encore moins.

– Des blagues, ah oui, bien sûr.

– Par exemple, c'est l'histoire d'un homme qui vient juste d'être admis à l'asile et qui, à peine entré, s'exclame : « Mais, il y a un monde fou, là-dedans ! »

Elle éclata de rire. Le Corse l'accompagna par politesse et, accessoirement, parce qu'il ne désirait pas passer pour un taré aux yeux de la vieille dame.

– On raconte encore des blagues, Micheline ? dit une jolie voix grave derrière eux.

L'Empereur se retourna et tomba sur un homme en blouse blanche qui lui tendait la main. Il avait le bronzage d'un moniteur de ski, le sourire d'un acteur de pub pour dentifrice et l'assurance d'un concessionnaire Audi.

– Oui, professeur, je racontais justement à ce monsieur celle du fou qui entre dans l'asile et s'écrie : « Mais il y a un monde fou, là-dedans ! »

Et les deux d'exploser de rire. D'un rire libérateur assourdissant.

Napoléon, qui comprit aussitôt qu'ils se forçaient à rire pour montrer qu'ils avaient compris la blague et qu'ils n'étaient donc pas encore devenus fous, les suivit dans leur pantomime ridicule. Juste au moment où ceux-ci se reprenaient et regardaient d'un mauvais œil ce petit homme au tee-shirt de Shakira qui continuait à rire et gesticuler tout seul.

– Bonjour, je suis le professeur De Cloque, coupa le médecin, fier comme un père à *L'École des fans*, la moustache et le Caméscope en moins. Je suis heureux de vous rencontrer. Nous désespérions de trouver de la famille à ce pauvre bougre. Vous savez, Jonathan n'a eu aucune visite depuis qu'il est entré ici, il y a de cela trois ans. Cela lui fera le plus grand bien de voir un visage familier. Bien qu'il me soit familier à moi aussi. C'est fou ce que vous ressemblez à Serge Lama! En tout cas, vous ne ressemblez pas à Jonathan. Vous êtes son frère? Un cousin?

– Je suis son aïeul, Napoléon Ier.

L'Empereur se mordit la langue. Les mots lui avaient échappé par excès d'orgueil. Un peu comme ceux du corbeau dans la fable de la Fontaine. Lui ne perdit pas son camembert, mais à peine eut-il prononcé son nom que quatre mastodontes en blouse blanche, surgis de nulle part, lui tombaient dessus et le plaquaient au sol. Et il perdit bien plus qu'un fromage. Sa liberté.

Les chantiers du mal

Au même moment, à quelques milliers de kilomètres de là, des hommes à barbe, certains vêtus de djellabas, d'autres de treillis militaires, mais tous une kalachnikov en bandoulière, poussaient du haut de leur piédestal des statues en granit néoassyriennes datant de 860 avant J.-C., dans un musée de Mossoul. Une sculpture à l'effigie du roi Assurnasirpal II s'effondra par terre, décapitée, aux pieds d'un djihadiste en sandalettes qui la regarda avec mépris, un sourire aux lèvres, avant d'actionner le marteau-piqueur qui achèverait de la transformer en petit gravier pour jardin zen.

Du morceau de pierre ou du bourreau, on n'aurait su dire lequel avait vraiment perdu la tête.

L'homme qui se prenait pour Napoléon

Alors que d'un côté du monde, des fous dangereux agissaient en toute impunité au grand jour, de l'autre, on en enfermait qui n'écraseraient jamais la moindre mouche. Ce soir-là, au milieu des mouches, se trouvait une abeille impériale. Prisonnière. Qui ne rentrerait pas à la ruche. Qui ne rentrerait pas au Formule 1.

Napoléon ouvrit les yeux et imagina Charlotte, seule, entre les draps bon marché, pleurant peut-être. Angoissée sans doute. Il aurait bien voulu l'avertir de son empêchement, mais il n'avait pas de téléphone, cette invention qui permettait de parler à distance ou de se prendre en photo avec des gens célèbres.

Ça y est, il avait fini par se faire attraper. Comme un simple troufion. La menace du professeur Bartoli s'était avérée de façon éclatante. On enfermait les gens qui prétendaient être lui. Manque de bol quand c'était vraiment vous. Si aujourd'hui tous les fous se prenaient pour Napoléon, alors pour qui Napoléon devait-il se prendre ? C'était assez déstabilisant.

Il se rappela qu'on l'avait forcé à avaler une petite pilule rouge avant de le conduire dans une chambre où il s'était assoupi quelques instants après. Il regarda par la fenêtre. À en juger par la hauteur du soleil qui déclinait dans le ciel, on devait être à la mi-après-midi. Dix-sept heures. Dix-huit heures. Il calcula qu'il avait dû dormir trois à quatre heures.

Il s'assit sur le lit et s'étira. La chambre était plus grande que celle du Formule 1 et plus meublée. Il y avait une table, un lit et une armoire, le tout de couleur blanche, comme les murs. Il y avait aussi un téléviseur, cette espèce de boîte à images qui ressemblait en tout point à un ordinateur, excepté que l'on ne pouvait pas y faire de recherches et que l'on n'y apprenait jamais rien. À l'hôtel, il le laissait allumé, le soir, pour s'endormir plus vite.

Par automatisme, un automatisme qu'il venait d'acquérir, Napoléon appuya sur la télécommande. L'écran s'illumina et un message apparut. Veuillez régler à la réception le forfait télévision pour pouvoir profiter de notre bouquet de chaînes.

Il éteignit le téléviseur. Il ne passerait pas par la réception. Le bouquet ne l'intéressait pas. Il avait d'autres choses bien plus importantes à faire et mettrait à profit cette soirée, qu'il passerait seul, sans être dérangé, pour penser et trouver un plan. En 1809 déjà, il écrivait que le monde était pour lui une source d'ennuis et qu'il désirait vivre dans une éternelle solitude. Seul comme sur l'île qui l'avait vu naître. Seul, comme sur l'île qui l'avait vu mourir. À présent, seul dans un hospice de fous.

Bientôt, on frappa à la porte et un gros homme en tablier, avec une queue-de-cheval, entra sans attendre de réponse et vint interrompre sa solitude. Il poussait un chariot chargé de plateaux.

– Il est déjà 17 heures ! dit-il d'une voix allègre. L'heure du dîner.

– Vous tombez à pic. Je me demandais justement quelle heure il pouvait bien être.

– Excusez du retard. On n'avait plus de veau, alors on a dû improviser en catastrophe pour changer la blanquette qui était prévue. Finalement, on a décidé de ne rien toucher au menu. Il était déjà imprimé. On a gardé la blanquette de veau, mais on l'a faite avec du porc.

– Logique.

– Enfin, tout ça pour vous expliquer pourquoi on sert le dîner si tard ce soir.

– 17 heures, tard ? Dites donc, vous mangez comme les poules ici.

– Si monsieur Albert vous entendait, dit l'homme en déposant un plateau fumant sur la table. C'est le patient de la chambre 221, il prend les gens pour des poules. Mais c'est un chic type. Moi, c'est Robert. Tout le monde m'appelle Bob.

– Enchanté de faire votre connaissance, Bob.

– Vous changerez peut-être d'opinion après avoir goûté à votre repas.

Les deux hommes éclatèrent de rire. Le cuisinier s'arrêta aussitôt, intrigué.

– Vous l'avez comprise ?

– Quoi donc ? demanda l'Empereur.

– La blague.

– Bien sûr. Vous me prenez pour un débile ou quoi ?

– Ben, c'est un peu le principe, si vous êtes ici...

Un voile de tristesse passa sur le visage du petit Corse.

– Sans mauvais jeu de mots, vous n'avez pas l'air dans votre assiette tout d'un coup, dit le gros bonhomme.

– Peut-être parce que je ne suis pas fou et que l'on m'a interné dans un hospice de zinzins... Ce n'est pas comme si j'avais la France à sauver !

– Je comprends, dit l'homme sur un ton conciliateur.

– J'en doute.

– C'est comme en prison, ou dans un hôtel Formule 1, c'est la première nuit la plus difficile. Vous verrez, ça ira mieux demain. Vous êtes loin de chez vous, n'est-ce pas ?

– Vous ne croyez pas si bien dire, répondit l'Empereur.

– Je peux vous raconter une blague si vous voulez. Pour détendre un peu l'atmosphère. Et étant donné que vous les comprenez...

197

– Allez-y, Bob. On n'a guère d'autres distractions ici.

L'homme s'éclaircit la voix.

– OK. Alors voilà, c'est l'histoire de trois fous qui sont un jour reçus par le directeur de la résidence dans laquelle ils sont internés. Ils sont un peu stressés parce que c'est l'examen de sortie et savent que s'ils répondent bien à la question, ils pourront rentrer chez eux. S'ils échouent, ils devront encore rester ici jusqu'au prochain examen. Le directeur pose la question au premier. « Combien font 3x3 ? » « 46 569 » répond celui-ci tout de go. « Bon, vous, vous allez rester encore un peu avec nous. » Le fou est triste et quitte la salle. « Même question pour vous. » Le deuxième répond alors « samedi ». « Vous, vous restez aussi parmi nous. » Le deuxième fou esquisse une grimace et abandonne la pièce à son tour. Le directeur se tourne alors vers le troisième fou, certain qu'il va répondre une connerie. « Même question pour vous, jeune homme, combien font 3x3 ? Il n'y a pas de piège. » « Facile, répond le troisième fou, le résultat est 9. » « Êtes-vous sûr de votre réponse ? » demande le directeur, étonné, « Certain, 3x3 font 9. » « Excellent, puis-je savoir comment vous avez fait ? » Satisfait que son patient ait retrouvé sa santé mentale, le chef d'établissement s'apprête à signer la feuille d'autorisation de sortie lorsque le jeune homme lui répond, non sans une certaine fierté : « C'est simple, j'ai divisé 46 569 par samedi ! »

Les deux hommes éclatèrent de rire à nouveau.

– Vous l'avez comprise celle-là aussi ?

Napoléon haussa les épaules.

– C'est un vrai plaisir de parler avec vous, si vous saviez, ça change ! s'exclama le cuisinier. Oh, tenez, j'allais oublier.

Il s'empara d'un semainier à pilules, l'ouvrit au numéro de la chambre 156 et en sortit un petit comprimé vert qu'il tendit au patient.

– Qu'est-ce donc?

– Votre médication, à prendre avec le repas. C'est un anxiolytique. Il vous plongera dans un état semi-comateux. Au moins, vous vous poserez plus de questions. Vous vous sentirez un peu comme un légume. Vous allez dormir comme une carotte!

La pilule rouge endort, pensa Napoléon, et la verte vous anéantit le jugement. Ils ne connaissaient donc pas la tisane?

– Allez, faut pas que je m'éternise, reprit-il, j'ai encore trente chambres à servir. Bon appétit, monsieur Bonaparte.

Une fois seul, Napoléon contempla son repas. Un menu imprimé sur une petite feuille de papier décrivait cette étrange nourriture à la texture improbable, inidentifiable à première vue.

Carottes râpées,
blanquette de veau,
île flottante sur ses poires belle Hélène

Un désagréable frisson le secoua des pieds à la tête. Île flottante sur ses poires belle Hélène. Île, Hélène. Mon Dieu, ici aussi, on semblait prendre un malin plaisir à lui remémorer ses longues et pénibles années d'exil et de prison dans l'île britannique.

Debout, et en vitesse, comme il l'avait toujours fait, il avala les carottes râpées, puis la blanquette de veau au porc et laissa le dessert de côté, par pur principe. Finalement, c'était bien mieux qu'au Formule 1. La chambre était plus grande, le lit plus confortable, et c'était gratuit. En outre, on lui offrait le dîner et on lui racontait même des histoires drôles. On le traitait enfin comme le souverain qu'il était.

Il examina un instant la petite pilule verte et la fourra dans sa poche. Elle pourrait peut-être lui servir plus tard. Pour l'heure, il souhaitait être en pleine possession de ses facultés mentales.

Il se leva et alla vers la porte. Il n'avait pas le souvenir d'avoir entendu l'homme user d'une clé avant d'entrer ou après être sorti. Il tourna la poignée à tout hasard et constata que la porte n'était pas fermée. On le laissait, en quelque sorte, libre de ses mouvements.

Il longea un couloir sur la pointe des pieds. Ses nouvelles baskets présentaient l'avantage d'être plus discrètes que les bottes à boucles et éperons qu'il avait l'habitude de porter. C'était bien là le seul avantage de ces chaussons.

L'endroit était désert.

Il poussa la porte d'une chambre. Celle-ci était en tout point similaire à la sienne. Les mêmes meubles, la même disposition, la même couleur omniprésente qui dévorait l'ensemble. Il n'y avait personne dans le lit mais un verre d'eau à moitié plein et une plaquette de pilules vide sur la table de chevet indiquaient que quelqu'un s'était trouvé dans cette pièce récemment.

Napoléon ouvrit toutes les portes qu'il croisa sur son chemin. Avec, à chaque fois, le même résultat.

Bientôt, il dut se rendre à l'évidence.

Il était seul.

Il envisagea, un instant, de s'évader de sa prison dorée mais sa vive curiosité l'en empêcha. Il concevait avec grande difficulté que l'on ait pu le laisser seul et qu'il n'y ait personne pour surveiller un institut de malades mentaux, de nuit. Cela en devenait même inquiétant. Il décida de continuer à explorer le bâtiment.

Il tourna à gauche à la première bifurcation et arpenta un long corridor sans jamais croiser personne. Ni médecins ni patients.

Bientôt, il entendit de la musique au loin. Une étrange musique, plus proche du bruit que de la symphonie, étouffée par d'épaisses parois ou quelque porte. Il continua d'avancer et perçut bientôt avec plus de précision des voix féminines qui chantaient sur un rythme entraînant. À chacun de ses pas, le bruit devenait plus présent, plus distinct. Plus assourdissant.

Il arriva enfin à l'origine de tout ce vacarme et passa la tête par l'encadrement d'une double porte qu'on avait laissée entrouverte. Dans une grande salle, une cinquantaine de personnes, de tous âges, s'agitaient dans tous les sens, secouées par de violents spasmes comme si elles souffraient d'une crise d'épilepsie commune. Le personnel soignant et les internés étaient donc tous là, les uns ne se différenciant des autres que par leur blouse blanche. Napoléon les observa un moment et conclut que leur étrange transe était une sorte de danse, plus désordonnée que celle des abeilles. Ce qui le choqua, c'est qu'à cette époque les gens dansaient seuls. Au XVIIIe siècle, cela aurait été impensable, à la rigueur très mal vu. Il était de bon ton de toujours inviter une dame, après inscription dans son carnet de bal, bien entendu, et de danser main dans la main avec elle. Danser seul, qu'est-ce que cela pouvait être ridicule ! Et triste.

Soudain, il se sentit happé par une force incroyable. Une femme surgie de la foule l'avait pris par la main et entraîné avec elle sur la piste de danse.

– C'EST DU RAP, J'ADOOOORE LE RAP !

C'était une grande blonde (mais pour lui, toutes les femmes d'aujourd'hui paraissaient grandes), avec de longs cheveux tressés à la manière d'une Teutonne. Elle devait bien avoir dix ans de plus que lui, mais cela était difficile à dire tant était prononcé le contraste entre l'âge qu'indiquait son visage, plus ridé qu'un soufflet d'accordéon, et sa tenue vestimentaire, composée d'un chemisier blanc de flanelle, qu'elle portait déboutonné jusqu'à la naissance de sa poitrine, et d'une minijupe en cuir noir, qui lui donnaient des airs de jeune fille délurée. Elle était bottée jusqu'aux genoux comme un hussard. Napoléon se demanda quelle pathologie l'avait menée jusqu'ici. Elle n'avait pas l'air folle. Était-ce la fille de joie des zinzins? Eux aussi avaient droit à l'amour après tout. Avant qu'il ait pu répondre à cette question, elle avait pris sa main dans la sienne et s'était mise à le secouer comme un prunier.

– VOUS ÊTES NOUVEAU ICI! assena-t-elle en hurlant dans les tympans de l'Empereur. C'EST QUOI VOTRE PETIT NOM?

Il fallait parler fort pour s'entendre. On était loin des musiques de salon raffinées des années 1800.

– NAPOLÉON BONAPARTE, cria l'homme, confiant qu'il ne pourrait maintenant rien lui arriver de pire en révélant sa véritable identité.

– ET MOI, C'EST JOSÉPHINE DE BEAUHARNAIS, dit-elle dans un grand sourire.

Napoléon sut qu'elle mentait car elle n'avait pas les dents pourries. Et puis Joséphine n'était pas si vulgaire.

– IMPOSSIBLE, hurla une voix derrière eux. JE SUIS NAPOLÉON Ier!

Le vrai Napoléon se retourna et tomba sur un homme de sa taille, brun, de type méditerranéen. Il sursauta, pensant que l'on avait disposé un miroir devant lui. Au bout de quelques secondes, il réalisa que l'homme qui le dévisageait avec curiosité ne lui ressemblait pas tant que cela. Il lui manquait cette détermination dans le regard. Cette détermination qui lui avait permis de remporter toutes ces victoires. En outre, il avait les cheveux rasés et une immense cicatrice lui dessinait un sourire sur le crâne. Pour couronner le tout, il était affublé d'un ridicule bicorne en papier journal qui semblait un petit bateau dérivant sur un champ de betteraves en pleine période de labour.

– PARDON?

– NAPOLÉON BONAPARTE, ajouta l'homme. PREMIER CONSUL DE FRANCE.

Disant cela, le trépané tendit une main moite qui brilla un instant à la lumière d'un projecteur au filtre mauve. Mais au moment où l'Empereur lâchait celle de sa partenaire pour la lui serrer, l'interné la retira, se frictionna le sommet de la tête avec une vigueur inattendue en dessinant des cercles concentriques dans le sens des aiguilles d'une montre autour du petit chapeau, puis en sens contraire, comme s'il tentait d'ouvrir un coffre-fort à combinaison, fléchit les jambes et posa un genou au sol.

– RELEVEZ-VOUS, MON BRAVE, dit Napoléon, impressionné par une telle révérence.

Il réalisa qu'il n'était plus habitué à ce que les courtisans se prosternent devant lui.

– J'ATTENDS QUE ÇA ME PASSE, répondit celui-ci.

– Ah bon. Ce n'était donc pas une révérence, ajouta le petit Corse, quelque peu déçu, à l'adresse de la blonde à tresses.

Il avait baissé la voix car c'était vraiment ridicule de hurler comme ça (et puis les dialogues en majuscules, ça va bien un moment).

– Qu'est-ce qu'il fait alors ? Du « rap » ?

La Teutonne éclata d'un grand rire sonore.

– Oh non, mon Dieu, ce n'est pas du rap, c'est juste des tocs.

Rap, toc, les noms des danses d'aujourd'hui ressemblaient plus à des bruits de portes qu'à autre chose.

– Des troubles obsessionnels compulsifs, précisa-t-elle. T-O-C. À propos, moi, c'est Jacqueline.

Le toqué se releva et tendit à nouveau sa main ruisselante, que Napoléon réussit à serrer avant qu'il ne se frictionne encore une fois le sommet du crâne dans le sens des aiguilles d'une montre, puis dans le sens contraire, ne fléchisse les jambes, pose un genou au sol, se relève et aboie trois fois en se massant le ventre.

– Allez, *Du con*, laisse-nous, finit par dire la femme, fatiguée par son cirque.

Ducond ?

À l'évocation du nom, le vrai Napoléon sursauta à nouveau. Il s'agissait donc de son descendant, Jonathan Ducond-Buonaparte. Celui qu'il était venu chercher ici pour grossir les rangs de sa Nouvelle Petite Grande Armée. La chair de sa chair. Le sang de son sang.

– J'aimerais d'abord savoir à qui j'ai l'honneur ? demanda l'homme, ignorant la remarque de Jacqueline.

– Lionel Messi, répondit Napoléon, se souvenant du nom inscrit sur son passeport. ME-ssi. C'est corse.

– Enchanté de rencontrer un compatriote, dit Jonathan avant de se frictionner la tête dans le sens des aiguilles d'une montre, puis dans le sens contraire, fléchir les jambes, poser un genou au sol, se relever, aboyer trois fois en se massant le ventre et sauter jusqu'à une dalle noire à cloche-pied.

Il semblait jouer à *Jacques a dit*, à la différence qu'il recevait les instructions de l'au-delà ou d'un partenaire de jeu imaginaire, dans tous les cas, d'une petite voix dans sa tête qui était responsable de sa présence dans cet établissement. La blonde profita que l'homme tentait de récupérer son équilibre pour se coller à Napoléon et l'entraîner un peu plus loin. Ils arrivèrent bientôt devant une vieille dame en pleine conversation avec une plante verte. Et Napoléon trouva qu'il y avait plus triste encore que des gens dansant seuls. Des gens parlant seuls.

– C'est Djamel.

– Djamel ? répéta l'Empereur, rendu quelque peu nauséeux par les secousses de sa partenaire.

La vieille dame n'avait pas une tête à s'appeler Djamel,

mais plutôt Antoinette ou Louisette. N'importe quel nom terminant en *ette*. À la rigueur Djamelette, tout mais pas Djamel.

– Il est ici pour une cure de désintoxication.

Il? Napoléon réalisa alors que Jacqueline était en train de parler du jeune homme qui se tenait derrière la dame. Il était, lui aussi, plongé dans une discussion animée, mais pas avec une plante. Son interlocuteur n'était autre qu'une petite poupée de chiffon glissée à l'extrémité de sa main droite. Elle portait un bandeau noir qui lui barrait le front et sur lequel quelques mots en arabe étaient inscrits en lettres dorées. Son visage en tissu était affublé d'une épaisse barbe noire. Elle avait une ceinture de dynamites autour de la taille et une kalachnikov miniature dans les bras. Elle ne semblait pas du tout d'accord avec Djamel, mais alors pas du tout, et l'exprimait de manière ostentatoire en agitant la tête dans tous les sens.

– Une cure de désintoxication?

– C'est un djihadiste. Ça vous dit quelque chose? Les mecs qui tuent tout le monde.

– Un djihadiste en liberté! s'exclama l'Empereur, révolté.

– Justement, il n'est pas en liberté puisqu'il est ici. Le professeur De Cloque a voulu montrer à Djamel, par l'intermédiaire de cette poupée, que les voix qu'il entendait et qui lui ordonnaient de flinguer tout le monde n'étaient qu'une création de son imagination. Un peu comme celles qui commandent les tocs de Jonathan. Djamel doit maintenant jouer consciemment le rôle d'Allah et donner des ordres à son petit personnage, qu'il a appelé Fatwa. Il est sur la voie de la guérison. Depuis qu'il est arrivé ici, sa petite poupée n'a lapidé qu'une seule Barbie et décapité que deux Ken.

– Oh, je vois... mentit Napoléon, qui ne voyait pas du tout de quoi elle parlait.

– Je le trouve quand même particulièrement agité, ce soir. Il s'est peut-être rendu compte qu'il y avait autant de veau dans sa blanquette que de tissu sur une robe de Lady Gaga. Mon Dieu, s'il savait qu'on lui a fait manger du porc, sa poupée Fatwa nous tuerait tous…

Horrifiée par ses propres paroles, elle entraîna son cavalier jusqu'à l'autre bout de la pièce, où une jeune femme brune était tout occupée à picorer comme une poule des cacahuètes dans une soucoupe. Lorsqu'elle se sentit observée, elle battit des bras et s'éloigna en balançant sa tête d'avant en arrière. Puis elle se remit à picorer dans un coin de la salle, à l'abri des regards indiscrets.

– Et elle, de quoi souffre-t-elle ? demanda l'Empereur, intrigué.

– Que vous êtes drôle ! Ester n'est pas une malade, c'est une infirmière !

– Ah… Elle ne porte pas de blouse.

– Elle n'en met jamais. Elle aime être proche des patients.

– Elle est peut-être un peu trop proche, non ? releva-t-il.

– Pourquoi vous dites ça ?

– C'est normal qu'elle se prenne pour une poule ?

– Vous voyez bien que je ne suis pas fou, coupa l'homme qui se déhanchait à côté d'eux. C'est bien une poule ! Je le dis depuis le début.

– Monsieur Albert ? dit Napoléon.

– On se connaît ?

– Disons que l'on m'a parlé de vous.

L'autre gonfla la poitrine, fier comme un coq dans une basse-cour.

– Ne dites pas de bêtises, tous les deux, coupa Jacqueline, vous voyez bien qu'elle picore des cacahuètes !

– Justement ! répondirent-ils en chœur.

– Mais une poule, ça ne mange pas de cacahuètes !

Logique implacable.

Le début d'une nouvelle chanson retentit dans les haut-parleurs.

My my, At Waterloo Napoleon did surrender, Oh yeah!

– Oh, c'est Abba! reprit la Teutonne. J'adoooore Abba! Vous aimez?

Et elle l'entraîna au centre de la piste de danse, juste sous les enceintes. La cacophonie s'abattit sur eux et ils durent recommencer à hurler.

– DES ABATS? NON, MERCI, JE VIENS DE MANGER DANS MA CHAMBRE, répondit Napoléon, qui trouvait que c'était tout de même une drôle de question.

– BIEN, BIEN, cria la femme, sans trop savoir pourquoi il lui parlait de sa chambre.

Que voulait-il lui dire? Qu'il voulait qu'elle le suive dans sa chambre? Déjà? Il venait juste d'arriver et voilà qu'il lui proposait de coucher avec elle. Jacqueline était toujours intéressée par les inconnus. Ils avaient le goût délicieux et mystérieux de la nouveauté. Ils avaient l'air si frais, si innocents. Elle examina de pied en cap ce petit homme aux traits méditerranéens mais au teint laiteux, une espèce d'Italien qui n'aurait jamais pris le soleil. Il avait une puissance dans le regard qui la désarçonnait. Un regard de braise. Le regard d'un vrai mâle. Elle lui exprima la réciprocité de son désir en se collant un peu plus contre lui et en lui mordillant le lobe de l'oreille.

– D'accord, murmura-t-elle.

– D'accord quoi? répondit Napoléon en se dégageant légèrement de l'étreinte.

Cette folle venait-elle de lui mordre l'oreille?

Waterloo, I was defeated, you won the war, Waterloooo...

Les mots résonnèrent dans l'esprit de l'Empereur.

– Ouater-l'eau? dit-il les yeux emplis de panique.

– WATERLOO! hurla la blonde en frottant son entre-jambe contre la sienne. C'EST MA CHANSON PRÉFÉRÉE!

Mais contre sa cuisse, elle ne sentit pas la bosse caractéristique d'un homme qui la désirait. Un homme insensible à ses avances ? Cela l'excitait plus encore.

Quels étaient donc ces Français qui dansaient et fêtaient avec joie la plus cuisante défaite de leur pays, de leur Empereur ? Et la mort de plus de 50 000 soldats ? Quel affront ! Dans les asiles de fous, non seulement on se prenait pour Napoléon, mais en plus on célébrait ses défaites. Était-ce là la seule thérapie qu'ils avaient trouvée ? Le faire passer pour un perdant, un misérable, pour qu'aucun cinglé n'ait plus jamais envie de s'identifier à lui ?

Alors que Jacqueline chantonnait cet air blasphématoire, entre deux éclats de rire, Napoléon se dégagea avec rage de l'oppressante étreinte de la vieille fille de joie et la laissa plantée là.

– MAIS VOUS ÊTES TOUS FOUS, MA PAROLE ! hurla-t-il.

Fous.

Il venait de prononcer le mot interdit.

Fou, et tous ses synonymes. *Cinglé, tapé, taré, fêlé, maboul, marteau, dingue, fada, louftingue, chtarbé, débile, tordu, barjot, siphonné, frappadingue, zinzin, givré du cigare, frappé du citronnier.*

Et il réalisa qu'il y avait deux mots qu'il était délicat de prononcer dans un asile de dingues. *Napoléon* et *fou.*

Tout le monde arrêta de se secouer le cocotier et un vent de panique souffla sur l'assistance. La musique stoppa net, laissant place à un silence insoutenable.

Alors, sous le regard ahuri des internés et du personnel soignant, Napoléon traversa la pièce, à grands pas, en évitant de marcher sur son descendant, Jonathan, qui, allongé de tout son long sur le sol, nageait le crawl en diagonale, sur les dalles noires, en aboyant comme un yorkshire.

– Bonne nouvelle, tu flottes! lui lança son aïeul, dépité. Puis il regagna sa chambre, furieux. Il avait déjà perdu assez de temps ici. Tout cela n'était vraiment pas sérieux. Mais alors, pas sérieux du tout.

Du sable rouge

Napoléon s'allongea sur le lit et s'assoupit.

Quelques minutes plus tard, il rouvrit les yeux, sortit de sa chambre, revigoré, et regagna le parking d'un pas déterminé. Il prit sa Ferrari et alla retrouver sa troupe qui l'attendait, fidèle, sur le parking du Formule 1. De là, ils se rendirent tous à l'aéroport, montèrent dans l'Embraer et volèrent jusqu'à Raqqa.

Valentin avait réussi à mettre la main sur un arsenal composé de grenades et de fusils technologiquement très élaborés (en tous les cas, plus élaborés que ces vieux fusils à platine à silex) et en tout point semblables à ceux qu'il avait vus au cou des militaires de la patrouille Vigipirate dans le terminal.

Quelques heures plus tard, arrivés en territoire ennemi, Napoléon était sorti de l'avion suivi de près par sa troupe. La guerre et la mort étaient dans la nature de l'homme. Après tout, il ne faisait que suivre son instinct. De ses recherches sur Internet, il avait appris que les djihadistes croyaient dur comme fer que l'enfer leur était réservé si jamais ils avaient le malheur de se faire tuer par une femme. Il avait donc mis ses danseuses de french cancan armées jusqu'au porte-jarretelles en première ligne afin qu'elles effraient les terroristes. Ce qui avait eu l'effet escompté. Le reste des effectifs, quelques soldats qu'il avait réussi à recruter au dernier moment, étaient cachés dans un endroit stratégique. Le piège de Napoléon, tel qu'il l'avait mis en place durant la bataille d'Austerlitz, quelques siècles plus tôt, et qui n'avait pas pris une ride, consistait à faire croire à l'ennemi que le Français ne disposait pas d'assez d'hommes, en l'occurrence, de femmes. Comment cinq « soldates » pourraient-elles venir à bout des centaines de djihadistes que les adversaires venaient de déployer devant la base de l'État islamique ? Impossible. Mais ce qui était impossible pour un djihadiste ne l'était pas pour un Empereur français.

Comme il l'avait prévu, ses cinq danseuses firent un carnage. Tirant sur tout ce qui bougeait, à savoir des fesses et des dos, car c'était ce qu'elles voyaient des fuyards, elles expédiaient illico presto les fanatiques en enfer.

Napoléon, derrière elles, flinguait à tout-va, vidant plus de chargeurs que dans *Expendables 1, 2* et *3* réunis, jetant de temps à autre des grenades qu'il dégoupillait avec les dents et qui venaient déchiqueter leurs adversaires. Sous les semelles de ses Converse, le terrain était devenu un charnier composé de têtes, de morceaux de mains et de pieds. Il était redevenu daltonien. Le sable n'était plus jaune mais rouge. Rouge comme le sang.

Son idée géniale avait été d'envoyer les militaires français derrière la colonne adverse (en les contournant quelques heures avant), précisément à l'endroit vers lequel les ennemis se précipitaient à présent, loin d'imaginer qu'en fuyant ces femmes, ils tomberaient sous les balles des quelques hommes qui les attendaient.

À Austerlitz, Napoléon avait fait croire que, ne disposant pas d'assez de soldats, il renonçait à la bataille et battait en retraite.

Aujourd'hui, il attaquait des deux côtés, avançant comme un guerrier qui reprend la terre qu'on lui a arrachée.

Aujourd'hui, il ne feindrait pas la faiblesse, la défaite, la mort.

Aujourd'hui, il provoquerait celles de ses adversaires qui détalaient comme des lapins, le piège se refermant sur eux.

Aujourd'hui, ce n'étaient pas les dames de Saint-Pétersbourg que les Français feraient pleurer, mais les dames de Raqqa, les dames des montagnes, les dames des moudjahidine.

Bientôt, le bruit cessa. La fumée se dissipa. On ne vit plus, debout, que la Nouvelle Petite Grande Armée de Napoléon. Les Méchants Musulmans gisaient tous à terre dans un océan de sang.

L'Empereur marcha vers son armée pour la féliciter. Il avança dans le sang jusqu'aux genoux, jusqu'à la taille puis jusqu'au cou. Enfin, le liquide rougeâtre le submergea complètement.

Et il ne vit plus rien.

Une ressemblance étonnante

Au même moment, le professeur De Cloque se servait un verre de vin rouge avant de se laisser tomber sur le sofa comme un poids mort.

— Qu'y a-t-il, chéri? demanda sa femme en s'approchant de lui avec grâce et méfiance telle la chatte au bord d'un toit.

— C'est le boulot. Le nouvel interné. Je sais pas... Il y a quelque chose...

— De quoi il souffre, celui-là?

— Il se prend pour Napoléon.

— Et ça t'étonne? Ça doit bien être le neuvième, non? Tu pourras bientôt former une équipe de foot napoléonienne!

— Oui, mais celui-là est différent. Je sais pas... On dirait qu'il est sincère.

— Ouhlà! Ça fait un peu trop longtemps que tu fréquentes les fous, mon chéri. Ils commencent à déteindre sur toi. Un jour tu vas revenir à la maison un bicorne sur la tête, persuadé que tu es Napoléon, toi aussi, et que je suis Marie-Antoinette.

— C'est Joséphine de Beauharnais. Marie-Antoinette, c'était la femme de Louis XVI.

— C'est pareil, les deux ont perdu la tête pour un homme, non?

Ignorant la blague, car à la maison il pouvait se le permettre, l'homme sortit un portable de sa poche et lui montra la photo qu'il avait prise du nouveau.

– C'est celui du milieu, dit-il.

– Shakira? dit son épouse, d'un air moqueur tout en posant son index à l'ongle bordeaux sur l'écran du téléphone.

– Tu ne trouves pas qu'il lui ressemble?

– À qui?

– Eh bien, à Napoléon! Pas à Shakira!

– Je sais pas trop à quoi il ressemble, tu sais.

L'homme se leva pour aller s'asseoir à son bureau. Il pianota sur le clavier de son ordinateur pendant que sa femme le rejoignait, le verre de vin rouge à la main. Elle en but une gorgée, y laissant une trace de rouge à lèvres, et le tendit à son mari. Pendant qu'il buvait à son tour, elle l'enlaça, langoureusement, debout, derrière lui.

– Regarde, dit-il en mettant son téléphone devant la gravure de Napoléon qu'il venait de trouver sur Google Images. C'est incroyable.

Il compara les yeux, le nez, la hauteur du front, les oreilles. Ils étaient en tout point identiques. L'homme qu'il avait interné aujourd'hui était peut-être un tout petit peu plus joufflu.

– Robert est venu me voir dans mon bureau après son service.

– Robert?

– Le cuistot. Il avait l'air préoccupé. Il m'a raconté que le nouvel interné comprenait les blagues. Qu'en dix ans à servir les repas à Sainte-Verge, il n'avait jamais vu cela.

– Ce n'est pas possible. C'est toi-même qui m'as dit que les fous ne comprenaient pas les histoires drôles.

– Justement. C'est bien ce qui l'a troublé, et moi aussi. Je me suis alors souvenu que lorsque nous nous sommes rencontrés, un peu plus tôt dans l'après-midi, il était en train de rire d'une blague de Micheline.

– Micheline?

– La réceptionniste. Ses blagues sont pourtant nulles, mais

bon. Un affreux doute m'a envahi. J'ai peur d'avoir fait une connerie. D'avoir enfermé une personne en pleine possession de ses facultés mentales.

– Impossible, cela impliquerait qu'il est bien Napoléon.

Ils regardèrent en même temps l'Empereur qui les dévisageait de son regard de braise sur l'écran de l'ordinateur.

– Non, dirent-ils en chœur.

– Tu es fatigué, Amaury, dit la femme.

– Ou peut-être fou, dit l'homme. Ça y est, après des années à me préserver, ce que je redoutais tant est enfin arrivé.

– Arrête.

– Tu veux pas me raconter une blague pour voir si je la comprends ?

– Tu sais bien que les histoires drôles, c'est pas trop mon truc.

– Allez, bébé.

– OK, dit-elle en levant les yeux au plafond, comme si elle s'attendait à en trouver une entre deux moulures. Alors, un jour, un fou se fait ausculter par son psychiatre : « Docteur, c'est horrible, je crois bien que je souffre d'amnésie. » « Ah bon ! répond le médecin, et depuis quand ? » « Depuis quand quoi ? »

Un silence glacial, que seul le discret ronronnement de l'ordinateur venait perturber, s'immisça entre eux. Elle regarda son mari, dans l'expectative.

– Quoi, ça y est ? dit celui-ci en fronçant les sourcils.

– Oui.

– Merde.

– Quoi ?

– Je la comprends pas.

– Tu es surmené, je t'ai dit.

– Ou alors, je suis fou ! Oui, ça veut dire que je suis fou !

– Ça veut juste dire que ma blague est pourrie, c'est tout. Écoute, pourquoi tu laisserais pas tes débiles le temps d'une soirée, murmura la femme en se lovant plus encore contre lui. Moi aussi, je suis folle, tu sais ? Folle de toi.

Puis elle lui donna un long baiser au goût de chianti.

Napoléon a (enfin) un plan

Lorsqu'il ouvrit les yeux, Napoléon réalisa qu'il n'était pas couché dans le sable couleur sang du désert mais dans un lit aux draps immaculés, qu'il n'avait pas quitté sa chambre de la maison d'aliénés, et qu'on devait être au milieu de la nuit. Il se rappela la soirée antinapoléonienne, la musique, la blonde aux tresses, le rap, les tocs, Jonathan, le djihadiste-à-la-petite-poupée-qui-dit-non, l'infirmière-qui-se-prenait-pour-une-poule. C'est étonnant, mais il se sentit soulagé. Soulagé d'être en sécurité entre ces quatre murs où aucun fanatique ne viendrait le chercher pour le tuer (sauf cas exceptionnel, par exemple, Djamel découvrant que sa blanquette de veau était en réalité une blanquette de porc). Soulagé mais déçu. Parce que se retrouver ici signifiait qu'il n'avait pas gagné la guerre. Que tout restait à réaliser.

En repensant à son rêve, il frissonna.

Pas de morts. Il se l'était promis. Une guerre intelligente, fine, précise. Pas un carnage. Une guerre basée sur la force de l'esprit et non des armes. Il se demanda si cette soudaine mansuétude venait du fait qu'il n'avait plus de pénis. Un homme sans sexe était-il meilleur par nature ? Non, c'était juste qu'en tuant tous les djihadistes de Raqqa ou de Mossoul, il passerait à côté du réel problème. Il n'éradiquerait pas le mal. L'État islamique n'était que la partie visible de l'iceberg. Il restait Al-Qaïda, Al-Nosra et tous ces réseaux qui se créaient un peu partout dans le monde chaque jour. Non, il lui fallait une stratégie bien plus définitive. La mort de ces fous d'Allah n'était pas la solution. Mais la mort de leurs idées, oui. Il devait juste trouver le moyen de dévier leur folie vers quelque chose de bon, de positif. Mais quoi?

Lui revint en mémoire ce que lui avait dit Jacqueline au sujet de Jonathan et de la poupée djihadiste de Djamel. Les voix qu'ils entendaient n'étaient qu'une création de leur imagination. Les instructions d'Allah n'étaient que des voix intérieures qu'il suffisait de court-circuiter, pour insuffler de bons ordres, tout comme le musulman avec son pantin en chiffon.

Alors, petit à petit, le Plan se forma dans l'esprit de Napoléon, comme au bon vieux temps. Mais, pour le mettre en œuvre, il avait besoin des conseils d'un homme de théâtre. Celui-ci lui apporterait la touche de crédibilité qu'il manquait à son projet. Il repensa à la réaction des filles quand elles l'avaient vu débarquer dans les loges du Moulin Rouge. Comment s'appelait-il déjà? Dave? Non, Dove. Dove Attia. Oui, c'était cela. Dove Attia.

Il se promit d'aller lui rendre une petite visite. Mais avant toute chose, du repos s'imposait. Cela tombait bien, car il disposait d'une chambre et d'un bon lit.

Il partirait à l'aube.

Demain matin.

Après le petit déjeuner, tant qu'à faire.

Napoléon réussit (encore)
à se sortir d'un mauvais pas

– Excusez-nous, Dr Tocquaine, dit le professeur en époussetant le tee-shirt de Napoléon. Je suis un grand fan !
S'apercevant que son éloge était ambigu, il précisa :
– Fan de vous, pas de... Shakira.
La stratégie imaginée par l'Empereur quelques minutes plus tôt avait fonctionné. Peu après le petit déjeuner, il avait fait appeler le professeur De Cloque dans sa chambre et lui avait raconté une de ces anecdotes humoristiques dont ils raffolaient tant, ici. En l'occurrence, celle du directeur d'asile qui engueule l'un de ses patients : « Qu'est-ce que ça veut dire, ça ? Monsieur Jourdain, vous n'avez aucune raison, mais alors aucune raison de penser que tout le monde vous prend pour un chien ! Allez, couché ! »
Le professeur était parti dans un rire puissant qui avait résonné entre les murs de l'exiguë habitation blanche. « Ah ah ah ! Elle est trop bonne ! » s'était-il exclamé, surjouant son rôle. Avant de reprendre son sérieux et de lui demander ce qu'il lui voulait. Napoléon lui avait alors répondu qu'il n'était pas fou, qu'il était même confrère, et s'était identifié sous le nom du Dr Tocquaine, le psychiatre du deuxième étage de l'immeuble de son généalogiste. Le médecin avait aussitôt mordu à l'hameçon avec sa bouche à dix mille euros. Car ce nom ne lui était pas inconnu, bien au contraire. Le Dr Tocquaine était célèbre dans le petit monde de la psychiatrie et du grand public pour son best-seller traduit en

cinquante-six langues, dont le chamicuro, dialecte péruvien parlé par deux personnes au monde, qui, fâchées, ne se parlaient plus. *La Débilité profonde pour les nuls*, dont le directeur de Sainte-Verge avait fait son livre de chevet.

– Je suis vraiment confus, Dr Tocquaine, vraiment, dit le psychiatre en le raccompagnant vers la sortie. Mais vous avouerez que prononcer le nom de... enfin, vous voyez de qui je veux parler, cet empereur français, dans un institut comme le nôtre met toujours tout le monde à cran. Ce n'est pas à vous que je vais apprendre cela. C'est d'ailleurs pour ces mêmes raisons que Jonathan Ducond-Buonaparte est interné ici. Dans ses bons jours, il prétend être le descendant de qui vous savez, ce qui en soi n'est pas très grave et même plausible vu son nom de famille, mais, dans les mauvais, il est persuadé qu'il est celui que vous savez, ce qui pose un peu plus de problèmes... Encore désolé, docteur. Mais pourquoi ne pas vous être identifié de suite ? Pourquoi nous avoir laissé vous interner pour la nuit ? Parmi tous nos débi... patients.

– Ne vous inquiétez point, professeur. C'était mon intention de rester avec vous cette nuit, mentit l'Empereur en prenant un air important. Je suis chargé de vérifier, pour le compte du ministère de la Santé, que l'on ne laisse aucun fou dans la nature. Vous avez très bien réagi à l'évocation du nom de... qui vous savez. Vos hommes sont bien entraînés. Bravo ! Et puis, il me fallait juger des services offerts par votre centre, de la salubrité de vos locaux, de la formation de votre personnel, de vos repas même. Excellente, la blanquette de veau au porc. Originale. Par contre, les poires belle Hélène... Vous recevrez mon rapport à la fin du mois.

Un rictus déforma le sourire du médecin. Dans son esprit, il passa en revue tous ses faits et gestes depuis la veille. N'avait-il pas commis d'impair ? Ses hommes s'étaient-ils bien comportés avec le Dr Tocquaine ? Avaient-ils respecté la charte de prise en charge des débiles, enfin, des malades ?

N'avaient-ils enfreint à aucun moment la déontologie de la profession ? Et dire qu'il avait eu sous son toit durant une nuit entière un homme chargé de passer au peigne fin ses installations et services. Un critique genre Relais & Châteaux version Relais & Instituts psychiatriques. C'était effrayant. Et lui, pendant tout ce temps-là, avait passé la soirée à faire l'amour avec Patricia, sans se douter de rien. Il leva le regard au plafond. Bien, il n'y avait aucune toile d'araignée dans les coins. C'était déjà un bon point. La blanquette était bonne. Non, excellente, il avait dit « excellente ». Et « originale » aussi. Bien. Et que s'était-il passé avec les poires belle Hélène ? Il dirait au chef cuisinier de rayer ce dessert du menu à l'avenir.

De son côté, Napoléon pensait à l'hypocrisie de cette société moderne. Ils sortaient tous, unis, dans la rue au nom de la liberté d'expression, ils étaient tous Charlot, ils manifestaient et scandaient des slogans républicains, et puis lorsque quelqu'un osait dire qu'il était Napoléon, on l'enfermait aussitôt. Il commençait à déchanter. Tout n'était pas si rose. Au moins, de son temps, les choses étaient plus claires. Tout le monde était libre de pouvoir dire ce qu'il voulait, mais il ne fallait pas venir vous plaindre ensuite si on vous raccourcissait un petit peu. À l'époque, la nuque dégagée, bien dégagée, était la coupe de cheveux à la mode.

– En quoi puis-je vous être utile maintenant, Dr Tocquaine ?

– Serait-il possible d'avoir un Coca Light ?

– Un Coca Light ? répéta l'homme, quelque peu désarçonné par une telle requête. Tout de suite.

Le docteur envoya chercher une canette dans le distributeur de boissons. Comment ce petit mec portant des tee-shirts de Shakira et buvant du Coca Light avait-il pu écrire l'extraordinaire *Débilité profonde pour les nuls* ? Puis il pensa à Bill Gates, à sa coupe au bol, ses lunettes à montures dorées à la Harry Potter et ses pulls en laine de chèvre. On ne pouvait pas se fier à l'apparence des gens. Lui dépensait des milliers d'euros chaque année dans son bronzage de moniteur de ski et son sourire de publicité de dentifrice et il n'avait jamais connu une telle gloire. Il passerait toute sa vie dans cet institut entouré de débiles mentaux et de minables. C'était à en pleurer.

– Bon, eh bien, je vais y aller, dit Napoléon lorsqu'on lui eut donné sa boisson.

– Oh, vous ne voulez pas en profiter pour voir Jonathan ? Cela lui fera plaisir. Dites que vous êtes quelqu'un de sa famille, il ne s'en rendra même pas compte.

Napoléon préféra passer sous silence la rencontre avec son descendant. La dernière image qu'il avait eue de lui nageant sur le carrelage n'était pas très reluisante.

– Non, désolé, je dois partir. Je suis déjà en retard. D'autres instituts m'attendent.

– Bien sûr. Vous savez, je suis tout de même soulagé de savoir que vous êtes confrère, parce que hier soir, je vous avoue avoir été assailli par le doute. J'ai eu peur d'avoir fait une boulette. Vous allez rire, j'ai vraiment cru pendant un moment que vous étiez bel et bien Napoléon Bonaparte !

À peine eut-il prononcé le nom que quatre mastodontes en blouse blanche, surgis de nulle part, tombaient sur leur patron et le plaquaient au sol.

Napoléon et le barbecue américain

Le petit Corse profita de la confusion générale pour quitter Sainte-Verge. Cela lui brisait le cœur de partir sans son descendant mais que pourrait-il bien faire d'un soldat qui se frictionnerait le crâne dans tous les sens avant de se jeter par terre pour nager un cent mètres brasse sous le nez de djihadistes surarmés? En le laissant ici, il lui sauvait la vie. On s'occupait bien de lui. Il ne manquait de rien. Et puis il guérirait peut-être bientôt, à force de soirées antinapoléoniennes à danser sur des chansons antipatriotiques.

Sur le parking, l'Empereur repéra un attroupement autour de sa voiture. Il commençait à être habitué à ce qu'elle fasse cet effet. Quelques hommes en pyjama et robe de chambre, assis sur des chaises de camping et autres fauteuils roulants, étaient absorbés dans la contemplation de leur reflet dans le châssis luisant de la Ferrari, avec la même passion que s'ils avaient été en train de regarder un documentaire de France 3 sur la vie animale.

– On dirait que le salon de l'automobile s'est déplacé jusqu'à Sainte-Verge cette année, dit un vieillard.

– Désolé de vous contredire, mon cher ami, dit un autre, mais ce que vous prenez pour une voiture est un barbecue rouge.

– Un barbecue? répéta une dame. Aussi gros que ça?

– Un barbecue américain, ou je ne m'y connais pas.

– Un barbecue avec des roues? s'exclama un jeune trisomique.

– Et un volant?

– Ils sont forts, ces Américains…

Napoléon se fraya un chemin dans la foule, entra dans sa voiture et démarra.

– Tenez, ils vont l'allumer.

Un homme se leva de sa chaise de camping, suivi par tous les autres. Bientôt, une file d'attente de zinzins digne d'une porte d'embarquement d'aéroport se forma devant le radiateur étincelant de la Ferrari.

– Où sont les assiettes? demanda un jeune trépané en jetant des coups d'œil tout autour de lui.

– Tu crois qu'ils auront pensé aux merguez? demanda Djamel à sa poupée qui disait non et s'apprêtait à vouloir buter tout le monde.

– Oh là, du calme! Je vous dis que vous faites tous erreur, mes amis, annonça le premier fou, qui était resté assis et semblait le plus lucide de tous. Ce n'est pas un barbecue, c'est une voiture. Une voiture de pompiers, pour être plus précis. Un vieux modèle, sûrement.

– Pas possible, y a pas d'échelle, répondit un autre.

Le petit Corse appuya sur l'accélérateur et s'ouvrit un passage comme Moïse devant la mer Rouge, bien décidé à partir loin, très loin, de cet endroit de dingues. Il avait toujours pensé qu'une retraite opérée à temps est une victoire.

– J'espère qu'ils vont nous donner quelque chose à picorer le temps que les braises prennent, dit une vieille dame, les deux mains sur son déambulateur. J'ai une de ces faims!

– Picorer? s'écria monsieur Albert. Elle veut picorer! Et après on va dire que je vois des poules partout, nom de Dieu!

Chacun y allait de son petit commentaire. Personne ne s'était aperçu que le barbecue géant américain avait disparu depuis belle lurette.

Le troisième et dernier descendant

Sans attendre au lendemain, Napoléon fit irruption avec fracas dans le cabinet du généalogiste.

– Hier, j'ai bien failli finir tanné par une baleine et un maquereau ! hurla-t-il furieux, en poussant une pile de revues qui l'empêchait de s'asseoir.

– Une baleine et un maquereau ?

– Aujourd'hui, je viens d'éviter l'enfermement à vie dans une maison de fous ! reprit-il. Et pendant quelques bonnes minutes, j'ai même cru que je conduisais un barbecue.

– Vous réalisez que tout ce que vous êtes en train de dire n'a aucun sens ? Que se passe-t-il ?

– Il se passe que mon premier descendant est une épave, mon deuxième est un taré...

– Et mon tout ?

– Quoi, mon tout ?

– Oh, pardon. Je pensais que vous me proposiez une charade.

– Basta ! Je ne peux point croire que je n'aie point enfanté d'homme fort, ambitieux, un premier de la classe, comme moi. Un bel aigle. Une merveilleuse abeille impériale.

– Sire, c'est là tout le charme des lignées. La tare est héréditaire, vous savez. Vous n'avez pas lu *Germinal* ? Ah non, c'est vrai. Zola, c'est un peu après vous... L'alcoolisme, les maladies mentales, ses personnages se transmettent de génération en génération ces dégénérescences, si vous me permettez le jeu de mots...

– Arrêtez avec votre Zola! coupa l'Empereur. Sans doute un petit écrivaillon de bas étage qui n'a vendu que quelques livres. Mais si vous voulez dire par là que je suis un alcoolique, un taré, et que ma descendance ne peut être qu'à mon image, alors...

Napoléon serra son poing et le fit mouliner sous le nœud papillon orange de Dominique Dessouches. L'aigle ouvrait ses griffes, l'abeille sortait son aiguillon.

– Oh, non, vous, vous êtes merveilleux! Mais vos enfants illégitimes, eux... On ne peut pas dire qu'ils vous ressemblaient. C'est ça de faire des bâtards. Et après, on s'étonne! Et toute leur lignée est malheureusement à leur image...

– Il ne vous reste plus qu'une chance! menaça le Corse. J'exige que mon troisième descendant me ressemble.

Le généalogiste fit mine de consulter l'écran de son ordinateur, mais il ne savait que trop ce qu'il y avait dessus.

– Si l'on fait abstraction de la couleur de peau, de la petite moustache et des cheveux frisés, on peut dire qu'il vous ressemble.

– Montrez! hurla Napoléon en contournant le bureau.

– Bon, vous êtes quand même plus beau que lui.

– Qu'est-ce que c'est que ça! hurla l'Empereur en montrant l'ordinateur, horrifié.

On pouvait y voir la photographie d'un homme en djellaba et en sandalettes, un petit bonnet brodé de couleur blanc écru posé délicatement sur sa chevelure crépue. Il posait en souriant devant l'entrée de ce qui semblait être une mosquée.

– Votre petit-petit-petit-fils, Rachid Bouhalouffa-Buonaparte.

– Qu'est-ce que c'est que ce nom? s'exclama l'Empereur des Français, qui avait du mal à identifier, dans ce patronyme, un quelconque lien avec son lignage. Vous le faites exprès? Bouhalouffa, vous trouvez peut-être que ça sonne corse?

Pas possible, ses descendants étaient vraiment abonnés aux noms à la con.

– Parce que Glouze et Ducond, vous trouviez que cela faisait plus corse !

– Il doit y avoir erreur. Oui, tout ceci n'est qu'une terrible méprise. Je vais vous laisser une journée de plus pour que vous puissiez approfondir vos recherches.

Le généalogiste consulta à nouveau son ordinateur.

– Rachid Bouhalouffa. Il s'agit bien de votre dernier descendant direct. Le résultat est sûr à 100 %. Il est le fruit du fruit du fruit d'une soirée délicieuse avec l'une de vos dames de compagnie locales durant votre expédition en Égypte de 1798, si vous voyez ce que je veux dire...

Napoléon dodelina de la tête, perplexe. Il avait vu juste. La malédiction des pharaons s'acharnait sur lui et sa descendance.

– Mais il est... arabe !

– Ah oui, ça je vous le confirme. La dame avec qui vous avez passé cette délicieuse nuit en Égypte l'était également. Les chiens ne font pas des...

– Arabes ?

– Des chats, Sire, les chiens ne font pas des chats.

– Si je résume, dit-il d'une voix apaisée, mon premier descendant est une fille de joie, mon deuxième, un débile, et mon troisième, un épicier arabe ?

– Oh, voyons, monsieur Bonaparte, Rachid Bouhalouffa n'est pas épicier, il est l'imam de la Grande Mosquée de Paris !

La mâchoire de l'Empereur faillit se décrocher.

De mieux en mieux !

– Vous avez un problème avec les imams, monsieur Bonaparte, ou les épiciers ? Ou tout bonnement avec les Arabes ?

– J'ai monté moult pur-sang arabes. En ce qui concerne les chevaux, l'arabe est le meilleur du monde... Sa souplesse, son adresse, son intelligence, sa docilité en font un excellent cheval de guerre. Pour ce qui est des personnes, j'aime aussi les peuplades arabes. Ne vous méprenez point. Ce ne sont point les Arabes que je n'aime point, mais les Anglais !

Napoléon jura entre ses dents. Ce qui le fâchait n'était pas autant la nationalité de son descendant que sa religion. Il ne pouvait tout de même pas demander à un musulman, qui plus est à l'imam de la Grande Mosquée de Paris, de s'unir à lui et partir en guerre contre les djihadistes.

– Alors vous me prêtez la Ferrari ? demanda le généalogiste en tendant sa main ouverte, un grand sourire aux lèvres.

La conquête du monde

Dans son QG, Mohammed Mohammed buvait du thé. Il n'était pas 17 heures, on n'était pas en Angleterre, et l'ours avait oublié depuis longtemps les bonnes manières, mais il avait l'habitude de boire un peu de thé à la menthe accompagné de chamiyas, ces espèces de petits feuilletés à la pistache, chaque fois que, par un merveilleux concours de circonstances qu'il provoquait lui-même, il était heureux de vivre.

Or l'ours n'était heureux de vivre que lorsque autour de lui, les gens mouraient. Dans d'atroces souffrances, de préférence.

Il se leva de son bureau de fortune et s'approcha d'une immense carte d'état-major qui pendait, bancale, sur un mur décrépi. Il piocha, dans ce qui avait été autrefois une boîte de sardines, un minuscule fanion de couleur et l'épingla, avec beaucoup d'application, sur la capitale de l'Espagne qu'il tarda quelques minutes à situer.

Après Londres, Paris et Berlin, c'était au tour de Madrid de venir colorer l'atlas. Il avait commencé par les capitales des principaux pays européens. Mais bientôt, ce serait les États-Unis qui trembleraient devant lui. Comme en septembre 2001. Quand il aurait acquis un peu plus d'expérience dans ce monde fascinant du terrorisme. Pour l'instant, il s'entraînait sur l'Europe.

Là où il ne pourrait envoyer personne, il mènerait des cyberattaques. C'était une armée plus pernicieuse et efficace encore puisqu'elle s'infiltrait partout, à travers les câbles et les airs. Grâce aux ordinateurs et à des chevaux de Troie, le cybercalifat entrait chez vous, jusque dans votre chambre ou votre salon, démontrant jour après jour sa grande capacité de nuisance. Plus personne ne pourrait se sentir en sécurité, nulle part. Ici ou ailleurs. Il entrait dans votre vie en piratant vos comptes Twitter et Facebook. À force de mails piégés, il volait vos identifiants et mots de passe, vérolait votre agenda de contacts et détruisait tout. Il était si facile de recruter des cerveaux de l'informatique surexploités dans les boîtes américaines ou européennes et de les rallier à la cause en échange de colossaux financements abreuvés par les magnats saoudiens. Les djihadistes ne devenaient pas eux-mêmes des hackers de génie comme ils devenaient pilotes de ligne le temps d'écraser leurs avions contre les tours jumelles du World Trade Center. Pour l'informatique, ils sous-traitaient. Cela fonctionnait si bien. Après TV5, Le Livre de Poche, *Le Monde* et quelques autres symboles culturels, les cyberdjihadistes possédaient désormais la page web de TF1 qu'ils avaient transformée en un instrument de propagande. Maintenant, n'importe qui voulant connaître la grille des programmes du soir tomberait inévitablement sur les messages et la bonne parole de Daesh. De toute manière, il n'y avait jamais rien à la télé.

L'ours recula de deux pas et contempla son œuvre, un sourire de satisfaction aux lèvres. Il loucha sur Paris. Avec tous les fidèles dont il disposait sur place, c'était un jeu d'enfant. Il n'y avait qu'à voir sa dernière opération en date, l'attentat de *L'Hebdo des Charlots*. Cela avait été un jeu d'enfant. Et quel pied il avait pris ! Il voulait remettre ça, vite, très vite. Pour ne pas leur laisser le temps de respirer, pour ne pas leur laisser le temps d'oublier. Pour que jamais plus ces chiens d'Occidentaux ne puissent flâner sur les Champs-Élysées insouciants et heureux.

Il engloutit d'un seul trait quelques chamiyas de plus. Son ambition de contrôler le monde était en route et rien ne pourrait le stopper.

À ce moment-là, une petite abeille entra par la fenêtre, exécuta quelques acrobaties dans les airs comme pour attirer son attention, avant de venir se poser sur la carte. À la distance d'un ongle de Raqqa, à l'ouest. Pile sur l'endroit où il s'était retranché. Mohammed Mohammed la regarda, intrigué. Elle dessina quelques huit tout en faisant vibrer son corps, puis elle s'envola et disparut par l'ouverture. Tel un funeste présage qu'il fut bien incapable de déchiffrer.

Mais après tout, un ours, ce n'était pas connu pour son intelligence.

Le catéchisme islamique

– Tous les djihadistes sont musulmans, commença Rachid en levant un doigt en l'air, mais tous les musulmans ne sont pas djihadistes. Allah soit loué! Le monde serait invivable! Même pour nous, les musulmans!

L'homme avait un don oratoire évident. L'imam était celui qui dirigeait la prière, qui prenait la parole dans la mosquée et parlait aux fidèles. Une autorité. Dans un domaine bien spécial, mais une autorité tout de même. Finalement, contre toute attente, Rachid était le grand homme que Napoléon attendait de sa descendance.

L'imam contourna son bureau et s'assit.

– Vous m'excuserez, j'ai une jambe en bois. La station debout m'est pénible.

L'Empereur jeta un coup d'œil vers les jambes de l'homme mais sa longue djellaba couleur épinard ne lui permettait pas d'apercevoir l'artifice. Il en avait connu, des hommes avec une jambe de bois. La guerre prenait aussi des bras, des mains, des yeux. La guerre se servait sur vous comme dans un self-service. Elle prenait tout ce qu'il y avait à prendre sur un homme. Mais l'Empereur douta que l'imam de la Grande Mosquée de Paris ait perdu son membre au cours d'une guerre. Peut-être était-ce dû à une maladie.

– Il y a donc les Gentils Musulmans, les GM, comme au Club Med, vous savez, les Gentils Membres, par opposition aux GO, les Gentils Organisateurs. Et il y a les Méchants

Musulmans, les MM ou M&M's, même s'ils ne sont pas aussi savoureux que ces sympathiques cacahuètes enrobées de chocolat...

Napoléon était complètement perdu.

– Il serait fou de dire que les mosquées françaises prêchent le djihadisme, reprit l'homme. J'entends dire aujourd'hui que l'islam est une religion de barbares, incitant à la haine et justifiant les pires actes de violence. Mais les gens ont la mémoire courte. Rappelez-vous les croisades chrétiennes ou encore la sainte Inquisition espagnole. Souvenez-vous de ces centaines de milliers de morts au nom de Dieu, de Jésus.

Le petit Corse se souvenait très bien. Toutes ces choses étaient, chronologiquement parlant, bien plus proches de lui que de Rachid Bouhalouffa.

– L'Inquisition brûlait les juifs, les descendants de juifs même, s'ils ne se convertissaient pas au christianisme. Vous vous rendez compte? C'est comme si aujourd'hui, en France, le gouvernement condamnait à mort tout musulman ou juif ne voulant pas se convertir à sa religion. Bon, c'est un mauvais exemple, vu que la République est laïque... Enfin, laïque...

L'homme toussa. Il sortit un mouchoir en tissu de la poche de sa djellaba et cracha dedans.

– Une petite pneumonie sans gravité.

Napoléon en avait connu, des hommes souffrant de pneumonie. La guerre prenait des jambes, des bras, des mains, des yeux, mais aussi des poumons. Cependant, il douta une nouvelle fois que l'imam de la Grande Mosquée de Paris ait contracté cette maladie au cours d'une guerre.

L'Empereur, qui était catholique, avait toujours eu un profond respect pour les religions et les gens qui les pratiquaient. Il avait pour habitude de dire qu'une société sans religion était comme un vaisseau sans boussole. À son époque, il n'y avait quasiment aucun musulman en France, mais il avait été favorable à l'intégration du peuple juif dans l'Hexagone (qui n'en avait pas encore la forme), n'hésitant pas à en proclamer certains officiers, voire élus municipaux, chose extraordinaire et unique en Europe à cette époque-là. Les juifs étaient devenus français à part entière à l'automne de 1791 et jouissaient de tous les droits donnés à n'importe quel Français. C'était lui qui avait aboli les vieilles lois qui les obligeaient à vivre dans des ghettos, ainsi que d'autres limitant leurs droits à la propriété, à leur culte et au travail. Napoléon les avait intégrés en les contraignant à la législation de la société française, certes, au service militaire, au divorce, aux mariages mixtes, mais comme il contraignait tout Français. Pour lui, il n'y avait pas de différence. Il désirait seulement les intégrer, à tout prix. Il avait compris l'intérêt d'avoir une France multicolore et unie. Une France plurielle et forte. Enrichie par le mélange. Pas cette France consanguine dont les rois du XVIIe siècle avaient donné un bien mauvais exemple.

– Je disais donc que la France est laïque... Enfin, elle est surtout bien hypocrite, je trouve. Mais ce n'est que mon avis personnel.

Napoléon sursauta. Un affront envers son pays était un affront envers lui-même.

– Hypocrite ? demanda-t-il à la recherche de précisions ou d'une excuse.

– Dès qu'une musulmane met un voile à l'école ou qu'une femme va faire son marché en burqa, on vous ressort le bouclier de la laïcité française, des signes ostentatoires et tout ça. Par contre, après, on est bien content de partir en vacances pour Pâques, de ne pas travailler à l'Ascension, d'avoir des cadeaux pour Noël, de fêter la Toussaint et de tirer les rois avec ses collègues de boulot ! Quel genre de laïcité est-ce là ? Sur le calendrier des pompiers et de la poste, les jours de l'année sont ceux des saints. Sans compter que vous ne pouvez pas allumer la télé le dimanche matin sans tomber sur la retransmission de la sacro-sainte messe sur une grande chaîne publique. N'entend-on pas encore aujourd'hui les cloches des églises résonner dans les villes et les campagnes de notre beau pays ? Et après, on nous dit que la France est laïque ! AHAHAHAH !

L'homme se força à rire. Comme s'il venait d'entendre une blague à Sainte-Verge et voulait montrer par là qu'il n'était pas fou. Il s'arrêta brusquement et se soutint les côtes du flanc droit avec sa main opposée, une grimace de douleur sur le visage.

– Qu'est-ce que je regrette ces trois côtes... Vous savez, l'islam est une religion de paix et d'amour, tout comme le sont le christianisme, le judaïsme, l'hindouisme. *Tuer pour la religion, c'est comme baiser pour la chasteté.* Ce n'est pas de moi, c'est de Stephen King. Ce ne sont pas nos croyances qui nous rendent meilleurs, mais nos actions. Or, on ne peut pas être responsables des déviances de certains. On ne peut pas payer pour eux. On ne veut pas payer pour eux. Car le problème, c'est que certains ont leur propre interprétation de la religion et expriment leur violence sous le couvert de celle-ci. Comme certains le font sous le couvert de la politique (en exprimant leur haine sous la légitimité d'un parti) ou encore du football (regardez ces pseudo-supporters qui se foutent des résultats du match et n'ont d'autre ambition que de se battre avec les ultraviolents de l'équipe d'en face). *On vit dans un monde où les gens se cachent pour faire l'amour, alors que la violence se pratique en pleine lumière du jour.* Ça, c'est de John Lennon. Vous voyez, je connais mes classiques ! Les terroristes ne sont que des crétins qui se choisissent des idéologies, comme l'on choisit une étiquette, afin de donner libre cours à leur violence, à leur agressivité, sans ressentir la moindre culpabilité puisque selon eux, ils œuvrent pour une bonne cause. Ces gens-là n'ont rien à voir avec l'islam, la politique ou le football. Ces gens-là sont malades, primitifs. L'homme primitif cogne là où l'homme civilisé discute. L'homme primitif bat et abat là où l'homme civilisé débat. Rachid semblait content de son petit jeu de mots. Il ouvrit un carnet posé sur la table et y écrivit la formule.

– Je m'en resservirai. Mais au fait, monsieur...

– Bonaparte. Napoléon Bonaparte.

– Buonaparte?

Les yeux de l'homme s'agrandirent.

L'Empereur lui expliqua alors qu'il était son arrière-grand-père et lui exposa l'objet de sa visite. Il cherchait à constituer une armée avec ses enfants pour partir en croisade contre les djihadistes. Puis il lui dit que cela avait été une erreur de venir, qu'il avait apprécié son petit cours de catéchisme islamique, qu'il le remerciait, mais qu'il ne voulait pas le déranger plus longtemps. Que Rachid était musulman et qu'il comprenait qu'il ne pourrait pas partir en guerre contre des gens partageant la même foi, même si ceux-ci l'exprimaient dans l'horreur et la violence.

– Moi, monsieur Bonaparte, je suis musulman, un bon musulman, et pour vous prouver que les musulmans n'ont rien à voir avec les djihadistes, je vais venir combattre à vos côtés. Pour lutter contre l'obscurantisme et la violence. Pour que l'homme, qui est devenu un homme à force d'efforts et de temps, de milliers d'années, ne redevienne pas cet animal qu'il était en naissant. Mais à une seule condition, monsieur Bonaparte. Nous ne tuerons personne.

Cela tombait bien, c'était aussi l'intention de Napoléon. Ne pas agir comme les terroristes. Les convaincre avec d'autres armes. Même si, pour l'instant, il n'avait qu'une vague idée de comment s'y prendre.

– Point un seul mort, promit l'Empereur, se remémorant le rêve sanglant qu'il avait fait dans la chambre de l'institut psychiatrique.

L'Arabe se leva et prit le Corse dans ses bras. Que c'était beau ces deux peuples réunis dans une étreinte d'amour! Un fils avec son père. Une petite abeille ouvrière avec sa reine. Ainsi, le dernier descendant, le plus inattendu, celui que tout semblait opposer d'abord à lui, s'était révélé être le bon. Comme quoi, les préjugés étaient vraiment la pire des choses.

– Et puis au diable les bonnes manières, monsieur Buonaparte! Pas de chichi dans la famille. Grand-papa, je peux t'appeler grand-papa? demanda l'imam de la Grande Mosquée de Paris avant de pousser un cri de douleur et de lui expliquer qu'il souffrait aussi d'hémorroïdes.

Napoléon se demanda si c'était héréditaire et s'en sentit quelque part un peu responsable.

La Grande Armée de Napoléon
s'agrandit davantage

C'est en voyant ses danseuses de french cancan vêtues de leur robe bleu-blanc-rouge et Rachid vêtu de sa djellaba épinard que Napoléon eut une idée. Sa Nouvelle Grande Armée représenterait la France d'aujourd'hui. Plurielle mais unie. Multiculturelle, colorée, elle s'était enrichie du mélange au long de toutes ces années. Pour achever son œuvre majeure, il lui fallait donc trouver un Noir.

La providence voulut que le premier qui passa par là fût balayeur. C'était un homme d'une vingtaine d'années, le visage et les mains d'un joli noir de jais qui dépassaient d'un étrange uniforme de couleur vert pomme. Il était affublé d'un gilet jaune qui brillait comme le soleil et aveuglait tout le monde à dix mètres à la ronde.

– Bonjour, mon brave, l'interpella Napoléon, auriez-vous, par le plus grand des hasards, plus d'ambition dans la vie que d'être un simple balayeur? Sauver le monde, par exemple?

Une fois la surprise passée, et réalisant que l'homme qui venait de l'apostropher n'était pas en train de se moquer de lui, le travailleur municipal posa son balai contre un arbre et sortit un paquet de cigarettes de sa poche. Après tout, il avait bien mérité une pause.

– Vous savez, nous, soit on est balayeurs en France, soit on est ministres au pays… Pour ce qui est de sauver le monde… C'est plutôt un truc de Blancs.

– Au pays?

– Je suis né ici mais mes parents sont de la Côte d'Ivoire. Tous mes cousins sont ministres là-bas. Mais sincèrement, je préfère être balayeur ici.

Il proposa une cigarette à l'Empereur, qui l'accepta.

– C'est quoi?

– Une clope.

– Une clope? demanda Napoléon.

– Vous avez jamais vu une cigarette?

– Pas comme celle-là, non. Vous savez que c'est moi qui ai introduit la cigarette en France? dit le Corse non sans fierté en tournant la petite tige blanche entre ses doigts. Jusque-là, on chiquait et on prisait. À mon époque, le tabac et le papier étaient vendus séparément et on se les roulait soi-même. J'avoue que ce n'est point bête votre truc. Ainsi, elles sont déjà prêtes. On gagne du temps. Si mes hommes avaient eu des « clopes » à Waterloo, l'issue en eût été bien différente…

– Vous faites pas si vieux que ça, pourtant.

Napoléon examinait sa cigarette comme s'il avait eu entre les doigts la plus grande invention du XXIe siècle. Enfin, celui qui se présenta comme Mamadou alluma les deux Marlboro avec un briquet, ce qui retint toute l'attention de l'Empereur qui n'en avait jamais vu, avant de lancer un pneu de fumée devant son visage. À son tour, Napoléon tira une bouffée et fut pris d'une violente quinte de toux.

– Qu'est-ce que c'est que cette cochonnerie? demanda-t-il entre deux hoquets. Vous voulez me tuer!

– Si j'avais voulu vous tuer, je vous aurais filé une Gitane sans filtre.

– Mais que foutent-ils dans ce truc?

– Du goudron, dit le balayeur en signalant la chaussée de la rue.

– Mon Dieu, mais vous êtes malade! s'exclama Napoléon en jetant de rage la cigarette sur le trottoir.

– Eh dites donc! Un peu de respect pour mon travail, dit

l'homme en reprenant son balai et en poussant la clope à peine allumée dans sa pelle.

– Et si je vous proposais de devenir ministre en France? demanda Napoléon pour revenir à leur conversation.

Sa cigarette au coin des lèvres, l'homme pouffa.

– C'est impossible.

– Impossible n'est point français ! Et pour vous le prouver, je vous nomme dès aujourd'hui ministre de la Nouvelle Grande Armée de Napoléon Ier. Gardez votre uniforme. J'adore.

Disant cela, il l'adouba en lui touchant les épaules avec le manche de son balai.

La Nouvelle Grande Armée au complet

– Mamadou est noir! lança Napoléon avec fierté lorsqu'il le présenta au reste de la troupe.

L'assistance le dévisagea.

– Je pense qu'il le sait déjà, dit Valentin. C'est pas Stevie Wonder.

– On ne dit pas *noir*, précisa Adeline.

– Nègre, alors? rectifia le petit Corse.

– Quelle horreur! s'offusqua la danseuse. On ne dit pas *noir*, et encore moins *nègre*, on dit *black*.

– *Blaque*? Qu'est-ce que ça veut dire?

– Noir.

– Tu viens de me dire qu'il ne faut point dire *noir*.

– Oui, c'est pour ça qu'il faut dire *black*.

– Mais si cela veut dire *noir*!

– Oui, mais c'est de l'anglais, alors ça passe mieux! C'est plus politiquement correct.

Les lèvres de l'Empereur se figèrent en un horrible rictus.

– C'est de l'anglais, alors ça passe mieux! répéta-t-il, outré. Et pourquoi ça passerait mieux dans la langue de l'ennemi?

– D'abord, les Anglais ne sont plus nos ennemis depuis longtemps, sauf à l'Eurovision, et puis l'anglais, ça fait style.

Elle avait prononcé ce dernier mot *staïle*.

– Ça fait *staïle*?

– C'est de l'anglais. Ça veut dire *stylé*.

– Eh bien alors, dis *stylé*!

– Ça fait ringard.

– Alors si je comprends bien, pour que le français passe mieux, il faut le parler en anglais, c'est ça? C'est pas mal, parler du français en anglais. Original! Je suis peut-être ringard, mais vous avouerez que vous êtes sacrément tordus, quand même!

– C'est pas moi qui ai lancé la mode. Va te plaindre à Pivot!

– Ou Maître Capello, ajouta Mireille, qui était un peu moins jeune.

– Vous en faites pas pour moi, intervint Mamadou. Je suis fier d'être noir. Pas de problème.

– Tu vois, dit Napoléon, sautant sur l'occasion, il dit qu'il est fier d'être noir, pas fier d'être *blaque*! Ça veut rien dire, *blaque*. Merci Mamadou.

– Bon, quand vous aurez terminé votre conversation Bescherelle, dit Valentin, on pourra peut-être savoir ce que tu voulais nous dire.

– Je voulais vous dire qu'avec l'arrivée de Mamadou, notre armée est au grand complet.

L'Empereur jeta un regard paternel, fier et protecteur sur ses troupes. La Nouvelle Petite Grande Armée se composait dorénavant de cinq danseuses de french cancan (Charlotte, Peggy, Mireille, Adeline et Hortense), d'un désossé (Valentin), d'un musulman patriote (Rachid) et d'un ministre noir (Mamadou). Les robes bleu-blanc-rouge, la djellaba épinard et l'uniforme vert et jaune donnaient des airs d'arc-en-ciel qui illuminait un instant, à leur passage, les grises rues de la capitale.

Ils n'étaient pas que des couleurs, ils étaient aussi des personnes motivées, aux compétences uniques et affirmées. Valentin, que la nature avait doté d'un corps élastique, pouvait se cacher dans n'importe quelle valise de petite taille ou se glisser par d'étroites ouvertures. Hortense, qui avait été hôtesse de l'air avant d'être danseuse, avait quelques notions de pilotage et pourrait donc faire voler l'Embraer. Le reste des filles, elles, belles à souhait, aguicheraient et détourneraient l'attention des djihadistes, et puis, elles pourraient s'occuper de la cuisine et de la vaisselle… Oups, il se mordit la langue en se rappelant la conversation qu'il avait eue avec Charlotte sur sa goujaterie et son machisme légendaires. On utiliserait un lave-vaisselle. Rachid, lui, était un élément majeur de l'armée car, même si physiquement, c'était le plus mal en point (avec sa pneumonie, sa jambe de bois, ses trois côtes en moins et ses hémorroïdes, et encore, Napoléon redouta que ce ne fût pas là tout ce dont il souffrait et s'attendait à quelques surprises qui surgiraient au cours de leur aventure), il avait une connaissance exhaustive de ces hommes à barbe, cruciale pour le bon déroulement de la mission. En outre, il parlait arabe. Rachid serait la voix et les oreilles de Napoléon. C'était indispensable pour espionner l'ennemi ou se fondre dans la foule. Même s'il était quasiment impossible de fondre dans le paysage une troupe de danseuses de french cancan, une Ferrari rouge vif et un jet privé. Mais l'important était d'y croire. On ne gagnait pas la guerre si l'on n'y croyait pas dès le début. Mamadou, lui, hériterait du plus beau rôle. Le rôle principal de cette superproduction française.

Quelle belle armée, pensa Napoléon. Et il n'eut maintenant plus aucun doute quant au succès de son entreprise.

Le dernier soldat

– Sharon ! hurla Napoléon en se redressant dans son lit.
Autour de lui, la nuit avait enveloppé la petite chambre du
Formule 1.

Charlotte ouvrit les yeux. Ils passaient maintenant toutes
les nuits ensemble, dans le petit lit de l'hôtel low-cost qu'elle
payait avec son salaire de danseuse. Ils parlaient, se regardaient,
se caressaient. Même sans pénis, Napoléon lui donnait du
plaisir. Il n'y avait pas que la pénétration dans la vie !

– Charmant ! dit-elle, hagarde, la bave donnant à ses lèvres
le brillant d'un coquillage nacré. L'homme avec qui je dors
rêve de Sharon Stone !

– Qui est Sharon Stone ? demanda-t-il, intrigué.

Il essuya du dos de sa main la sueur qui gouttait sur son
front.

– Tu viens de dire Sharon, Napy, je t'ai entendu.

– Sharon ? Ah, oui, Georgette ! Ma descendante.

– Si elle s'appelle Georgette, pourquoi l'appelles-tu
Sharon ?

– Je ne sais point, aujourd'hui, on dirait que les femmes
aiment changer de nom, n'est-ce pas Josette ?

À l'évocation de son vrai prénom, Charlotte se réveilla
d'un coup.

– C'est un coup bas ! s'exclama-t-elle.

– Je faisais un rêve, ou plutôt un cauchemar. Et j'ai vu
Sharon-Georgette dans mon plan. Elle a un rôle crucial dans

cette mission. Il faut absolument que j'aille la voir et la convainque de nous aider.

– Quoi? Qu'est-ce que tu racontes?

Napoléon se leva, alla prendre un Coca Light dans son sac à dos, le but d'un trait puis commença à s'habiller. Charlotte regarda d'un œil incrédule le cadran de sa montre.

– Où tu vas comme ça? Il est trois heures du matin!

– Justement, dit l'Empereur en enfilant son tee-shirt de Shakira. À cette heure-ci, je suis sûr de la trouver au travail.

– Au travail? En pleine nuit?

Ce n'était pas possible que Georgette ne soit née que pour être une simple prostituée de Pigalle. L'alcool la gâchait. Lui gâchait sa santé, lui gâchait son avenir. Le destin lui réservait quelque chose de bien plus grand, il en était persuadé. Tout comme son aïeul, elle était née pour devenir un grand homme. Enfin, une grande femme.

La liste des courses impériales

Trois jours plus tard, tout ce petit monde se rassembla sur le parking du Formule 1. Napoléon prit le moderne porteplume quatre couleurs Bic que lui tendait Valentin et commença à noter le matériel dont ils auraient besoin pour leur mission. Alors qu'il parlait à voix haute, Charlotte, amoureuse, le regardait avec des yeux brillants. Derrière un grand homme, il y avait toujours une femme. Elle serait celle-là.

4 packs de Coca-Cola Light (champagne noir), 10 paquets de bâtonnets Findus, 2 bouteilles de champagne pas noir, 4 packs de 6 bouteilles d'eau minérale, 10 boîtes de cornedbeef, 5 paquets de pain de mie, de la sauce tomate, 10 boîtes de sardines, 3 coupe-ongles pour les pieds, 5 paquets de 10 rouleaux de papier hygiénique, du café, 6 burqas taille normale, 1 burqa taille XXXXL, 5 strings en dentelle fine taille S, 1 string en léopard taille XXXXL, une boîte de 6 préservatifs, un pistolet en plastique d'enfant, quelques balles à blanc, une tête de porc (avec du persil dans le groin), une valise à roulettes assez grande pour contenir Valentin, une valise à roulettes pour mettre les provisions.

– Valentin, Adeline et Mireille, vous vous chargerez de tout ce qui est alimentation et burqas. Il doit y en avoir au Carrefour Barbès. Peggy, Hortense et Mamadou, vous vous occuperez des préservatifs et des strings. Ah, et de la tête de porc ! Vous devriez trouver tout cela à Pigalle.

– Attends, attends, s'exclama Valentin en levant la main.

Des strings, des préservatifs, du champagne, une tête de porc, tu prépares une orgie, un banquet ou une guerre ? Charlotte avait raison, la guerre, pour Napoléon, c'était bien une fête chez Eddie Barclay. Avec Johnny Hallyday et tout et tout. Un dicton disait que l'on a beau regarder un lac pendant des heures, cela ne le change pas pour autant en océan. Elle avait beau regarder autour d'elle, elle ne voyait aucune Grande Armée, juste une brochette de danseurs de french cancan, une prostituée, un balayeur et un imam. Mais leur courage, leur conviction et leur force les transformaient en une belle armée. Le lac n'était peut-être qu'un lac, il avait les couleurs et l'élan d'un grand océan.

– Pour le champagne, je peux vous expliquer. En cas de victoire, je le mérite. En cas de défaite, j'en ai besoin. Pour les strings...

– Et les armes dans tout ça ? coupa Valentin.

– Il a prévu des balles à blanc, dit Charlotte.

– Et un pistolet d'enfant, surenchérit Peggy.

– Super ! On est sauvés alors ! Le plan, c'est de prendre une poignée de balles à blanc et de la balancer au visage des terroristes ? Ou juste de les pointer avec un pistolet en plastique et de dire « Pan-pan, vous êtes tous morts ».?

Tout le monde se tourna vers Napoléon, qui ne broncha pas.

– On part bien en guerre, n'est-ce pas ! reprit Valentin. À moins que tu ne veuilles leur balancer des canettes de Coca Light ou des bâtonnets Findus dans la gueule, il faudra bien que l'on se procure des armes pour tuer ces terroristes !

Rachid allait prendre la parole, mais le petit Corse le retint d'un geste de la main.

– J'ai longtemps cru en ces méthodes, Valentin, dit-il. Mais je me suis rendu compte que si nous utilisons les leurs, alors nous ne vaudrons point mieux qu'eux. Nous serons des terroristes à notre tour. Veux-tu te rabaisser au même niveau ?

Toute la troupe s'approcha de l'Empereur pour former un cercle autour de lui. On se serait cru durant une veillée de colonie de vacances. Il ne manquait plus que la guitare et le feu de camp.

– Vous savez, j'ai tué, enfin, tué et fait tuer, près d'un million de personnes, ce qui m'a valu mon surnom d'ogre dans la presse. Et il n'y a point un seul jour où je ne pense à ces morts, que je croyais nécessaires, à ces hommes qui étaient de mon camp et qui sont morts pour la France, à ces hommes qui étaient dans le camp adverse et qui sont morts pour leur pays, quel qu'il soit. Nous étions tous habités par le même désir, celui de vaincre. Ces ennemis auraient pu être mes soldats s'ils étaient nés du bon côté de la frontière. Je faisais la guerre pour être en paix. Pour que nous vivions tous dans un monde pacifique. Je me battais contre l'obscurantisme, la dictature, l'anarchie, le désordre, pour Dieu. J'étais persuadé d'incarner le bien et que je luttais contre la barbarie, au nom de la Révolution française et de ses idées. J'en suis toujours persuadé. Enfin...

Un sentiment de tristesse l'envahit.

– Je pensais à vos caricaturistes et je me disais qu'aujourd'hui, on pouvait faire la guerre d'une autre manière. Sans avoir à subir toutes ces pertes. Toutes ces batailles m'ont appris que vaincre ne sert à rien. Qu'il faut convaincre. C'est beaucoup plus durable. Vous avez la chance de vivre à une époque où la technologie, la science et l'intelligence ont atteint des sommets incroyables, regardez, vous avez même inventé le papier hygiénique ! Et cela me pousse à penser, et il me plaît de penser qu'aujourd'hui il est possible de mener à bien une guerre sans tuer des gens. Nous allons vaincre et convaincre.

– Peut-on te faire confiance ? demanda le désossé.

– Un écrivain de mon époque, Stendhal, a écrit qu'aucun général n'avait gagné autant de grandes batailles que moi avec aussi peu de moyens sur des ennemis aussi puissants...

– C'est sûr que gagner une guerre avec des strings et des coupe-ongles, ça mérite d'être dans le Livre des records ! s'exclama Mamadou.

– Comment comptes-tu t'y prendre ? demanda Valentin, les yeux emplis d'espoir.

– Si mon chapeau connaissait mon plan, je le mangerais.

– Qu'est-ce que cela signifie ? demanda Adeline.

– Que je ne partage jamais mon plan avec personne.

– Tu es superstitieux ? demanda Mamadou, qui l'était.

– Oh non ! se défendit Napoléon. Juste un peu parano.

Le professeur Bartoli ne perd plus rien

Depuis qu'il avait perdu la trace de Napoléon, le professeur Bartoli passait toutes ses nuits au Formule 1 et toutes ses journées dans le terminal de l'aéroport Charles-de-Gaulle. Il était persuadé que son protégé n'en était pas sorti, qu'il tournait comme une âme en peine entre le duty free, les comptoirs de transit et les cafétérias. Il l'imaginait perdu, apeuré, seul, affamé, sans un seul euro en poche pour s'acheter un sandwich. Pauvre Napoléon. Tout cela était de sa faute. Il n'aurait jamais dû le laisser sans surveillance. Ne fussent que cinq minutes.

Ce matin-là, il fit sa ronde comme à l'accoutumée. Terminal 2F, où il l'avait perdu, porte d'embarquement F43, puis F44, F45, F46, tous les F, puis tous les A, les B, les C, les D, les E, les toilettes, les restaurants, et même la petite salle de recueillement. On ne savait jamais. Peut-être l'Empereur était-il en train de prier tous les saints de lui venir en aide, assis sur un petit tapis de sol bleu comme ceux utilisés pour le yoga ou la méthode Pilates, entre un juif et deux bouddhistes en escale.

Ses recherches terminées, sans aucun résultat, il décida de se payer un café dans l'un des snacks dont la baie vitrée donnait sur les pistes et de se relaxer un peu en regardant les avions décoller vers d'autres cieux. En réalité, cela ne le détendait pas du tout, car chaque avion qui décollait lui rappelait qu'il aurait dû être dedans, avec Napoléon, en route pour l'Île de Beauté où l'attendait sa femme avec un bon plateau de charcuterie corse.

Alors qu'il posait son café sur la table haute, contre la vitre, il vit au loin, sur l'un des parkings réservés aux personnalités et aux vols privés, une troupe de gens colorée monter dans un petit jet. Il ajusta le tabouret et s'assit, tout en enlevant le couvercle de son gobelet de café. Une colonne de fumée s'éleva devant lui et embua quelques secondes la vitre.

Quelle chance ils ont, se dit-il, en tournant à nouveau son regard vers la troupe bigarrée. Il imagina un instant la destination de rêve vers laquelle ils s'apprêtaient à partir. À en juger par leurs boubous rouges, blancs et bleus, il s'agissait sans doute d'hommes politiques africains. Ou de la Compagnie Créole en tournée.

Puis il remarqua que leur visage, à l'exception d'un seul, était blanc et que ce qu'il avait pris pour des robes africaines étaient en réalité des robes de french cancan, comme en portaient les danseuses du Moulin Rouge. Ce détail aviva plus encore sa curiosité. Derrière les danseuses marchait un homme portant un uniforme vert et jaune de balayeur de la municipalité de Paris, ce qui donnait à la colonne un faux air de Village People. Il ne manquait plus que le flic motard et l'ouvrier de chantier torse nu. Puis venait un Arabe, habillé en djellaba, qui boitait. Suivait une énorme bonne femme, les cheveux en pétard, vêtue comme une prostituée dans une version de *Pretty Woman* au rabais, tenant une bouteille à la main. Quels drôles de gens! Se pouvait-il qu'ils se rendent à un bal costumé?

Soudain, alors que son regard arrivait à la fin de cette longue chenille qui disparaissait dans le jet privé, il aperçut une silhouette familière. L'homme n'avait plus la chemise blanche et la veste noire de costume qu'il portait lorsqu'il l'avait rencontré pour la première fois, mais il le reconnut aussitôt. Son cœur explosa dans sa poitrine. Napoléon fermait la marche, arborant avec fierté un tee-shirt sur lequel s'étalait en grand la tête de Shakira.

Et puis, tout alla très vite. Il reconnut le jet privé. Il s'agissait du même qu'il avait vu ces derniers jours sur le parking du Formule 1, sur la remorque de la Ferrari garée devant sa chambre. Ce matin, en sortant de l'hôtel, cet étrange convoi avait disparu. Et pour cause! Il entendit à nouveau dans son esprit les gémissements de la louve de la chambre d'à côté et ses «Vive l'Empereur!» et il n'eut plus aucun doute. Napoléon avait été là, sous ses yeux, tous les jours, et il n'avait rien vu.

– Sire, où allez-vous, Sire? cria-t-il à travers la vitre. Attendez-moi!

Les touristes assis autour de lui se tournèrent vers ce fou qui hurlait en direction des avions et donnait de grands coups contre la baie vitrée. Était-ce un terroriste sur le point de se faire exploser au petit déjeuner? On n'attendit pas pour le savoir et on se cacha sous les tables alors que le professeur Bartoli bondissait de son tabouret et partait en courant à la recherche de la première porte donnant sur les pistes.

Napoléon passe son armée en revue

Pendant que le professeur Bartoli courait comme un possédé au milieu des passagers et des bagages, se glissait par une porte d'embarquement sous le nez des hôtesses, dévalait une passerelle, ouvrait une porte, descendait un escalier quatre à quatre et détalait sur la piste en direction du jet privé, Napoléon passait une dernière fois en revue ses troupes, étranger à l'effervescence dont il allait bientôt être témoin.

– Charlotte ?

– Présente.

Il savait très bien qu'elle était là. Il ne pouvait détacher son regard d'elle depuis qu'ils étaient entrés dans l'avion. En réalité, depuis qu'ils s'étaient rencontrés dans la loge du célèbre cabaret, il y avait de cela une semaine. Depuis qu'elle était entrée dans sa vie.

– Valentin ?

– Présent.

Napoléon traçait à l'aide de son stylo un petit trait à côté de chaque prénom inscrit sur sa feuille de papier pour bien confirmer qu'il n'appelait personne deux fois et qu'il ne manquait personne à bord.

– Georgette ?

– Sharon, répondit l'intéressée, sans lever le nez du goulot de sa bouteille de vin blanc.

– Je suis heureux que tu sois là, Sharon. Je suis sincère.

La femme regarda son aïeul de ses yeux vitreux. Elle était déjà soûle à dix heures et demie du matin. Et fatiguée de toute sa nuit à discuter avec lui.

L'Empereur était particulièrement content de sa petite victoire. Il avait réussi à la convaincre. Cela n'avait pas été facile. D'abord, il y avait eu le maquereau de l'entrée qui l'avait reconnu et s'était mis en tête de lui faire goûter son poing droit. Et qu'il avait pu amadouer en promettant d'organiser dans son bordel un spectacle privé avec cinq authentiques danseuses de french cancan, chose qu'il n'avait pas encore dite aux filles, d'ailleurs. Puis, après deux heures à essayer de convaincre Sharon, avec ses belles paroles d'Empereur, en vain, il avait trouvé les bons arguments, obtenant par le vin ce qu'il n'avait pas réussi par les mots. Il lui avait promis de la rémunérer en bouteilles de blanc. Six magnums de sancerre. Et l'affaire avait été réglée.

Mamadou, Hortense, Rachid, Peggy, Mireille, Adeline. Tous passèrent sous le coup de stylo de l'Empereur.

– Et enfin moi, dit-il pour clore l'appel. Dix.

Le compte était bon. On pouvait y aller.

Au moment où Valentin sortait pour tirer l'énorme porte de l'avion vers l'intérieur, il vit un homme, courant vers lui. Celui-ci grimpa à l'échelle, les yeux exorbités, le visage rouge et couvert de sueur.

– Attendez-moi! hurla-t-il.

– Qui êtes-vous? demanda le désossé.

– Mon ange gardien, dit la voix de Napoléon, derrière lui.

Où l'on apprend (enfin!)
de quoi est professeur le professeur Bartoli

– Cela fait plusieurs jours que je vous cherche en vain, expliqua le grand Corse en essuyant son visage ruisselant à l'aide du morceau de papier hygiénique que Mireille venait de lui tendre. Alors que je logeais dans le même Formule 1 que vous, si j'en juge par cet avion! Avez-vous aussi une Ferrari?

– Oui, mais je l'ai laissée à Dessouches, mon généalogiste.

L'Empereur avait dû s'en séparer le temps de la mission, à contrecœur, car si, sur terre, la Ferrari pouvait remorquer l'avion, celui-ci, en revanche, ne pouvait remorquer la voiture de sport une fois dans les airs. Logique implacable.

– Votre généalogiste!

On laissait Napoléon Bonaparte deux secondes et il vous sortait une Ferrari, un jet privé et un généalogiste de derrière les fagots aussi vite que MacGyver vous fabrique un hôtel 5 étoiles dans la jungle amazonienne avec trois allumettes et un chewing-gum. Les historiens n'avaient pas surestimé son génie. Et dire qu'il le pensait perdu dans le terminal de l'aéroport, comme un enfant seul et désespéré.

– Mon généalogiste, répéta Napoléon, comme si c'eût été là la chose la plus naturelle du monde. Bien...

Il regarda autour de lui, embarrassé, ne sachant qu'ajouter. Et maintenant, qu'était-il censé se passer? Le professeur allait-il vouloir l'emmener de force dans l'Île de Beauté pour qu'il prenne sa retraite bien méritée?

– Je suppose que vous ne partez pas pour la Corse, dit le professeur avec ironie.

– Disons que j'ai une affaire urgente en cours. J'ai attendu deux siècles pour prendre des vacances. Elles pourront bien attendre quelques jours de plus.

– Je peux vous demander où vous allez ? À vous voir, on dirait que vous partez faire la fête au soleil. Martinique ? Guadeloupe ? Vers quelle destination de rêve vous envolez-vous donc ?

– Syrie, dit Valentin.

– Syrie ? répéta Bartoli, les yeux grands comme des pastèques. Vous voulez parler du pays qui est en guerre ? Le pays où ils décapitent les enfants ? Où ils crucifient les chrétiens et balancent les homosexuels du haut des immeubles ?

– Charmant, n'est-ce pas ? La dernière fois que j'y suis allé, j'avais rendu visite aux pestiférés de Jaffa. C'était en 1799. Cela ne peut pas être pire.

– Sans doute...

– Voulez-vous nous accompagner ? demanda Napoléon, le regard empreint d'expectation. Plus on est de fous...

C'est le cas de le dire... pensa le professeur Bartoli. Ces gens-là sont fous à lier. Étaient-ils sérieux ou se moquaient-ils de lui ? Le visage fermé des deux hommes l'inclinait vers la première option.

– Vous voulez que je vous accompagne en Syrie ?

– C'est vrai, c'est pas Disneyland, répondit le désossé, mais vous n'êtes plus un enfant, vous êtes sans doute chrétien mais pas pratiquant, et votre chemise XXL en jean et votre sac banane me laissent penser que vous n'êtes pas gay. Vous ne risquez donc rien !

Annonciade avala sa salive. Sa malchance continuait. Dans son esprit, il posa la Syrie puis le Formule 1 sur les plateaux d'une balance imaginaire et soupesa les deux options que la vie lui offrait. En Syrie accompagné ou à l'hôtel seul. Après tout, quitte à passer quelques jours dans un endroit minable, autant être en bonne compagnie. Il redoutait de se retrouver une seconde fois dans sa chambre bon marché, avec ses deux pauvres bouteilles de whisky. Et puis, c'était le meilleur moyen de ne plus perdre la trace de Napoléon. Quand rentreraient-ils donc à la maison ? Il imagina le squelette de sa femme qui les attendait, tenant à bout de bras le plateau de charcuterie corse décomposée pleine de vers et de toiles d'araignée.

– Ça a l'air plutôt amusant, mentit-il. Je n'ai pas de déguisement, mais si je peux me joindre à votre petite sauterie, ce sera avec grand plaisir.

Et l'oscar pour le meilleur acteur est pour... Annonciade Bartoli ! Il s'imagina recevant le trophée, des mains de Jack Nicholson, sous un tonnerre d'applaudissements.

– Bien que j'imagine que vous ne partez pas faire la fête là-bas, n'est-ce pas ? ajouta-t-il.

– Vous imaginez bien, dit Napoléon. On part casser du djihadiste. Vous en êtes ?

Le grand Corse déglutit.

– Casser du djihadiste, hein ? parvint-il à articuler. Pourquoi pas ?

Pourquoi pas ! Non mais qu'est-ce qu'il racontait ? On n'était pas en train de lui proposer un thé au citron et des biscuits. « Vous reprendrez bien du café ? Oh, allez, pourquoi pas ? » On l'invitait à aller se faire dézinguer en plein pays en guerre, chez des sauvages qui empalaient des Européens au bout de leurs piques à méchoui avant de se curer les dents avec. Et lui répondait « Pourquoi pas ? » Il n'était même pas foutu de monter voir son voisin du dessus lorsque celui-ci mettait la musique un peu trop fort, et il disait « Pourquoi pas ? » quand on lui demandait d'aller casser du djihadiste en Syrie !

– À propos, dit Napoléon, j'avais une petite curiosité à votre sujet.

– Oui ? demanda l'autre, s'attendant au pire.

– De quoi êtes-vous professeur, professeur Bartoli ?

– Oh, je suis chirurgien, répondit-il, soulagé. Un éminent chirurgien (ce n'est pas moi qui le dis) spécialisé dans la reconstruction morphologique.

– Un médecin ? Nous ne pouvions rêver mieux pour cette mission périlleuse ! Nous aurons besoin de toute votre habileté et votre professionnalisme.

Bartoli dodelinait de la tête, mais il n'écoutait déjà plus.

– Euh... pour revenir à notre conversation antérieure, dit-il après être revenu à lui, vous savez qu'on a de fortes chances de se faire buter dès qu'on aura posé la pointe de l'extrémité du gros orteil là-bas ? Et que s'ils ne nous tuent pas, c'est juste parce qu'ils veulent nous torturer pendant des jours et des jours, nous soumettre aux pires sévices, pour à la fin se servir de nous comme monnaie d'échange et faire chanter la France ou les États-Unis, qui ne bougeront évidemment pas le petit doigt pour nous ? Et qu'après quelques vidéos de soutien sur Youtube, quelques clips minables filmés sur des webcams dans les chambres tout aussi minables d'adolescents boutonneux à la recherche de renommée et de likes sur Facebook, le reste du monde nous oubliera plus vite que la danse de l'été à la mode ? Ils nous égorgeront alors comme des cochons et ils nous balanceront encore vivants et chauds dans des charniers où on rendra, avec un peu de chance rapidement, notre dernier souffle. Tout cela, bien entendu, si un berger rebelle ne nous a pas envoyé un missile de lance-roquettes artisanal avant qu'on atterrisse pour nous désintégrer dans les airs. Vous savez tout ça, non ?

– Bien sûr. Vous venez ?

– Bon, d'accord.

Napoléon s'en va-t'en guerre

– Professeur, vous venez de gagner votre billet pour cette inoubliable aventure. Mettez-vous à l'aise. Vous voulez un Coca Light?

Bien chargé, alors, le Coca, pensa le médecin. Avec beaucoup de whisky dedans, et vingt-cinq Valium tant qu'on y est. Et puis une brouette de feuilles de camomille et trois mille gouttes d'huile essentielle de lavande fine, si c'est pas trop demander. J'ai jamais cru en l'homéopathie mais au point où j'en suis... Et à propos, qu'est-ce qu'elles ont ma chemise en jean et ma banane?

Son visage était blanc comme un linge.

– Tout ira bien, vous verrez, dit Napoléon en souriant.

Il lui donna une petite tape amicale sur l'épaule avant de disparaître dans le cockpit. Là, il attacha sa ceinture et écouta les consignes de sécurité que donnait Hortense dans la cabine des passagers. Assis sur le siège du copilote, il aurait désiré être de l'autre côté de la porte du cockpit pour voir la femme se dandiner au milieu du couloir comme il l'avait vue faire au départ d'Oslo. Il l'imaginait accompagnant ses paroles de gestes doux mais précis pour indiquer les issues de secours. Ce qu'il aimait par-dessus tout, c'est quand les hôtesses de l'air soufflaient dans le petit tube en plastique rouge qui dépassait de leur gilet de sauvetage. Il trouvait cela très érotique. Il ne pouvait s'empêcher de s'imaginer à la place de l'embout. Enfin, avoir un embout, ce serait déjà un rêve pour lui.

Quelques minutes plus tard, Hortense regagna la cabine de pilotage et se mit aux commandes. Elle actionna avec dextérité une multitude de boutons plus ou moins lumineux devant et au-dessus d'elle. L'Empereur suivait du regard les gestes de la danseuse avant de les mimer pour les mémoriser, apprenant de la sorte à piloter. Rappelez-vous, c'était un homme très intelligent.

Bientôt, les moteurs vrombirent comme deux immenses essaims d'abeilles. La pilote se mit un casque sur les oreilles et brancha la radio sur la fréquence de la tour de contrôle.

– Vol privé « Napoléon » avec plan de vol TTR4, demande autorisation de décoller piste 26R pour vol instrumental destination Raqqa, Syrie.

Le contrôleur aérien Léo Machin, nouvellement affecté à la tour de l'aéroport Charles-de-Gaulle, lui donna la permission de décoller, tout en se disant que ces jours-ci, on lui adressait de bien étranges requêtes.

Pour la deuxième fois de sa vie, l'Empereur ressentit ce bien-être qui apaisait son estomac lorsque l'avion s'éleva doucement vers les nuages. Les premiers instants d'une guerre avaient des charmes inexprimables. Il aimait ce calme avant la tempête. Il éprouvait les mêmes sensations que lorsqu'il était parti en guerre contre les Autrichiens, à Wagram, et espérait connaître la même issue glorieuse.

Le discours d'un grand chef

Après une escale technique en Grèce pour refaire le plein (Napoléon souhaitait garder pour une urgence les deux bidons de carburant offerts par le millionnaire), le jet privé, baptisé Marengo, continua sa route au-dessus de la Méditerranée. Lorsque l'Embraer survola la Turquie, l'Empereur ressentit une légère douleur dans l'estomac, sur son ulcère. On approchait. Il avait l'habitude de sentir ses ennemis dans sa chair, il sentait la guerre dans son corps. Il quitta son siège de copilote pour se rendre dans la cabine de passagers.

Fidèle à son habitude de prononcer un discours pour ses hommes avant chaque bataille, afin de les motiver et de se motiver lui-même, le général se plaça face à sa troupe, debout, imposant malgré sa petite taille (il faut dire que tout le monde était assis), et s'éclaircit la voix.

– Pour ceux qui me connaissent bien (il regarda en direction du professeur Bartoli), et ceux qui me connaissent moins (il regarda Rachid, Valentin et les danseuses de french cancan), voire point du tout (il regarda Mamadou), voire qui n'en ont rien à faire (il regarda Sharon, avachie dans un coin, les yeux rivés sur sa bouteille de vin blanc comme s'il s'agissait de la huitième merveille du monde), je me suis illustré dans de nombreuses batailles. De mon vivant, on a toujours applaudi et couvert d'éloges mon génie tactique, militaire, dont Austerlitz fut à jamais le chef-d'œuvre. C'était il y a quelques années, cela ne nous rajeunit point tout ça, le 11 frimaire an XIV, le lundi 2 décembre 1805 pour vous, dans le sud de la Moravie, une partie de votre République tchèque. Après neuf heures de combat, ma Grande Armée a battu l'armée réunie des Autrichiens et des Russes, forçant les empereurs François II et Alexandre Ier à s'incliner devant moi. Ce même Alexandre Ier qui me vaincrait quelques années plus tard et me volerait mon palais de l'Élysée.

Il fit une pause. Comme si l'évocation de ce désagréable souvenir provoquait encore en lui une douleur lancinante. Charlotte lui apporta une canette de Coca-Cola Light qu'il vida d'un trait. Une fois revigoré, Napoléon reprit son discours.

– Mais l'ennemi d'aujourd'hui est différent. Je ne pourrai donc me fonder ni sur mon expérience, ni sur aucune de mes batailles, aucune de ces grandes victoires qui ont porté mon nom par-delà les terres, les mers et les siècles. Autres temps, autres mœurs. Le visage de notre ennemi n'est point un mais multiple. Tel le diable, il porte plusieurs noms pour se dissimuler. État islamique, Daesh, Al-Qaïda, Aqmi, Al-Nosra, Ansar Dine, Boko Haram… Autant de noms désignant le même cancer, le même ulcère (Napoléon glissa sa main sous son tee-shirt de Shakira), le même mal. Aujourd'hui, la lutte est différente car bien qu'il se fasse appeler État islamique, notre ennemi n'est point un État. Non, nous ne partons point en guerre contre un pays, un peuple, comme je l'ai fait tant de fois dans ma vie, mais contre une idéologie, une croyance. Or, croyez-moi, il est impossible de détruire une idéologie. Je puis vous l'assurer. Il est impossible de détruire une croyance, et la longévité du christianisme, du judaïsme, de l'islam et des idées de la Révolution française parle dans mon sens. Les personnes meurent, les idées demeurent. On ne peut pas détruire une idéologie surtout lorsque autant de personnes sont persuadées d'être dans le vrai.

– C'est comme pour la Mafia, dit Mireille. On peut en tuer plein, on peut mettre les gros poissons en prison, la Mafia renaît de ses cendres, parce qu'il y a toujours un petit jeune sorti de nulle part qui reprend le flambeau. C'est un combat sans fin. Mais tu n'as pas vu *Le Parrain*, je suppose.

– Non, je ne connais point ce parrain, mais la croyance est comme un ver de terre qui repousse toujours quand on le coupe en deux. Rien ne peut l'arrêter, sauf peut-être le tuer. Mais aujourd'hui, nous ne pourrons point tuer le ver. D'abord, parce que nous voulons régler cela sans verser de sang, je l'ai promis (il regarda Rachid), ensuite, parce que nous sommes confrontés à des dizaines de milliers de vers de terre. Des réseaux aux ramifications multiples qui gangrènent les pays orientaux mais aussi occidentaux. Du Moyen-Orient à l'Afrique, en passant par l'Asie et l'Europe. Et même aux États-Unis. L'ennemi est infiltré. Il est partout. Ces gens-là sont déterminés. C'est leur croyance qui les pousse au combat. Il n'y a donc que leur croyance qui les poussera à laisser les armes. Car si leur croyance est la racine de ce mal, elle en est aussi le remède. Ne produit-on point un remède contre le poison de serpent avec ce même poison ? Vos vaccins ne contiennent-ils point une dose infime de la maladie contre laquelle ils sont censés lutter ?

– C'est exact, confirma le chirurgien.

– L'encyclopédie Internet m'a appris que les djihadistes pensent que l'enfer leur est réservé s'ils se font tuer par une femme. Étonnant, n'est-ce pas ? Croyances tribales, primitives, mises au service des armes et de la violence. Les Kurdes le savent et multiplient aujourd'hui le recrutement de dames dans leurs rangs, ce qui effraie les djihadistes au plus haut point. Une armée de femmes luttant comme une armée d'épouvantails. Je sais que cela semble ridicule. C'est un peu comme si l'on partait en guerre aux Carpates avec pour seule arme un collier d'ail au cou. Mais les vampires ne craignent-ils point l'ail parce qu'ils croient qu'ils le craignent ? Parce que nous avons réussi à leur faire croire qu'ils le craignaient. Mentez, il en restera toujours quelque chose, dit le dicton. Mentez et vous sèmerez le doute. Regardez, on a toujours dit qu'un coup de canon de mon armée était responsable du nez mutilé du Sphinx, en Égypte. Alors que des gravures de 1400 montraient déjà le monument dépourvu de son appendice. Mentez, affabulez, tout comme ces fidèles ont réussi à se mettre dans la tête, et dans celle des autres, qu'être tué par une femme vous balance illico presto aux enfers, ou que votre action héroïque vous propulsera au paradis en compagnie de cinquante vierges !

– Soixante-douze, précisa l'imam de la Grande Mosquée de Paris qui était en train de traiter sa jambe de bois avec un spray anti-termites.

– A-t-on encore des érections quand on est au paradis ? J'en doute, mais eux, ils croient en tout cela, et ils font bien, car aujourd'hui, nous allons leur faire croire dur comme fer en autre chose. Et c'est bien cela qui va nous sauver. Notre arme, c'est leur croyance aveugle. Si on ne peut point dissuader un fanatique de croire, on peut changer l'objet de sa foi. Mon expédition en Égypte de 1798 me faisait déjà envier ces peuples qui sont du pain bénit pour les despotes. Ces peuples que l'on peut encenser et fanatiser simplement en nous prétendant prophètes. Je ne suis point né au siècle des Lumières pour voir le monde retourner dans l'obscurantisme... Ne vous méprenez pas, je ne suis point athée. Je crois en Dieu, et je respecte que l'on croie à Allah. Mon combat n'est point contre les musulmans, mais contre ceux qui veulent nous convertir à coups de sabres et de terreur.

Napoléon appuyait ses paroles de gestes bien placés, appropriés. Il changeait l'inflexion de sa voix lorsqu'il voulait souligner un mot, une phrase. Il était né pour discourir. On aurait pu l'écouter lire les Pages Jaunes avec autant de ferveur.

– Notre arme, c'est leur croyance, répéta-t-il.

– La religion, c'est l'opium du peuple, dit Rachid. C'est de Karl Marx.

– Karl Marx? Connais point.

– Un communiste. L'inventeur de la théorie de la lutte des classes. Ça ne te dit rien, c'est sûr, c'était après toi, grand-papa...

– Ça me dit rien non plus, dit Adeline, et pourtant, c'était avant moi.

– Si, surenchérit Mireille, tu sais bien, c'est celui des Marx Brothers. Celui avec la grosse moustache.

– Si la religion est l'opium du peuple, continua Napoléon, alors qu'ils s'apprêtent à avoir une surdose!

– Une overdose!

Il éclata de rire. Tout le monde en fit autant.

– Vive l'Empereur! cria-t-on.

– Re-vive l'Empereur!

– Oui, notre arme, c'est leur croyance, reprit le petit Corse appelant au calme la main levée, et lorsque j'ai compris cela, j'ai compris que nos ennemis pouvaient être des millions et nous onze, nous remporterions le combat. Peu importe où il se niche sur Terre, il nous suffit de trouver le cerveau et d'inoculer en lui le doute, le petit ver qui pourrira la pomme.

Il leur ressortit alors la phrase qu'il avait lancée à ses maréchaux la veille de la bataille d'Austerlitz.

– Jeunes gens, étudiez bien ce terrain, nous nous y battrons. Vous aurez chacun un rôle à jouer.

– Même moi? demanda l'ex-balayeur reconverti en ministre de la Nouvelle Petite Grande Armée, levant le doigt comme un élève discipliné.

– Le tien est le plus important de tous, Mamadou!

Le jeune homme sourit de toutes ses dents blanches, satisfait et fier. C'était la première fois qu'on daignait lui donner autant d'importance.

Sharon avait relevé la tête. Étonnant pour quelqu'un qui, en général, ne montrait aucun intérêt pour tout ce qui ne ressemblait pas, de près ou de loin, à une bouteille de sancerre. Son œil était encore vitreux mais elle semblait lutter de manière surhumaine pour essayer de suivre la conversation.

– Même moi? réussit-elle à articuler.

– Bien sûr, même toi, Sharon. Il y a un rôle primordial pour chacun d'entre vous. Tu es une étoile, ma petite-petite-fille, une étoile que jusqu'à maintenant ni la vie ni personne n'a donné l'occasion d'étinceler. Mais tu es une étoile. Et aujourd'hui, tu es sur le point d'illuminer l'espace de ta belle lumière, crois-moi.

Les yeux de la prostituée brillèrent et une larme s'échappa de ses pattes d'oie pour venir couler sur sa joue. Jamais on ne lui avait parlé de la sorte. Sa vie n'avait été que brutalité et insultes. Jamais personne ne lui avait dit qu'elle était une étoile. Non, personne. Jamais. Même pour lui dire « T'es grosse comme une étoile! »

Napoléon se tourna vers les autres. Sa stratégie martiale s'était toujours appuyée sur la vitesse des déplacements et la supériorité numérique sur un point précis. Il avait l'habitude de dire qu'il gagnait avec les jambes de ses soldats, qu'il lui arrivait de perdre des batailles mais jamais au grand jamais des minutes. Jusqu'à maintenant, son plan avait toujours consisté à être le plus fort à un endroit donné, choisi d'avance, et où il avait posté le plus gros de ses troupes pour frapper le coup décisif, le coup de grâce, porter l'estocade guerrière et chanter la mort de l'ennemi. Mais le temps était venu de changer de tactique. Principalement pour deux raisons. La vitesse de leurs déplacements se limiterait désormais à celle du plus lent d'entre eux, à savoir Rachid et sa jambe de bois. Et, à onze contre des milliers, ils étaient loin d'avoir la supé-riorité numérique. S'adapter. Il fallait s'adapter.

– Disons qu'il faut tourner le nombre en notre faveur. Nous sommes onze, ils sont plusieurs dizaines de milliers, j'ai donc décidé de porter le coup fatal sur une seule personne. Un leader influent. Une personne à qui l'on changera la vision des choses et qui la changera aux autres, à la manière de…

– D'un domino cascade ? demanda Peggy.

– Connais point, mais si tu veux. Il sera la petite pomme dans laquelle nous glisserons le ver.

Alors Napoléon raconta tout ce qu'il savait au sujet d'un certain Mohammed Mohammed, plus connu, pour des raisons plus qu'évidentes, sous le nom de l'Ours de Mossoul, et que la petite troupe française, elle, décida de baptiser Mohammed au carré ou Mohammed^2. Une idée du scientifique, bien entendu.

– Du coup, nous sommes onze et il est tout seul, reprit Napoléon avec un petit sourire. Abracadabra, nous voilà en supériorité numérique !

Le professeur adorait ces histoires où dix Français triomphaient toujours de dix mille Cosaques. Les Cosaques avaient juste changé de visage. Un peu plus bronzés, un peu plus barbus.

– Qu'est-ce qu'il est brillant ! s'exclama Peggy devant cet éblouissant et soudain retournement de situation.

Peggy qui, telle Madame de Staël deux cents ans plus tôt, était fascinée par la supériorité de cet homme extraordinaire chaque fois qu'il ouvrait la bouche.

– Il est corse, justifia le chirurgien, qui était courageux comme un Corse lorsque cela l'arrangeait.

Napoléon bomba le torse.

– Et comment comptes-tu t'approcher de l'homme le plus dangereux de la Terre pour lui glisser ton petit ver de terre dans le cerveau ? demanda le danseur élastique.

– En amour comme à la guerre, pour en finir, il faut se voir de près.

Disant cela, il regarda Charlotte, qui sentit fondre son cœur.

– Ce ne sera point une attaque massive, reprit-il. Non. Cette fois-ci, nous ferons tout dans la finesse, comme en chirurgie. C'est une mission aller-retour. On y va, on fout le petit ver de terre, et puis on revient. Et le monde s'en trouve changé, à tout jamais. Voilà pourquoi j'ai baptisé cette opération, mission « Éclair ».

Éclair ? Chirurgie ? Ces mots plurent tout de suite à Mamadou et au professeur Bartoli. À Mamadou, parce que c'est ainsi que sa mère l'appelait quand il était enfant. Mon petit éclair au chocolat chéri. À Bartoli, parce que la chirurgie, il connaissait.

Quelquefois, la motivation, cela ne tenait qu'à quelques mots bien choisis, à trois fois rien, enfin, à pas grand-chose.

Napoléon change de métier

C'est impossible, dit la Fierté; c'est risqué, dit l'Expérience; c'est sans issue, dit la Raison; essayons, murmure le Cœur avait, un jour, dit William Arthur Ward. *Ils ne savaient pas que c'était impossible, alors ils l'ont fait* avait écrit Mark Twain. On aurait pu en trouver toute une ribambelle, de ces citations de grands auteurs et philosophes tirées des manuels d'épanouissement qui fleurissaient dans les kiosques des aéroports. Mais Napoléon avait eu l'idée en premier. « Impossible n'est point français », avait-il dit, synthétique, tranchant et précis comme un couteau japonais vendu au télé-achat. Car s'il y avait bien une chose dont il était sûr, c'est que l'on ne pouvait gagner une guerre qu'en partant victorieux. L'indécis, l'hésitant, le timide n'allaient pas loin. Il fallait se forger une volonté de fer et n'avoir peur de rien pour tout réussir dans cette vie. Oser, encore et toujours. Les perdants ne pouvaient que s'en prendre à eux-mêmes.

– Super, ton discours, Napy. Tu ferais un malheur comme coach de *personal development*. On est tous remontés à bloc... pour aller se faire tuer !

Valentin venait d'entrer dans le cockpit. Il tira sur un strapontin qui se déplia en grinçant et s'assit dessus.

– Valentin, est-ce que nous pourrons, un jour, avoir une conversation entièrement en français, toi et moi ?

– Mais c'est du français !

– Je doute fort que *cotchedepersonaldevelopmente* soit du français...

– OK. Disons entraîneur de développement personnel, alors.

– Bien, cela ressemble plus à la langue de Molière, bien que le sens en reste tout aussi obscur pour moi.

– Tu pourrais aider les gens à atteindre leurs objectifs. Comme Steve Jobs ou tous ces gourous américains qui écrivent des best-sellers. Tu deviendrais millionnaire et tu pourrais me rembourser mes cinquante euros, par exemple. La vie, c'est un peu comme une bataille. Une bataille contre soi-même, contre les difficultés qui surgissent. Trouver un emploi, perdre un emploi, perdre un être aimé, trouver un mec ou une fiancée, s'épanouir, être heureux. Tu as réussi à motiver et à convaincre onze personnes de te suivre dans un pays en guerre, avec pour seules armes des pistolets en plastique, des strings et des bâtonnets de poisson pané. Chapeau ! Ou plutôt bicorne ! Je pense que l'on peut appeler cela un tour de force. Tu as un don, Napoléon, pour sortir le meilleur de chacun de nous. Et je pense que cela pourrait servir à de nombreuses personnes perdues, indécises, et peu sûres d'elles partout dans le monde. Oui, tu devrais écrire un bouquin. Je plaisantais pour les cinquante euros, mais ça, c'est sérieux. C'est toi qui m'as dit que tu étais issu d'un milieu modeste et que tu ne parlais même pas français quand tu étais enfant. Ton ascension subjugue autant les petites gens que les plus grands intellectuels. Parce que tout le monde peut s'identifier à toi, et se prendre à rêver de ta success story, pardon pour l'anglicisme. Oui, Napy, tu es un héros accessible. Et ton expérience pourrait servir à tellement de gens.

L'Empereur se gratta le menton en signe d'intense réflexion. On profitait déjà de ses mémoires écrits à Sainte-Hélène. Devait-il accoucher d'un nouvel opus ? En outre, il avait appris qu'un livre sur lui sortait en moyenne chaque jour dans le monde. Sans qu'il touche un seul franc germinal de royalties pour cela, bien entendu.

– Les gens n'ont pas besoin de moi pour croire en eux.

– Tu te trompes. Tu sais, des études scientifiques ont démontré que ce que les autres pensent de nous influe sur l'opinion que nous avons de nous-mêmes. Il y a une expérience très célèbre à ce sujet, mais tu ne dois pas la connaître. Voilà, dans une école, ils ont pris deux classes de même niveau. Ils ont mis, dans chacune d'elles, un nouveau professeur en disant à celui du premier groupe que ses élèves étaient moins intelligents que la moyenne et rencontraient de sérieuses difficultés. Ils ont dit au second enseignant que sa classe était bien au-dessus de la moyenne. À la fin de l'année, ils ont analysé les résultats et se sont aperçus que les enfants du premier groupe avaient obtenu de piètres notes, alors que les autres avaient progressé.

– Comment est-ce possible ?

– En disant au premier professeur que ses élèves étaient nuls, son regard a changé sur eux. Il leur a parlé comme à des élèves nuls, stupides. Il a utilisé un langage enfantin avec eux, s'est cantonné à ne faire que des exercices de difficulté moindre. Le deuxième, lui, croyant avoir affaire à des enfants brillants, les a traités comme tels. Il leur a enseigné des choses compliquées, a suscité leurs aptitudes mentales, leur créativité, les rendant, du coup, meilleurs. Napoléon, tu nous as traités comme des personnes brillantes, et nous sommes en passe de le devenir. Grâce à toi.

Le regard du petit Corse se perdit dans l'océan bleu et blanc qui s'étendait devant eux. Aider les gens à identifier leurs objectifs dans la vie et les conseiller pour qu'ils les atteignent et soient heureux. C'était une belle occupation. De son temps, ce type de choses n'existait pas. Il se proposa d'y réfléchir sérieusement.

S'il revenait vivant de cette guerre.

Selfies et syphilis

Lorsqu'ils pénétrèrent dans l'espace aérien syrien, ce fut au tour de Rachid de venir en cabine pour se charger des conversations avec le centre de contrôle de la zone. Il ne fallait surtout pas qu'ils passent pour des Occidentaux, ce qui éveillerait sans aucun doute les soupçons. On ne connaissait pas très bien l'enracinement de l'État islamique dans le pays et il valait mieux être prudent. Surtout lorsque vous veniez en ennemi. Le poison fanatique s'était déjà infiltré dans toutes les couches de la société et il serait difficile de différencier, même pour l'imam de la Grande Mosquée de Paris, les Gentils Musulmans des Méchants Musulmans. L'ennemi pouvait s'être travesti. Comme eux en ce moment.

Tous les passagers du petit avion assistèrent à la scène, leur cœur menaçant de défoncer leur poitrine à tout moment.

La voix métallique d'un contrôleur aérien syrien résonna bientôt dans les petits haut-parleurs du cockpit.

‪– الحمام أين أخبرتني هلا سيدتي، يا المعذرة؟ *‬

Rachid décrocha le microphone et parla. Une courte conversation suivit entre les deux hommes.

– C'est bon, dit l'imam. On a l'autorisation de survoler

---

* Ne sachant comment traduire en arabe « Ici, centre de contrôle de Damas, veuillez vous identifier », j'ai mis la première phrase que j'ai trouvée dans un vieil Assimil « Excusez-moi, madame, où sont les toilettes s'il vous plaît ? » Mais bon, visuellement, pour des non-arabisants, ça donne le change, non ?

l'espace aérien syrien et de poursuivre notre route vers Raqqa.

– Bien, dit Napoléon. Bravo.

Et tout le monde dans l'avion reprit sa respiration. Chacun la sienne, bien entendu.

Avec Google Maps, cela ne prit pas longtemps pour repérer la base de l'État islamique dont la DGSE donnait les coordonnées précises, une croix rouge tracée sur la carte d'état-major téléchargeable sur son site. Elle se trouvait quelque part au sud de la ville, dans une frange de végétation luxuriante au beau milieu des étendues ensablées et montagneuses de la région. Raqqa, capitale proclamée du réseau terroriste, qui conquérait chaque jour un peu plus de terre syrienne.

– Il y a quelque chose que je ne comprends pas. Si les services secrets français savent où ils se cachent, pourquoi ne font-ils rien ? demanda Valentin.

– C'est vrai, ça ! s'exclama Peggy.

– D'abord, ils ne se cachent point. L'État islamique agit en toute impunité. La France n'intervient pas parce que ce n'est pas à elle d'intervenir. Du moins, seule. Il faudrait créer une espèce de coalition internationale qui réunirait ses forces, ses armes et ses cerveaux pour lutter contre les djihadistes. Mais, comme je vous l'ai dit, tout cela ne servirait pas à grand-chose. Quand bien même l'Europe attaquerait tous les camps d'entraînement, elle ne ferait que couper un morceau du ver de terre. Or, rappelez-vous, il repousse toujours. Inlassablement. De nouveaux groupuscules se forment chaque jour. Il faut une solution définitive. La nôtre. D'où notre présence ici. Allez, on se fait une petite syphilis pour immortaliser le moment ?

– Une syphilis ? demanda-t-on en chœur.

– Oui, vous savez, une photographie de nous-mêmes.

– Ah, un selfie ! corrigea Adeline.

– Oui, une syphilis.

Tout le monde éclata de rire et on se prit le portrait.

À l'évocation de la formule « solution définitive », le désossé du Moulin Rouge ne put s'empêcher de penser à la mort. Peut-être vivaient-ils là leurs derniers instants. Afin de retrouver un peu de courage, il se faufila jusqu'aux marchandises entreposées dans la soute arrière de l'avion et en sortit une bouteille de grand cru chambertin-clos-de-bèze, 2005.

– Ton champagne, c'est pour après la guerre, dit Valentin à Napoléon lorsqu'il fut de retour. Mon vin, c'est pour avant. Si on ne s'en sort pas, on aura au moins passé un bon moment avant de partir…

Tout le monde se regarda sans savoir s'il devait être rassuré ou pas. Avec beaucoup d'inconscience, on pencha pour la seconde option.

– J'ai lu dans Wikipédia que tu ne buvais que du chambertin, ajouta-t-il, cinq à six ans d'âge.

Au son caractéristique du psshbing, Sharon, qui végétait dans un coin, ouvrit les yeux. Son radar auditif et ses papilles se mirent aussitôt à fonctionner, secrétant un filet de salive qui teignit ses lèvres d'un gloss iridescent. Ce son, elle aurait pu le reconnaître parmi des millions. Elle était d'ailleurs capable de reconnaître le cru et le cépage, le château et l'année au seul son du bouchon qui saute. Un don qui ne lui avait jamais servi à rien. Psshbing! Grand cru chambertin-clos-de-bèze, 2005, identifia-t-elle. En voyant la bouteille de rouge, un grand sourire fendit son visage en deux. Elle avait tout bon. À choisir, elle aurait préféré du blanc, mais jamais elle ne crachait sur une bonne bouteille, peu importe sa couleur.

– Le vin, l'opium de Sharon! s'écria Charlotte.

– Bas les pattes! s'exclama Valentin. Ce vin-là, c'est pour Napoléon, qui l'appréciera plus qu'elle!

Le désossé versa un verre de chambertin à l'Empereur. Celui-ci en examina la robe en faisant tourner son verre devant lui puis en huma le contenu. Valentin dodelina de la tête. Il ne s'était pas trompé. Napoléon était un fin connaisseur. Et alors qu'il pensait cela, l'Empereur prit la bouteille d'Évian qui était posée sur une tablette à côté de lui et versa de l'eau dans son verre jusqu'à ras bord. Les yeux du désossé prirent la taille de deux ballons gonflables de Pilates.

– J'y crois pas ! Il coupe un grand cru classé avec de l'eau ! hurla le jeune danseur, pris d'une panique soudaine. Eh oh ! C'est pas de la Villageoise !

– Hérésiiiiiiiiiiiie ! hurla Sharon à son tour.

Le professeur Bartoli partit dans un fou rire. Le jeune danseur et la pochtronne se tournèrent vers lui, vexés.

– Qu'est-ce qui vous fait rire, vous ? demandèrent-ils en chœur.

– À l'époque, c'était tout à fait normal de couper le vin avec de l'eau, dit le médecin. Ils n'auraient jamais pu le boire pur, il était dégueulasse !

– Pur ? s'exclama le petit Corse, une moue de dégoût sur les lèvres. Mon Dieu, quelle horreur !

Et il but le breuvage d'un seul trait sous le regard hébété de Valentin, qui ne tarda pas à s'évanouir. Suivi de Sharon.

La burqa invisible

Il y avait un petit aérodrome de fortune sous contrôle djihadiste dans le coin. Le genre d'endroit super accueillant où même Rambo n'aurait pas voulu atterrir, fût-il en panne d'essence, ou son avion en feu. Et c'était précisément cette destination de rêve que Napoléon comptait faire découvrir à ses amis.

— Nous amorçons notre descente, dit Hortense, aux manettes de l'appareil. Veuillez regagner vos places. À partir de ce moment, l'accès aux toilettes est strictement interdit. Remettez votre tablette en position verticale et bouclez votre ceinture. *Ladies and gentlemen, this is your captain speaking...*

— Je ne pense pas que ce soit la peine de la faire aussi en anglais, coupa Valentin, qui avait repris sa place sur son strapontin dans le cockpit.

— Merci, Valentin, dit Napoléon.

— J'ai toujours rêvé de dire *This is your captain speaking*, expliqua Hortense avec la voix et l'illusion d'une petite fille qui va ouvrir ses cadeaux un matin de Noël. Et de donner la température extérieure, et dire qu'on vole à 30 000 pieds, et que l'on ne peut pas encore décoller parce qu'on recherche le bagage d'un passager qui ne s'est pas présenté à l'embarquement, et qu'on aura du retard à cause d'une restriction du contrôle aérien...

Était-elle à fond dans son rôle ou essayait-elle juste de détendre un peu l'atmosphère, personne n'aurait su le dire, car tous avaient d'autres choses à penser. Comme, par exemple, qu'ils étaient en train de survoler une région en guerre, une région où l'on jetait les homosexuels depuis le haut des immeubles, où l'on crucifiait les chrétiens et où l'on décapitait les Occidentaux. Quel sort ces monstres réservent-ils aux gays occidentaux catholiques? se demanda Valentin. Il s'imagina balancé dans le vide, décapité et cloué à une grosse croix. Il ferma les yeux et, pour la première fois de sa vie, se signa.

Il n'était pas le seul à inventer des choses. La tension était palpable. Certains étaient concentrés sur la mission, d'autres franchement morts de trouille, et d'autres, soûls. Le professeur Bartoli se tenait dans un coin, le visage livide. On sentait bien qu'il mourait d'envie de hurler « Au secours! » tout en prenant le premier parachute disponible pour sauter dans le vide. Ce qui n'aurait pas été une bonne idée, car il aurait été précipité vers la guerre bien plus vite.

En phase d'approche, Hortense serra fort le manche.

– Napy, tu sais pourquoi je suis danseuse de french cancan? demanda-t-elle sans quitter la piste des yeux.

– Parce que tu aimes danser?

– Non, parce que je ne suis plus hôtesse de l'air. Et tu sais pourquoi je ne suis plus hôtesse de l'air?

– Je sens que je ne vais point aimer la réponse.

– Parce que j'appréhende les atterrissages…

– C'est bien ce que je pensais. Je n'aime point ta réponse.

– Et tu sais pourquoi j'étais hôtesse de l'air avant? continua-t-elle.

– Je sens que je ne vais point aimer celle-là non plus.

– Parce que j'ai échoué à un examen de la licence de pilote.

– Je ne te demande pas lequel.

La jeune fille dodelina de la tête en se mordillant la lèvre.

– Atterrissage, dirent-ils en même temps.

– C'est ce que je craignais… Bien, alors ne pense pas que tu vas atterrir!

– Et à quoi tu veux que je pense ? demanda-t-elle en baissant le levier du train d'atterrissage.

Un bruit de trappe qui s'ouvre retentit. Face à cette perte soudaine d'aérodynamisme, l'avion ralentit.

– Je ne sais pas. Pense que tu vas décoller, par exemple. Tu es forte en décollage, non ?

Le visage crispé d'Hortense retrouva un souffle de vie. Elle sourit.

– Oui, mais si on décollait, l'avion monterait. Il ne descendrait pas comme maintenant.

– Alors mets-toi la tête à l'envers.

La pilote pouffa puis elle trouva que ce n'était peut-être pas une si mauvaise idée. Sans lâcher le manche, elle inclina sa tête sur son épaule droite.

– Ça va mieux ?

– Jamais je n'aurais pensé dire cela un jour, mais oui, c'est mieux.

– Bien.

Et c'est ainsi qu'elle réalisa le premier atterrissage réussi de sa vie.

Et le premier atterrissage de sa vie la tête à l'envers.

Alors que l'avion roulait jusqu'au parking de l'aérodrome, et qu'Hortense se massait la nuque, Napoléon distribua les voiles intégraux et tous les enfilèrent. Excepté Rachid, qui n'en aurait pas besoin pour dissimuler des traits occidentaux, Valentin, qui se glisserait dans une des deux valises aussitôt qu'ils sortiraient de l'appareil, et le professeur corse, que l'on n'avait pas compté dans les achats de burqas et que l'Empereur somma de rester dans l'avion. Il était médecin. En le gardant caché dans l'Embraer, ils le maintiendraient en vie, ce qui était primordial si l'un d'eux était touché et nécessitait des soins. Et puis, s'il fallait se replier de toute urgence, ils n'auraient qu'à le prévenir et il tiendrait l'appareil prêt à partir. Hortense lui avait brièvement expliqué comment démarrer les moteurs. Cela paraissait juste à peine plus compliqué que de mettre une Panda en marche.

– Je vois, à votre mine, que vous êtes déçu de ne pas nous accompagner dans notre mission, dit Napoléon au professeur Bartoli, mais votre rôle est crucial pour le succès de celle-ci.

– Je comprends, répondit le chirurgien feignant la résignation. J'aurais tellement aimé venir, mais j'admets que je serai plus utile dans l'avion que sur le front...

Et hop, nouvel oscar du meilleur acteur pour Annonciade Bartoli !

– Je suis heureux de voir que vous le prenez bien, dit l'Empereur avant d'enfiler le voile grillagé qui dissimulerait son visage. Cela lui rappela la bonne époque, lorsqu'il lui arrivait de flâner incognito dans les rues de Paris afin de connaître l'opinion du peuple à son sujet. Même si quelquefois il n'aimait pas du tout ce qu'il entendait. C'était le risque à payer pour savoir ce que les gens pensaient vraiment de vous, pour échapper quelques instants aux éloges hypocrites de votre entourage, qui trouvait toujours que vous étiez le meilleur et que vos pets sentaient la fleur d'oranger et la violette. Même après avoir ingurgité un copieux cassoulet.

Rachid Bouhalouffa-Buonaparte sortit de l'avion, traînant deux Samsonite à roulettes, dans l'une desquelles se trouvait Valentin, plié en quatre, et pas forcément de rire. La colonne de huit femmes voilées descendit l'escalier de métal à son tour.

Ils sont forts, ces Arabes, pensa Napoléon, qui fermait la marche, ils ont trouvé le remède à la routine et la monotonie qui rongent les couples. La polygamie, ou comment se passer de maîtresses. Et il envia pendant quelques secondes cette religion ouverte qui lui aurait permis de coucher avec une femme différente chaque soir de la semaine, sans que personne, et surtout les dames en question, n'y trouvât rien à redire. Puis il se consola en se disant qu'une femme légitime apportait déjà son lot de problèmes. Alors plusieurs...

Sur la piste se trouvait une demi-douzaine d'hommes habillés en tenue commando, kalachnikov en bandoulière. Les bras croisés sur leur torse bombé, ils mâchaient bruyamment des chewing-gums à la nicotine. Ils apostrophèrent l'Arabe qui venait d'arriver et lui posèrent quelques questions, auxquelles l'imam répondit avec le plus grand naturel.

Puis ils passèrent en revue la petite troupe et s'arrêtèrent sur Georgette. Il est vrai qu'elle ne passait pas inaperçue. Même mêlée aux autres, on la repérait aussi vite qu'une danseuse de flamenco qui ne se serait pas épilé les aisselles. On aurait dit que l'on avait recouvert un éléphant d'un grand drap noir.

C'est peut-être d'ailleurs ce que crut l'homme qui s'adressa à Rachid et lui dit un truc du genre « Elles sont combien là-dessous ? » L'imam répondit encore une fois avec le plus grand naturel et sauva la situation. Napoléon se promit de lui donner une médaille lorsqu'ils seraient rentrés sains et saufs de cette mission. Il ne s'était pas trompé. Son descendant était un grand homme, quelle que fût son origine. D'ailleurs, son origine, c'était lui, Napoléon Bonaparte.

L'un des barbus sortit alors un téléphone portable et composa un numéro. Il parla quelques secondes puis raccrocha. L'attente commença. Elle parut interminable. L'Empereur sentait le regard vicieux d'un soldat traverser le grillage de son voile. Derrière lui, en seconde ligne, il aperçut alors des enfants portant ces fusils modernes. Dans leurs bras frêles, ils semblaient immenses. En chacun d'eux, il reconnut Radwan, le petit Syrien dont il avait lu la poignante histoire sur Internet. En chacun d'eux, il vit un enfant piégé, trompé, aux mains d'adultes piégés eux aussi par une croyance à laquelle ils s'étaient un jour livrés pieds et poings liés, le jour où ils avaient décidé de laisser leur cerveau au vestiaire pour partir en guerre contre le monde entier. Il devina la fragilité de ces enfants et leur peur au-delà de leur regard déterminé. Et il ne put s'empêcher d'éprouver de la peine pour eux, même s'il était persuadé qu'au moindre pas de travers, ils n'hésiteraient pas une seconde à vider leur chargeur sur lui sans aucun état d'âme.

Au bout de quelques minutes, un minibus semblable à ceux dont disposaient les hippies dans les années 70 arriva sur la piste, conduit par un grand barbu en djellaba couleur choucroute. Un accoutrement qui contrastait avec la panoplie de ninja que portaient les autres. Il ne semblait pas être un soldat. Il se gara à côté d'eux et descendit de son véhicule.

Sans poser de questions, il aida Rachid à monter avec ses grosses valises, puis les huit femmes, une par une.

Le minibus démarra.

Pour l'instant, le plan de Napoléon se déroulait à merveille.

Un peu partout dans le monde, l'armée dépensait des millions de dollars, chaque jour, pour inventer de nouvelles formes de camouflage, de nouveaux uniformes caméléons pour se fondre dans la nature, alors que pour quelques euros, on pouvait s'acheter une burqa à Carrefour Barbès. Une burqa qui vous rendait en quelques secondes totalement invisible, comme la cape d'Harry Potter, l'anneau de Bilbo ou de Gygès, tout autant dans le XVIIIe arrondissement de Paris qu'en pleine Syrie occupée.

Celui qui aurait bien aimé être invisible à ce moment-là, c'était le professeur. Ça y est, c'est parti, je suis seul, se dit Annonciade Bartoli, qui avait suivi toute la scène depuis le cockpit. Il rampa jusqu'à la cabine de passagers et se mit à prier pour que personne ne le découvre et que ses amis reviennent vite. Sans eux, il ne pourrait jamais repartir d'ici. Il ouvrit un placard et se glissa dans un grand sac de marin, son portable à la main au cas où ils l'appelleraient pour mettre les moteurs en route. L'attente promettait d'être longue. Très longue. Pour se détendre et penser à autre chose, il entama une partie de lancer de boulettes de papier sur son téléphone, un jeu stupide dans lequel on devait lancer un maximum de boulettes dans une poubelle tout en évitant des ventilateurs qui déviaient la trajectoire des projectiles. Il se surprit alors à rêver d'être une petite boule de papier et de pouvoir se lancer jusque chez lui, en Corse.

Dans la gueule de l'ours

Après une demi-heure de minibus à traverser des villages fantômes construits au milieu des montagnes, la Nouvelle Petite Grande Armée de Napoléon arriva devant un bâtiment délabré. Il était difficile de dire si la façade s'était effondrée ou si on ne l'avait jamais achevée. L'endroit était désert et semblait avoir été la cible de tirs ennemis d'une grande puissance. Toutes les vitres des maisons et des immeubles étaient cassées et des impacts de balles dessinaient des cicatrices de varicelle sur les murs.

Face à eux s'élevait maintenant une immense paroi de ciment menaçant de s'écrouler à tout moment. Des affiches lacérées aux couleurs de ce qui semblait être l'équipe de football locale pendaient comme autant de lambeaux de tapisserie défraîchie. La troupe de Napoléon réalisa alors que Daesh avait installé son quartier général dans un ancien stade. Charlotte tenta d'expliquer à l'oreille de l'Empereur ce qu'était le football. Quelque chose comme la version moderne des Jeux de la Rome antique. Quelque chose comme onze mannequins milliardaires courant derrière une petite balle entre deux spots de publicité pour eau de toilette.

Le conducteur descendit et ouvrit la porte coulissante. Il n'avait pas décroché un seul mot depuis qu'il les avait pris à l'aéroport, se contentant de jeter de temps en temps, dans le rétroviseur, un œil sur l'ensemble du harem et d'esquisser un petit sourire en coin. Allah seul savait ce qu'il imaginait.

Mais quoi qu'il imaginât, c'était précisément ce que Napoléon voulait qu'il imaginât.

L'Irakien guida la troupe vers une entrée. Il n'y avait pas de porte et la peinture du couloir avait volé en éclats. Les boîtes aux lettres pendaient au mur, cabossées, éventrées. On se croirait à Sarcelles, se dit Rachid. Cette pensée le réconforta. Il préférait imaginer qu'il se trouvait à Sarcelles plutôt qu'à des milliers de kilomètres de chez lui, en territoire ennemi, au beau milieu des montagnes syriennes, entouré de terroristes armés jusqu'aux dents prêts à le décapiter pour un mot, un sourire.

Il essuya son front suant d'un revers de la manche. De quoi avait-il peur, après tout ? Il était venu jusqu'ici apporter un cadeau au leader des djihadistes. Un très beau cadeau. Un peu de miel pour l'Ours de Mossoul. Et d'ordinaire, on ne tuait pas ceux qui venaient jusque chez vous pour vous apporter de très beaux cadeaux, n'est-ce pas ? Napoléon était en train de nous refaire le coup du cheval de Troie. Espérons que les fanatiques islamistes n'en avaient jamais entendu parler, mais vu leur goût pour la lecture, qui se résumait au Coran, il n'y avait pas de danger. Les attentats ayant suscité chez quelques Européennes une nouvelle vocation, trahir leur patrie en allant épouser des moudjahidine, l'Empereur avait décidé d'en profiter. Voilà comment Rachid était devenu un transporteur et accompagnateur de prétendantes pour le leader irakien et ses hommes.

Ils montèrent deux étages. Napoléon et Mamadou durent aider Rachid qui ne pouvait pas porter les valises aussi haut.

– Tu as des femmes sacrément fortes et dociles, dit le conducteur.

Rachid acquiesça de la tête.

– Ce ne sont pas mes femmes, tempéra-t-il. Ce sont celles de notre leader, enfin, s'il les veut. Mais tu as raison, elles sont fortes et dociles comme des chameaux.

L'imam était quelqu'un de doux et de modéré, empli de respect, et il n'aima pas prononcer cette phrase machiste, mais il fallait bien aller jusqu'au bout du rôle, et puis, en réalité, il parlait de Napoléon et de Mamadou.

Ils arrivèrent bientôt devant une porte. La première intacte qu'ils voyaient depuis qu'ils étaient entrés dans cet immeuble délabré.

Il n'y avait pas de gardes devant l'habitation, ce qui était assez étonnant, ou mauvais signe. Rachid comprit alors qu'on ne les avait pas emmenés devant le chef, comme son aïeul l'avait prévu.

– Nous n'allons pas voir Mohammed Mohammed? demanda l'imam, essayant de dissimuler sa préoccupation.

– Monsieur est au musée.

– Pardon?

Rachid pensa avoir mal compris. Son arabe, égyptien, était un peu différent de celui de l'Irakien et quelquefois il ne saisissait pas le sens précis de ses paroles.

– Monsieur est au musée, répéta l'homme.

Mais il avait bien compris.

Monsieur est au musée. Rachid tourna et retourna la phrase dans son esprit, essayant de découvrir un sens caché. Était-ce un code? *Monsieur est au musée.* Il se serait plus attendu à entendre cette phrase dans la bouche d'un majordome de Neuilly que dans celle d'un djihadiste irakien au fin fond de la Syrie. Il ignorait encore à ce moment-là que *Monsieur est au musée* signifiait en réalité *Monsieur est au musée de Mossoul, en Irak, en train de défoncer à coups de marteau-piqueur des statues assyriennes vieilles de 3 000 ans, et de brûler des livres et des manuscrits inestimables du XVIIe siècle.*

Mais comment aurait-il pu imaginer tout cela?

L'iPhone de Napoléon

La première chose que l'on fit une fois dans l'appartement fut de sortir Valentin de la valise, avant qu'il ne soit complètement froissé.

Napoléon retira le voile grillagé pour retrouver un peu de crédibilité. Une fois installés, il demanda à Rachid de le mettre au parfum des propos du conducteur du minibus.

– Mohammed au carré vit dans l'appartement au fond du couloir de l'étage.

– Parfait.

– Mais il n'y est pas encore. Il est au… musée.

– Au musée?

– Oui, j'ai été autant surpris que toi, grand-papa.

– Arrête de m'appeler grand-papa. Qu'est-ce qu'il fout au musée?

– Je ne sais pas. Je ne comprends pas.

– Bon. Quand revient-il?

– Pour dîner.

– Parfait.

– Et qu'est-ce qu'on fait maintenant?

Napoléon répondit que son Plan, que personne ne connaissait encore, se déroulait à merveille.

– Nous intercepterons le repas de Mohammed au carré et lui en servirons un autre.

– Très belle métaphore! dit Rachid.

– Ce n'est point une métaphore, corrigea l'Empereur.

Puis il sortit un téléphone portable de la poche de sa burqa.

– Il faut que je me familiarise un peu avec cette nouvelle technologie. Nous en aurons besoin.

– Hey, c'est le nouvel iPhone! s'exclama Valentin, lorsqu'il fut totalement déplié. Ou l'as-tu trouvé? Je croyais que tu n'avais pas d'argent. Je te rappelle que tu me dois toujours cinquante euros.

– Je ne commencerai à le payer que l'année prochaine. Paiement en trois fois sans frais chez Carrefour, sms et appels en métropole illimités, roaming à l'étranger à moitié prix. Si j'avais eu ça durant la bataille de Trafalgar...

– ... l'issue en eût été bien différente, compléta Charlotte, derrière la grille de sa burqa.

Cela permit à l'Empereur d'identifier celle qui recouvrait la femme de sa vie, parce qu'avec ces drôles de vêtements, on ne savait jamais qui l'on avait en face de soi. Il sourit, puis il échangea son numéro de téléphone avec Valentin.

– Bien, l'heure est maintenant venue de vous révéler mon Plan, annonça Napoléon.

S'ils avaient été dans un film à suspense, une ligne de violons aurait fait *ta taaaaaaa*, un coup de tonnerre aurait grondé derrière lui et son ombre aurait dévoré tout le mur.

L'abeille et l'ours

À 19 heures sonnantes, on frappa à la porte.

Sans attendre de réponse, un homme entra. Barbu, ventri-potent, il aurait pu interpréter le père Noël au rayon jouets des Galeries Lafayette, si seulement il avait un jour préféré aimer les enfants plutôt que de les tuer. Il avait un torchon à carreaux rouges et blancs sur la tête surmonté d'un élastique qui le faisait ressembler à un pot de confiture et portait, sous un vieil anorak tout déchiré, un treillis militaire dont les motifs camouflage rappelaient étonnamment des tranches de kebab en train de cuire sur un réchaud. Confiture et kebab, c'était un repas à lui tout seul.

Il tenait une kalachnikov à la main qu'il mit aussitôt en bandoulière. Bien qu'il ne se présentât pas, il n'y avait aucun doute sur son identité. Son assurance, son visage mons-trueux, son regard mort, son arrogance. Il s'agissait bien de Mohammed Mohammed.

Le voici donc, l'ours qui terrorise son pays et fait trembler le monde, se dit Napoléon, le voici donc, le cerveau de tout cela, la tumeur, le mal de cette époque. Le voici donc, le grand chef de Daesh. Et il se rappela tout ce qu'était Daesh, tous ces mots qu'il avait dû chercher dans le dictionnaire. Tous ces mots qu'il n'avait pas compris et ne comprendrait jamais.

L'Irakien laissa planer son regard de prédateur sur l'en-semble de ses nouvelles prétendantes comme un lion sur un troupeau de gazelles. Avec autant de burqas au mètre carré, on se serait cru à un bal de fantômes. Il devait bien aimer les fantômes parce que la lueur de cruauté dans ses yeux s'adoucit un instant. Les femmes, sa faiblesse. Comme James Bond, l'élégance en moins.

Il s'approcha de l'une des filles, l'examina en silence, puis passa à une autre. Il fit de même pour le reste, comme un éleveur qui observerait des juments avant de les acheter.

– Ce ne sont pas des femmes, ce sont des girafes, ma parole! s'exclama-t-il au bout de quelques instants. Et celle-ci, un hippopotame! Tu as dévalisé un zoo, ou quoi?

Rachid sourit, gêné.

– J'aime les femmes plus petites que moi, reprit le leader, et fines. J'ai l'impression de les dominer. Celle-là, qu'on lui coupe la tête, ajouta-t-il sans autre préambule en indiquant Sharon.

– Chef, Shéhérazade n'a peut-être pas un corps des plus gracieux, et personne ne t'oblige à la prendre pour l'amour et le réconfort, mais elle est une fidèle servante et une cuisinière hors pair. Pour les autres, ce sont des femmes grandes, certes, si ce ne sont de grandes femmes. Mais elles sont européennes, ne l'oublie pas. Et puis, n'y a-t-il rien de plus jouissif que de dominer d'immenses femmes? Ton pouvoir n'en sera que décuplé! Il n'y a aucun mérite à dominer des poupées.

– Ah oui, des Européennes, une denrée rare par ici. Des Européennes qui ont compris où se trouve leur avenir, continua-t-il cette fois-ci dans un bon français, qui ont choisi le camp des gagnants, et en seront récompensées.

– Oh, je vois que tu parles leur langue.

– Être un barbare sanguinaire ne m'exempte pas d'avoir une certaine culture, dit l'ours. Les Français représentent le plus gros de nos rangs. La France est un pays des plus laxistes en matière de terrorisme. On les laisse entrer et sortir comme dans un moulin. C'est le pays des droits de l'homme et du terroriste. J'adore la France pour cela. En revanche, ils ne valent pas un clou. Ils font les caïds dans leurs banlieues, mais ils n'ont combattu ni en Afghanistan ni en Tchétchénie comme les autres. Ils ne savent même pas comment ôter le cran de sécurité d'une kalach. Alors, on les prend pour les opérations kamikazes. On s'en sert de chair à canon. À propos de canon, il y a des blondes ? demanda-t-il, cette fois, en arabe.

– Oui mais intelligentes ! tempéra Rachid. Celle-ci, celle-ci et celle-là, dit-il en désignant Adeline, Charlotte et Mireille.

– Intelligentes ? Je les préfère dociles, crois-moi. Comme les soldats. Du genre à faire ce que je dis, sans trop penser. Tu me laisses une nuit d'essai avec chacune ? Je n'épouserai que les plus belles ou les meilleures. Les autres seront pour mes hommes, ajouta-t-il comme s'il parlait des restes d'un repas.

– Bien sûr, chef.

L'Irakien continua à tourner autour du harem, le regard empreint d'une excitation nouvelle.

– Celle-ci a une taille idéale et me semble avoir les fesses bien fermes.

– Bon choix, chef, dit Rachid, quelque peu embarrassé mais n'osant contredire le leader des djihadistes.

L'homme caressa le voile de son élue, au niveau de la joue.

– J'aimerais bien passer un petit moment avec elle avant de dîner. Elle sera mon apéritif, en quelque sorte.

Voilà comment Mohammed Mohammed repartit bras dessus bras dessous avec son épouse du soir.

Mamadou.

Le djihadiste, le balayeur et Freud

La première chose que fit le djihadiste en entrant dans la chambre fut de décoller sa barbe postiche et de la poser sur une vieille cantine de soldat faisant office de table de chevet.

– Ce n'est pas une vraie barbe? s'exclama Mamadou en prenant sa voix la plus aiguë.

– Bien sûr que non! Mais ça fait plus terroriste. Qui aurait peur de moi comme ça?

Mohammed Mohammed massait ses joues glabres comme dans une publicité de rasoir ou de mousse à raser.

– Tu connais Fred?

– Fred?

– Fred, le Hollandais qui a inventé les fous, dit l'homme fier d'étaler toute sa culture.

– Oh, Freud! Tu veux sûrement parler de Freud, l'Autrichien qui a créé la psychanalyse!

Mamadou n'était peut-être qu'un simple balayeur, il avait tout de même étudié Freud en seconde. Comme tout le monde.

– C'est ce que je viens de dire, se défendit l'homme au treillis couleur kebab. Enfin, peu importe. Fred affirme que tous ceux qui portent une barbe ont quelque chose à cacher. Marrant pour quelqu'un portant le bouc!

Mamadou fut étonné que ce barbare puisse connaître Freud. Ces hommes-là ne brûlaient-ils pas tous les livres?

Ne détestaient-ils pas tout ce qui pouvait venir de la culture occidentale ?

– Cela t'étonne que je cite Fred ? dit le leader comme s'il avait lu dans les pensées de son hôte, mais quand même pas jusqu'au point de s'apercevoir que c'était un homme qui se cachait sous la burqa.

– Un peu, oui. Je croyais que tu détestais la culture occidentale. Moi, c'est pour ça que je suis parti, ajouta Mamadou, entrant dans son rôle.

Il voulut sonder les raisons profondes qui poussaient ces gens à assassiner, à poser des bombes, à commettre autant d'atrocités au nom d'un dieu que l'on avait toujours imaginé bienveillant et miséricordieux. Ce n'était pas possible que ces gens soient aussi stupides. S'ils avaient vraiment eu le QI d'un zombie de la première saison de *Walking Dead* (pourquoi préciser ? Cinq saisons après, ils sont toujours aussi cons), ils auraient été infoutus d'ouvrir ne fût-ce qu'une boîte de thon, ou de changer le chargeur d'une kalachnikov. Or, ces mecs-là savaient ouvrir des boîtes de conserve et tuer des gens. Non, ils n'avaient pas le QI d'un rôdeur, et la discussion qui allait suivre allait convaincre Mamadou.

– Oh, je la déteste, crois-moi. Et puis Fred, c'est pas de la culture. Un petit juif impuissant qui ramène tout au sexe. Il est le prochain sur ma liste de fatwas, d'ailleurs. En deuxième position. Le premier, c'était la bande de mécréants de *L'Hebdo des Charlots*.

– J'ai bien peur qu'il soit mort, dit Mamadou de sa voix aiguë.

– *L'Hebdo des Charlots* ? Bien sûr ! Je m'en suis chargé personnellement.

– Je parle de Freud. Il est mort depuis longtemps.

– Oh. Déjà ?

Les épaules de l'ours s'affaissèrent de manière presque

imperceptible. Il regarda devant lui, hagard, comme quelqu'un qui vient de passer deux heures à laver sa voiture et qu'une pluie torrentielle surprend lorsqu'il passe le dernier coup de chiffon.

Pris de court, il sortit un bout de papier de l'une des nombreuses poches de son anorak et raya le nom de Fred, avec naturel, comme il aurait barré le mot « yaourts » sur une liste de commissions.

– Bon, un juif de moins.

– Je ne savais pas que les djihadistes étaient nazis !

Mamadou se mordit la langue, mais il était déjà trop tard. Les mots étaient sortis tout seuls. De grosses gouttes de sueur commencèrent à perler sur son front, sans qu'il sache bien si elles étaient dues à l'appréhension ou à son déguisement. Sous cette burqa, c'était Séville en plein été, c'était la cocotte-minute de sa mère lorsqu'elle cuisinait son merveilleux kédjénou dans sa marmite en argile. Il était le poulet cuit à l'étouffée, recouvert de semoule d'attiéké. Il se rappela le temps où il travaillait à EuroDisney sous les traits de Dingo. Dix kilos de costume en peluche sous lequel il finissait la journée trempé et exténué pour un salaire de misère. Tout n'était pas si rose au pays de Mickey. Les six mois les plus durs de sa vie, avant qu'il ne connaisse le bonheur d'être balayeur à Paris.

L'homme sourit.

– Comment vous dites ça, en France ? Dans le mille, Émile ! Rachid avait raison, vous êtes des femmes intelligentes.

Il s'approcha de la cantine-table de chevet et s'empara du livre qui était posé dessus. Le titre, écrit en gros caractères arabes, tenait sur toute la couverture.

– *Gestion de la barbarie* d'Abu Bakr Naji, le *Mein Kampf* du djihadiste. Hitler, c'est ringard. Ce bouquin est à la 57e place des meilleures ventes dans la catégorie « terrorisme » sur Amazon !

Avec la même verve que Bernard Pivot, le leader irakien expliqua comment l'ouvrage, publié en 2004, donnait, tout au long de ses 248 pages, le mode d'emploi très explicite pour soumettre l'Occident à la religion d'Allah et créer un immense califat islamique qui prendrait un jour, si on le suivait à la lettre, possession du monde entier. La recette ? Concoctez des attentats réguliers en Europe afin d'instaurer un climat de terreur et un sentiment d'insécurité totale, saupoudrez de quelques assassinats de touristes occidentaux dans les pays arabes, cassez puis battez quelques journalistes très médiatiques, kidnappez les employés de grandes compagnies pétrolières. Avant de servir, imposez le halal dans toutes les cantines d'écoles du monde entier. Dégustez.

– Chaque époque a son Hitler, bébé. Je serai celui du XXIᵉ siècle. Tu sais, on dit qu'on est des écervelés, des monstres sans principes, qu'on est intolérants. Tu te rends compte ? Intolérants, nous ! Les Européens, dès qu'on n'est pas d'accord avec eux, on est intolérants. La seule intolérance que j'ai, moi, c'est au lactose. Le lait de chamelle, ça me donne des démangeaisons dans le trou de balle, tu peux pas t'imaginer. Pour le reste, je trouve que je suis assez conciliant. Les Français se croient au-dessus de la loi divine en dessinant notre prophète, béni soit-Il, alors qu'Il ne peut être représenté. Qui se croient-ils pour pouvoir outrepasser cette interdiction ? Quel manque de respect envers notre religion ! Tu sais, c'était la même chose avec leur Christ, avant. Sauf que ça, ils l'ont oublié. L'image est un interdit biblique. C'est tout de même pas nous qui l'avons inventé ! Déjà en 750, les empereurs byzantins interdisaient le culte des icônes et détruisaient les images représentant le Christ. Le péché d'idolâtrie, ça te dit quelque chose ? À cette époque, dessiner Jésus, c'était aussi interdit que de dessiner Allah ou le prophète.

Jusqu'en 787, lors du deuxième concile de Nicée. C'est à ce moment-là que l'art religieux a émergé. Oui, c'est à partir de ce moment-là qu'ils en ont foutu de partout, de leurs peintures chrétiennes, du sol jusqu'au plafond. Regarde la chapelle Sixtine! En plus d'une horreur, un blasphème sans nom.

Il reposa le livre sur la cantine.

– Tu crois que les Occidentaux n'ont jamais tué au nom de leur religion, peut-être? La conquête des Amériques, vous l'avez déjà oubliée? La barbarie des conquistadors espagnols en Amérique du Sud. On ne traitait pas ces tribus indigènes comme des êtres humains pour deux raisons. D'abord, ils n'étaient pas blancs et puis surtout, ils ne croyaient pas en Dieu. Pas blancs, passait encore, mais qu'ils ne croient pas en Dieu, c'était tout bonnement impensable pour ces culs bénis d'Espagnols. On dit que nous sommes des barbares qui coupons des têtes, mais en quoi sommes-nous différents du peuple français qui s'est tout d'un coup mis à couper la tête des hauts dignitaires du pays durant la Révolution française? Les nobles étaient roués de coups, massacrés à coups de sabre, décapités au couteau de cuisine, et finissaient la tête mise au bout d'une pique, c'est bien ça, non? Et ils veulent nous donner des leçons maintenant! Voilà, c'est ça, on fait notre Révolution française. On purge.

– Je me fais l'avocat du diable, bien sûr, mais tout ça, c'était il y a longtemps!

– En France, on coupait encore des têtes dans les années 70! Les Français ont la mémoire courte, mais la peine de mort n'est abolie que depuis peu.

Son discours était rodé. Il n'était pas leader pour rien. Ils n'étaient pas les écervelés que les médias voulaient bien faire croire. Ils étaient peut-être cons comme la lune, mais pas écervelés. Leur barbarie était organisée et suivait un chemin bien tracé. Pendant quelques secondes, Mamadou avait même réussi à comprendre sa démarche.

– C'est vrai, put-il seulement répondre, comme si c'était l'évidence même.

Et il s'en voulut de penser cela. Et il s'en voulut de répondre cela.

– Tu veux d'autres exemples actuels? ETA, Ira, ce sont des groupes qui ont un jour choisi les armes lorsque la politique n'a plus suffi. Personne ne les a jamais traités de fous. Pourquoi? Parce qu'ils sont européens. Finalement, parce qu'ils sont comme tout le monde. En revanche, nous, les Arabes, on est tout de suite taxés de fous, même si on défend les mêmes idées. Nous aussi, on réclame l'indépendance. Une indépendance religieuse et culturelle, c'est tout. Un président du Kenya a dit « Quand les missionnaires sont venus, nous avions la terre et ils avaient la Bible. Ils nous ont appris à prier avec nos yeux fermés. Lorsque nous les avons ouverts à nouveau, ils avaient nos terres, et nous avions leur Bible… » C'était au XXe siècle! Pas au Moyen Âge. Mais comme c'est le christianisme, on n'en parle pas. Les chrétiens, ils ont commis les pires atrocités au nom de leur dieu, mais c'était pas des fous… Par contre, nous, on s'en prend plein la gueule quand on ose faire la même chose! Tu trouves cela juste? Ils nous traitent d'intolérants, mais c'est eux qui nous empêchent de pratiquer notre religion comme on l'entend. Si c'est pas de l'intolérance, ça! Pourquoi ils nous laissent pas tranquilles? Faudra pas qu'ils viennent se plaindre maintenant. Nous, on les laisse nous attaquer avec leurs armes d'enfants, leurs crayons, leurs stylos, et toute leur trousse d'école s'ils veulent. Alors, qu'ils nous laissent répondre avec les nôtres.

Pour illustrer ses propos, l'homme donna trois petits coups dans son anorak, au niveau de son aisselle droite, pour signifier qu'il était armé. Le bruit qui s'en échappa ne dut pas correspondre à celui qu'il attendait car il souleva le pan de sa veste et examina son dessous de bras avec curiosité, comme si un troisième bras venait d'y pousser.

– Je l'avais oubliée celle-là, dit-il en sortant une statuette en bois de sa poche intérieure, tel un magicien une colombe.

Il la tourna entre ses gros doigts, perplexe. Elle représentait une femme avec de gros seins et un gros ventre.

– Je l'ai épargnée, annonça-t-il, tout fier. Popocaca, une divinité.

Comment des gens avaient-ils pu appeler leur dieu Popocaca? Comment Popocaca pouvait-il encore avoir un tant soit peu de crédibilité avec un nom pareil? Cela dépassait Mamadou.

– Un truc mésopotamique.

– Mésopotamien, corrigea le Français. Ça vient du musée?

– Oui, on est en train de purifier les musées et les bibliothèques.

– Purifier?

– Les détruire, quoi. Détruire l'Histoire de ces vermines. Mais quelquefois, au milieu de toute cette merde impure, on trouve un truc qui vaut la peine.

Mohammed Mohammed signala la statuette. Il avait tout de même un minimum de considération pour l'art. Mamadou se demanda sur quels critères culturels ou esthétiques il avait épargné cette idole en particulier. Était-ce pour son inestimable valeur, était-ce parce qu'elle lui rappelait quelqu'un de cher, un être aimé? Une femme avec de gros seins et un gros ventre qui l'avait tendrement aimé et qu'il avait tendrement aimée. Y avait-il un cœur sous ce gilet pare-balles?

297

L'homme s'approcha d'une table sur laquelle s'étalaient les restes d'un repas. C'était d'une saleté telle qu'on aurait dit qu'un ours avait mangé dessus. Le djihadiste se pencha et glissa Popocaca sous l'une des pattes de la table pour la caler. Il la secoua un peu. À présent stabilisée, elle demeura immobile. Il sourit, satisfait de sa trouvaille.

– Parfait, dit-il.

Voilà, Mamadou était renseigné sur les considérations hautement culturelles de l'Irakien en ce qui concernait la divinité mésopotamienne.

– Tu sais, même Hitler piquait des bouquins destinés au bûcher. Il paraît qu'il aurait sauvé un exemplaire du *Petit Prince*.

– Peut-être avait-il un lit à caler, releva le jeune balayeur avec ironie.

– Peut-être, à moins que ça ne soit son goût pour les petits blondinets aux yeux bleus. Une passion partagée par Michael Jackson.

Le djihadiste éclata de rire à l'évocation de sa propre blague.

– Vous y croyez vraiment à toutes ces choses que vous racontez ?

– Lesquelles ?

– Je sais pas, tous les jours il y a un truc nouveau sur Facebook. Que c'est le Soleil qui tourne autour de la Terre et pas l'inverse, que si on se masturbe, nos mains seront enceintes quand on arrivera au paradis... Où vous allez chercher toutes ces...

– Conneries ?

Après un temps d'hésitation, Mamadou acquiesça d'un mouvement de tête.

– Tu sais, ce n'est vraiment pas cela le plus important. C'est une manière de dire que nous pensons autre chose que le reste du monde, que nous sommes libres de penser autre chose que ce qu'impose la doctrine occidentale.

– Quitte à être dans le faux ?

– Qu'est-ce que tu en sais ? Tu es déjà allée dans l'espace pour voir qui tournait autour de qui ? Tu l'as vu de tes yeux ? Tu es déjà allée au paradis pour voir si tes mains ne tombaient pas enceintes ? En Occident aussi, ils ont leur lot de croyances stupides. Les curés ne disaient-ils pas que la masturbation rendait sourd ou que les chewing-gums faisaient tomber les oreilles ? Et votre père Noël. Tous les mensonges sont bons pour inculquer les valeurs que l'on croit justes à nos enfants. Pourquoi vos croyances seraient-elles mieux ou plus intelligentes que les nôtres ? Comment tu t'appelles déjà ?

– Euh... Mamadou... fa, Mamadoufa, balbutia le Français, pris par surprise et regrettant déjà sa réponse hâtive.

– Mamadoufa ?

– Euh, oui, mon père est ivoirien et ma mère... euh... arabe. Je veux dire algérienne.

Les sourcils de l'Irakien formèrent un accent circonflexe sur son front taché de cambouis, juste en dessous du torchon de confiture.

– Mmm... Une métisse. Une Européenne à la peau d'ébène... Je sens que tu vas me faire oublier les blondes, toi. Pas vrai ?

– Euh, je sais pas...

– Bien, assez parlé de Fred et d'Hitler. Qu'est-ce que tu sais bien faire, bébé ?

« Balayer », fut sur le point de répondre Mamadou.

L'homme retira son anorak, diffusant une odeur de transpiration insoutenable dans toute la pièce et affichant deux holsters dans lesquels pendaient, à l'envers, deux pistolets semi-automatiques. Il les ôta et les accrocha à un portemanteau. Puis, sous le regard implorant de Popocaca, la tête écrasée entre le carrelage et une patte de table, il s'approcha de sa prétendante.

— Maintenant, Mamadoufa, tu vas découvrir l'homme que je suis vraiment.

C'est marrant parce que Mamadou aurait pu en dire tout autant.

50 nuances de Mohammed

Lorsque Napoléon apparut dans l'encadrement de la porte de la chambre, Mohammed Mohammed était penché sur le corps de Mamadou et en caressait la burqa.

– Qu'est-ce que tu es belle, disait-il tout en glissant sa main de haut en bas sur le tissu du voile intégral qui ne permettait pas de voir un seul centimètre carré de la peau de l'être humain qui le portait. Tu es plate, mais je préfère ça à une grosse poitrine toute flasque.

Descends plus bas, tu vas voir si je suis plate, pensait le balayeur, à deux doigts de s'évanouir.

L'Empereur toussa. Le djihadiste se tourna vers lui.

– Tiens donc... Intéressée par un ménage à trois ? ajouta-t-il en français. La réputation des Françaises est donc vraie.

– Rachida est indisposée, si tu vois ce que je veux dire... annonça Napoléon en prenant une voix féminine et douce.

– Rachida ? demanda l'homme, fronçant les sourcils.

– Il, enfin, elle veut dire Mamadoufa, compléta Mamadou.

– Oui, Rachida Mamadoufa, bien sûr, surenchérit le petit Corse. Elle est bien trop timide pour s'être opposée à ta volonté lorsque tu l'as choisie. Mais je ne pense pas que tu sois partant pour une baignade en pleine mer Rouge.

– Une baignade en mer Rouge ? Oh ! Indisposée, oui.

– Je me propose donc de la remplacer pour cette nuit.

– Bien, bien. Oui, c'est mieux. Pas de baignade en mer Rouge, ce soir.

Et l'homme partit dans un rire tout aussi gras que lui.

Sans demander son reste, Mamadou se leva, croisa son sauveur et quitta la pièce. Napoléon devina le regard soulagé de son ministre de la Petite Armée derrière son voile grillagé. Bien, il venait de sauver son soldat. Maintenant, il devrait se sortir à son tour de ce mauvais pas. Mais avant, il désirait connaître un peu plus son ennemi. Le Plan pouvait attendre un peu.

L'abeille était maintenant seule avec l'ours.

– Toi, tu m'as l'air d'être une petite joueuse, dit l'Irakien en se frottant les mains. Comment t'appelles-tu ?

– Yasmina, répondit l'Empereur en pensant à une maîtresse qui avait égayé son expédition en Égypte et marqué ses souvenirs au henné indélébile.

– Espérons que tu sois aussi fraîche et que ta peau sente aussi bon que la fleur dont est issu ton prénom… Bien, passons tout de suite aux choses sérieuses. Tu as vu *50 nuances de Grey*, Yasmina ?

Napoléon reconnut aussitôt le titre du livre qu'il avait vu étalé sur toutes les étagères des librairies de l'aéroport de Paris.

– Je pensais que vous haïssiez tout ce qui venait des États-Unis.

– En général, oui. Tu n'es pas allée voir *50 nuances de Grey* pour la Saint-Valentin ? Ah oui, c'est vrai, on a brûlé les cinémas. J'ai quand même été obligé de le voir avant, tu comprends, pour savoir si c'était impur. Et je dois bien t'avouer que j'ai adoré. Bien entendu, je le nierais même sous la torture, comme à peu près 95 % des Françaises qui ont lu le bouquin ou sont allées voir le film. Mais bon, c'est quand même pas les Américains qui ont inventé le sexe et la fessée, pas vrai ?

– Vous allez au cinéma…

– Oh, ce n'est pas mon seul vice. Je fume aussi et je regarde les matchs de foot sur Canal Plus Syrie.

Napoléon n'en revenait pas. Chez ce Mohammed au carré, il n'y avait pas que la barbe qui était fausse, mais tout son être. Il respirait le mensonge. Comment pouvait-il décapiter des enfants pour avoir regardé un match de football et ensuite aller s'installer devant sa télé avec des chips et de la bière pour regarder la coupe du monde de la Fifa ? Le commode précepte du « faites ce que je dis, pas ce que je fais ». Napoléon était ulcéré (c'est le cas de le dire), lui qui s'était toujours efforcé d'appliquer à lui-même les règles qu'il demandait à ses hommes d'appliquer. C'était cela, le rôle d'un chef. Tout partager avec ses soldats. Sauf la baignoire, bien entendu.

– Oh, je sais bien ce que tu penses. Comment je peux tuer des gens parce qu'ils fument et cloper moi-même ? Tu te demandes comment je peux encore me regarder dans un miroir le matin, quand je me colle ma barbe postiche. Tu sais, en Europe, vous n'êtes pas si différents. Vos ministres condamnent des mères au foyer parce qu'elles ont eu le malheur de voler, un jour, un pauvre steak haché au super-marché du coin pour nourrir leur enfant alors que, eux, détournent des millions d'euros de l'argent public. Ils statuent sur l'interdiction de la fessée et deux heures après, on les retrouve au cinéma en train de mater un film dans lequel un beau milliardaire passe son temps à foutre des déculottées à sa nouvelle petite copine... Et une fois chez eux, ils supplient leur femme de les laisser leur en faire autant. Enfin, ça tombe bien que tu n'aies pas vu *Grey*. Ça m'arrange, même. J'aimerais te montrer quelque chose.

Le djihadiste prit la main gantée de l'Empereur dans la sienne et ils traversèrent l'appartement. Ils arrivèrent bientôt devant une porte en bois peinte en rouge.

– Ma chambre de jeux, dit le djihadiste en sortant une petite clé de la poche de son pantalon de treillis. La réplique exacte de celle du film. Il ne me manque plus que l'hélicop-tère et le piano... Mais je ne devrais pas tarder à être livré.

Il ouvrit la porte, lentement, pour augmenter le suspense et ils entrèrent.

Les yeux de Napoléon prirent la dimension de deux boulets de canon. À première vue, on aurait pu se croire dans une écurie, un atelier de chaudronnier ou une brocante. À deuxième vue, une salle de torture du haut Moyen Âge. C'était peut-être l'endroit le plus proche de son époque que tout ce qu'il avait pu voir jusque-là. Il tarda à repérer le lit dans tout ce fatras d'objets. Car c'était bien d'une chambre qu'il s'agissait. Une chambre et une salle de jeux. Lui qui s'attendait à y trouver des jeux de l'oie et autres bilboquets ne sortait pas de sa torpeur.

– Ce sont des martinets, des cravaches, des plumeaux, des menottes, des liens, expliqua l'homme. Tu peux toucher, Yasmina.

– C'est pour quoi faire?

– Pour s'amuser.

Quelquefois, Napoléon avait l'impression que l'homme parlait en arabe et qu'il ne comprenait rien à tout cela. Mais il parlait un bon français. Ce n'était pas un problème de langue. C'était la situation qui était incompréhensible. Il fallait qu'il trouve une solution rapidement, avant de se réveiller ligoté à des barreaux de lit, avec un plumeau dans le derrière. Car en plus de son honneur, c'est son Plan qui serait compromis.

– À voir ta tête, j'imagine que c'est ta première fois... Comme dans *Grey*.

– Pourquoi répétez-vous donc toujours *comme dans Grey*?

– Parce que dans *Grey*, la fille, c'est sa première fois. On dirait une campagnarde, tu sais. Elle ne connaît rien à tout ça. Alors ils signent un contrat. On peut jouer à la même chose. Disons que je suis Grey, et toi, Anastasia Steele.

– Un contrat?

– Oui, un contrat de ce type...

Mohammed Mohammed s'approcha d'une petite console en bois sur laquelle était posé un tas de feuilles. Il le tendit à Napoléon.

– C'est écrit en arabe.

– Mes femmes parlent toutes arabe, se justifia l'homme. Il faudra t'y mettre.

– Que stipule ce contrat ? demanda l'abeille impériale.

Et sa voix s'érailla un peu vers le grave. Il s'éclaircit la gorge.

– Que tu acceptes d'aller faire les courses, répondit l'ours, de t'occuper de la cuisine, du nettoyage de mon linge et de la maison, et que tu...

– Que je... ?

– Que tu... me donnes par écrit ton consentement pour la fessée, le gag-ball, le fist-fucking, l'anal-fucking, le blowjob, le handjob, le titjob et tout ce qui termine par « fucking » ou « job »...

– Je ne comprends rien à tout ce charabia.

La voix de Napoléon s'érailla à nouveau. Il ne tiendrait pas plus longtemps. Il commençait à sentir une douleur lancinante dans la gorge. Durant ses petites escapades déguisées dans les rues de Paris, jamais il n'avait dû se faire passer pour une femme aussi longtemps.

– Ce que tu peux être pure... Comme dans le film ! Génial ! s'exclama le djihadiste, incapable de cacher sa joie. Pour résumer, tu t'engages à être une vraie petite cochonne... J'adore les petites cochonnes.

– Je ne me serais jamais attendu à entendre une telle formule sortir de la bouche d'un musulman, radical de surcroît... Donnez-moi un porte-plume.

– C'est quoi ?

– Ce que vous appelez un stylo.

– Tu vas signer ?

Le petit Corse acquiesça d'un mouvement de tête, ce qui

fit vibrer sa burqa. L'homme écarquilla les yeux. Voyant son désir sur le point d'être accompli, il lui tendit un Bic et retira sa serviette de pot de confiture, révélant un crâne rasé couvert de cicatrices qui rappela à l'Empereur celui de son descendant fou interné à Sainte-Verge. Il s'essuya le front avec, étalant plus encore la tache de cambouis, et se le remit sur la tête, avant de serrer le tout avec l'élastique noir.

– Mais à une seule condition.

– Tout ce que tu veux !

Cinq minutes après, Napoléon montait à califourchon sur le gros ventre de l'ours qui s'était laissé attacher aux barreaux du lit en poussant de petits gémissements de plaisir. Pour cette première soirée, et cette soirée seulement, ce serait lui qui serait ligoté et se soumettrait aux désirs les plus ardents de l'énigmatique mais joueuse Yasmina. Juste pour qu'elle ait une petite idée de ce qu'elle aurait à endurer plus tard.

C'est bien la monture la plus flasque et la plus désagréable sur laquelle il m'ait été donné de m'asseoir, pensa le Français. Puis il resta immobile, quelques secondes, à observer l'homme qui se tenait sous lui et bavait déjà d'excitation à l'idée de toute cette douleur et ce plaisir mêlés que Yasmina était sur le point de lui infliger.

Napoléon avait sous lui, prisonnier et sans défense, le leader djihadiste le plus puissant du monde, ce que la Terre avait enfanté de plus abject. L'homme le plus lâche du monde. Celui qui tuait des enfants, violait et lapidait des femmes, décapitait des touristes japonais, brûlait des pilotes jordaniens. L'homme qui torturait, assassinait, le sourire aux lèvres, et trouvait ensuite du réconfort, entouré de vingt femmes, sur la couche. Il eut pitié pour sa mère, qui devait pleurer chaque jour d'avoir accouché d'un fils comme lui. Il en vint à espérer qu'elle soit morte pour ne pas avoir à endurer pareille souffrance.

C'est alors qu'il le vit, dépassant de l'oreiller.

C'était un gros poignard de chasseur. Un poignard de boucher qui avait dû en prendre, des vies, qui avait dû en boire, du sang, en couper, des veines, en traverser, des estomacs.

Napoléon se baissa sur le visage de l'Irakien et sentit l'odeur pestilentielle de son souffle, de sa bouche, à quelques centimètres de la sienne. Il éprouva un immense dégoût et bénit le voile qui les séparait. Ses doigts gantés touchèrent la lame glaciale du couteau. Puis il frôla le manche. Le djihadiste haletait, à mille lieues de s'imaginer ce qui était sur le point de lui arriver.

Il s'inclina un peu plus sur l'homme. Dans quelques secondes, tout serait terminé. Il n'avait qu'à saisir l'arme blanche et la planter dans la poitrine de l'ours. En outre, celui-ci avait retiré son espèce d'épais gilet, cette armure moderne qui arrêtait les balles. Avec un peu de chance, il atteindrait directement le cœur. Son gros cœur de porc. Si jamais il en avait un. Ce qui n'était pas sûr.

Allez, en quelques secondes, il n'y aurait plus de Mohammed Mohammed.

C'était si simple.

Mais ce n'était pas son Plan.

Ce n'était pas LE Plan.

Le tuer ne servirait à rien.

Il l'avait promis à Rachid. Il se l'était promis à lui-même. Je ne suis pas comme eux, non. Nous ne sommes pas comme eux.

On reconnaissait un homme puissant en ce sens qu'ayant le pouvoir de donner la mort, il préférait laisser la vie sauve. Tel Jules César levant en l'air son pouce pour gracier le malheureux gladiateur devant un public réclamant sa mort. Oui, tel Jules César, Napoléon était un homme puissant.

Il ne leva pas le pouce en l'air mais il sauta du lit et quitta la chambre rouge sous le regard vitreux de Mohammed Mohammed qui, étranger à l'immense gratitude de l'Empereur, s'était évanoui, transporté par l'extase d'un orgasme qui se répandait sur son treillis kebab comme de la sauce au yaourt.

Coquillettes au beurre

À 21 heures, Faysal, que tout le monde appelait « Faisselle »
parce que c'était le cuisinier, se décida à aller voir son patron.
Mohammed Mohammed avait l'habitude de prendre son
repas vers 20 heures chaque soir, lorsqu'il rentrait, affamé,
de ses missions. Une heure déjà était passée, et aucun signe
de vie. Même s'il s'était enfermé avec l'une des nouvelles, un
tel retard était tout de même bien étrange. Ses « petites
affaires » ne duraient jamais bien longtemps. Intrigué,
l'homme entra dans l'appartement du bout du couloir et se
rendit directement au salon. Personne. Il visita la cuisine, les
toilettes et le petit débarras, tous vides.

Il hésita quelques secondes devant la porte de la chambre
rouge. Puis frappa. Ne recevant pas de réponse, il ouvrit et
passa la tête, prêt à se confondre en excuses au cas où il
surprendrait son patron dans une posture compromettante
avec la nouvelle prétendante. Il savait que le chef n'aimait
pas être dérangé dans sa salle de jeux sexuels. Mais c'était un
cas de force majeure. Le repas était prêt depuis une heure,
avait déjà eu le temps de refroidir puis d'être réchauffé quatre
fois. Il redoutait un cinquième passage au micro-ondes.
C'était bien la peine de s'évertuer à préparer de bons petits
plats si on les massacrait de la sorte.

Soudain, il oublia ses préoccupations culinaires. Le leader
était face à lui, menotté aux barreaux de son lit, se démenant
pour essayer de se défaire de ses entraves.

– Chef?

– Faisselle! Allah soit loué. J'ai bien cru que j'allais passer toute ma vie attaché à ce foutu lit. Les clés sont sur la cantine.

Le cuisinier s'en empara et libéra son patron de ses fers.

– La petite Française. Une sacrée coquine. Qui ne perd rien pour recevoir une bonne fessée, Faysal. Et en parlant de fessée et de faisselle, j'ai une faim d'ours!

– Ce soir, c'est coquillettes au beurre réchauffées quatre fois au micro-ondes.

– Allah soit loué, tu fais de moi le plus heureux des hommes.

Une fois libre, et Faysal parti, Mohammed Mohammed alla s'asseoir à sa table, ôta la serviette à carreaux rouges et blancs qu'il portait sur le crâne et se la noua autour du cou. Il s'inclina et dévisagea Popocaca, qui supportait tout le poids de la table et semblait supporter en même temps celui de tout l'univers. Il se redressa et attendit que Faysal revienne lui apporter son plat de nouilles. Rien que d'y penser, il en salivait d'avance.

Ce qu'il ne savait pas, c'est que Napoléon Bonaparte s'apprêtait à mettre son petit grain de sel dans son bon repas.

La première expérience téléphonique
de Napoléon

Délaissant, le temps de l'opération, son voile intégral, l'Empereur des Français avait retrouvé ses habits de guerre. Vêtu de son tee-shirt de Shakira, maintenant devenu fétiche, et de son jean moulant slim-fit, il avançait dans le long couloir sur la pointe de ses Converse. Derrière lui, à quelques mètres, tapis dans l'ombre dans un coude du passage, Rachid, les danseuses du french cancan, Sharon et Mamadou attendaient un signe de lui pour le rejoindre. Le téléphone que Napoléon tenait dans la main se mit à vibrer. C'était une sensation agréable. Durant un instant, il s'imagina nu, allongé sur un matelas, le corps entièrement recouvert de portables. Des dizaines de personnes l'appelleraient en même temps, faisant vibrer chaque partie de son être. Il se promit de tester cette nouvelle invention dès qu'ils retourneraient en France sains et saufs et de l'appeler « le massage napoléonien ». Il avait remarqué que les Français et Françaises d'aujourd'hui prenaient soin d'eux grâce à toute une ribambelle de massages aux noms les plus exotiques les uns que les autres, et se demanda pourquoi personne n'avait encore pensé au massage par vibrations téléphoniques.
Il revint à la réalité.
– Oui ? murmura-t-il en décrochant.
Il s'attendait à entendre, à l'autre bout du fil, la voix aiguë de Valentin qui aurait réussi à se glisser à l'intérieur de l'appartement et lui dirait « c'est bon », ou plus exactement

un de ces OK dont il ignorait l'origine mais qu'il soupçonnait d'être anglais. Le cuisinier du djihadiste avait été intercepté, ligoté, bâillonné et enfermé dans un placard. Et c'était Peggy qui, sous sa burqa, avait pris le relais et poussé le chariot, au repas quelque peu revisité, jusqu'à l'appartement du leader salafiste. Pour l'instant, le Plan se déroulait à merveille.

– Bonjour, monsieur Bonaparte Napoléon, je suis Marie-Thérèse, votre conseillère en bonnes affaires. Auriez-vous quelques minutes à nous accorder? Bien, parfait (continuat-elle sans attendre de réponse), nous vous proposons aujourd'hui une offre exceptionnelle jusqu'à ce soir minuit, pour une alarme maison. Les trois premiers mois sont gratuits...

– Qu'ois-je?

– Une alarme de sécurité maison, reliée vingt-quatre heures sur vingt-quatre à un centre opérationnel qui se déplace en cas de mouvement suspect au domicile en votre absence et prévient la police en cas d'intrusion avérée. Les caméras thermiques dans la salle de bains, les W-C et le salon vous sont offertes pour toute souscription immédiate.

Napoléon n'en revenait pas.

– Et Valentin? demanda-t-il.

– Valentin? Oh, nous avons également des offres de Saint-Valentin si vous le désirez. Un séjour pour deux personnes à Londres, tout inclus, voyage, déplacements, navette et hôtel pour un long week-end romant...

Napoléon raccrocha.

Il continua d'avancer puis s'immobilisa devant une porte. C'était ici. Il fallait juste qu'il attende le signal de Valentin pour entrer. Dans quelques secondes, la mission serait achevée et ils auraient gagné la guerre. La face du monde en serait changée à tout jamais. Et cela, grâce à lui, grâce à sa pugnacité, à son génie. En toute modestie, bien sûr. Napoléon sauverait le monde comme l'apiculteur rencontré peu avant son sacre l'avait un jour laissé présager en lui conseillant de prendre l'abeille comme symbole impérial. Il sourit dans la pénombre.

Le téléphone vibra à nouveau.

– Valentin ? demanda-t-il en décrochant.

– Nous avons été coupés, monsieur Bonaparte Napoléon, je suis Marie-Thérèse, votre conseillère en bonnes affaires. Êtes-vous intéressé par l'alarme maison ? Ou le séjour pour deux personnes à Londres ? Sinon, nous avons des coffrets spa-massages et des...

– Je me fous de toutes vos bonnes affaires ! s'exclama l'Empereur en essayant de ne pas trop élever la voix. Je n'ai point de maison et votre séjour dans la capitale de la perfide Albion me donne rien que d'y penser des démangeaisons là où vous savez. Je vous prierai de ne plus occuper cette ligne, j'attends un coup de fil d'une extrême importance.

La conne ! Elle allait faire capoter toute la mission.

Napoléon raccrocha, furieux. Le téléphone vibra presque aussitôt.

– Monsieur Bonaparte Napoléon ? Nous avons été coupés. Je comprends que vous ne soyez pas intéressé par l'alarme et le séjour à Londres, et encore moins par les packs spa-massages, mais je suis sûre que notre...

Le petit Corse raccrocha. C'était un cauchemar d'avoir un téléphone portable ! Et dire qu'il pensait que c'était une incroyable avancée technologique. L'appareil permettait de parler à des gens un peu partout sur la Terre, mais vous parliez en réalité surtout à des gens à qui vous ne désiriez pas parler.

Le téléphone vibra à nouveau.

– JE ME FOUS DE VOS...

– Napy ?

– Oui ?

– C'est Valentin, murmura la voix à l'autre bout du fil. C'est bon.

Napoléon sourit. Il se félicita que ce ne soit pas encore cette maudite Marie-Thérèse, et il se félicita que Valentin ne dise pas OK. Il rangea le smartphone dans sa poche, sortit son pistolet en plastique et tourna la poignée de la porte. Il n'avait jamais été aussi déterminé de sa vie.

La mort de l'abeille

Lorsque Napoléon entra dans le salon, pistolet factice en main, Mohammed Mohammed était assis à une table en train de dévorer un plat de coquillettes au beurre. L'Empereur aurait plus imaginé un djihadiste en train de dévorer une carcasse de sanglier ou de s'envoyer un énorme plat de couscous après une journée d'efforts à tuer des gens. Mais bon, des coquillettes au beurre. Pourquoi pas ? Ce qu'il devinait être Peggy se tenait à côté de lui, debout, sous son voile intégral, comme une épouse fidèle et sage, soucieuse du bien-être de son mari. L'Arabe semblait confiant, nullement affecté par le fait que ce soit elle, plutôt que Faysal la faisselle, qui lui ait apporté son repas. Il devait voir là une démonstration d'intérêt pour sa personne. Ces nouvelles recrues, prétendantes au statut de femmes du grand leader, n'avaient qu'un seul objectif dans la vie : le satisfaire. Lui en avait un autre : les laisser le satisfaire.

Le djihadiste leva la tête de son plat de nouilles, le regard hagard. Il semblait plongé dans un état semi-comateux. Néanmoins, il avait encore tous ses réflexes et il s'empara du pistolet qui était posé sur la table.

– Au nom du peuple français ! dit Napoléon d'une voix puissante. Et de la liber...

Mais avant qu'il ne puisse ajouter quoi que ce soit, le méchant musulman vidait son chargeur de quinze cartouches sur lui avec une rage mêlée d'une joie indescriptible.

– *Allahou akbaaaaaaar !* bafouilla-t-il les yeux emplis d'une furie meurtrière, et les lèvres parsemées de coquillettes auxquelles le beurre donnait un aspect nacré.

L'Empereur des Français tomba lourdement au sol, son pistolet d'enfant dans la main. Le petit corps de l'abeille vrombit quelques instants avant de tressaillir.

Shakira pleurait des larmes de sang.

L'Empire contre-attaque

Alors que Napoléon s'effondrait, Mohammed Mohammed sentit une violente douleur à la tête. Avant de s'évanouir à son tour, il eut juste le temps de voir cette tache de sang naître sur son treillis couleur kebab, couleur kebab à la sauce tomate, au niveau de sa poitrine, et s'étaler jusqu'à former une espèce d'Espagne écarlate. Il n'avait pas souvenir que l'homme ait tiré mais tout s'était passé si vite. Il réalisa que c'était ça, la mort, un truc qui arrivait vite, sans que l'on se rende bien compte. Il s'attendit à voir sa vie défiler en accéléré devant ses yeux, en noir et blanc, mais cela n'arriva pas. Comme si le projectionniste qui devait mettre en route le film avait, lui aussi, été surpris par une mort si rapide, si inattendue, ou faisait tout simplement grève ce soir-là. Tout ce qu'il vit fut l'homme étendu sur son tapis. Merde, il va me dégueulasser mon persan, pensa-t-il, avant de fermer les paupières. Il avait été touché. Il avait tué l'infidèle mais il mourrait avec lui.

L'ours se traîna par terre quelques secondes pour aller prévenir sa garde. Il atteignit le pied de la femme qui se tenait debout. Elle n'avait pas bougé d'un millimètre. Il leva la tête et la vit qui l'observait à travers les grilles de sa burqa. Pourquoi n'allait-elle pas sonner l'alarme? Il imagina son visage affolé, sous le voile. Était-elle tétanisée par la peur? Il imagina ses seins nus aussi. Les avait-elle petits et plats comme les deux Françaises auxquelles il avait eu à peine le temps de goûter? Il imagina son cul, son sexe épilé qu'il ne mettrait jamais dans la bouche après avoir dégusté ses coquillettes au beurre. Merde, les coquillettes au beurre! Elles allaient refroidir, encore une fois. Puis il souffla, soulagé, en se disant que soixante-douze filles comme ça l'attendraient au paradis, avec autant de plats de nouilles dans les bras. Ce soir, vivant ou mort, il aurait droit à son orgie. De filles. Et de nouilles. Et c'est tranquille qu'il s'abandonna au repos, à la fornication et à l'indigestion éternelle.

Il sourit même.

Avant de se laisser emporter par la mort.

Heureux. Parce que, comme nous l'avons déjà dit, l'ours n'était heureux que lorsque quelqu'un mourait. Raison de plus si c'était lui.

Les djihadistes deviennent
une communauté hippie

Quelques semaines après la mission secrète « Éclair », le monde assista à un regain d'intérêt pour la période épique de l'hippisme (celui des hippies, pas celui des chevaux). Car Mohammed Mohammed, le grand leader fanatique, bourreau, monstre, maître de cruauté sur Terre, était mort. Puis ressuscité. Pas comme Jésus-Christ, non, plutôt comme ceux qui se sentaient happés par un halo de lumière au fond d'un long tunnel, en pleine opération à cœur ouvert, et revenaient de la mort, parce que ce n'était tout simplement pas leur heure.

Ainsi, l'ours en sortit radicalement changé. À la suite de cet étrange événement, il partagea sur les réseaux sociaux islamistes radicaux des vidéos dans lesquelles il implorait les djihadistes du monde entier de mettre fin dès à présent à leur activité terroriste pour se consacrer à propager le bien et diffuser de bonnes ondes, partout sur le globe. Il avait remplacé la kalachnikov qu'il brandissait devant la moindre caméra par un bouquet d'orchidées rouges (désir de faire l'amour, dans le langage des fleurs), et invitait le peuple musulman à prêcher la parole bienfaisante et saine de Mahomet.

Il racontait avoir vécu ce que les scientifiques appellent « une expérience de mort imminente » pendant laquelle le prophète, qui était noir (oui, noir!) lui était apparu pour l'aviser de ses mauvaises actions et du sort destiné aux djihadistes haineux. Et ce n'était précisément pas passer l'éternité entouré de vierges, un mojito à la main. Il décrivit avec force détails l'horreur qu'il avait endurée pendant quelques minutes, qui lui avaient paru une éternité, une horreur qu'il n'aurait pas souhaitée à son pire ennemi. Ses déclarations soulevèrent une énorme polémique au sein de toutes les organisations terroristes. Mais Mohammed Mohammed était un modèle pour tous, un exemple de méchanceté et de cruauté incarnées. On l'avait vu balancer une cigarette sur un homme préalablement arrosé d'essence juste parce que celui-ci avait osé dire bonjour à l'une de ses épouses. On l'avait vu décapiter des ânes qui refusaient d'obéir à ses ordres, oui, des ânes, de vrais ânes, pas ses hommes. On l'avait vu trancher les deux bras d'un jeune Syrien pour la seule raison qu'il portait un tee-shirt vert (c'est vrai, c'est immonde le vert!) On l'avait vu faire tout un tas de choses ignobles, insoutenables. Et voilà qu'il apparaissait maintenant avec ce stupide et mielleux message de paix, un bouquet de fleurs à la main et un sourire XXL au visage. Un message digne d'un chien d'Occidental. Il devait vraiment être arrivé quelque chose d'extrême pour qu'il change à ce point son discours. Et puis, il terminait ses interventions télévisées en disant : « Écoutez, faites ce que vous voulez après tout, mais moi, je les aurai mes soixante-douze vierges! » Disant cela, il reprenait le panier posé à ses pieds et partait, d'un air enjoué, récolter des carottes et des betteraves dans son nouveau potager.

L'Ours de Mossoul était devenu aussi inoffensif qu'une peluche dans un lit d'enfant. On commença alors à le croire. Par la suite, d'autres chefs de réseaux tinrent les mêmes propos. Sur le point de mourir, un Noir enturbanné leur était apparu pour leur ordonner de divulguer la bonne parole d'Allah, de diffuser dans le monde un message d'amour et de paix, en échange de cent vierges! Les enchères étaient lancées.

Le boulot de djihadiste était devenu ringard. La mode était à la paix, aux fleurs, aux tisanes et au fromage de chèvre.

Bientôt, Mohammed Mohammed fit circuler des vidéos dans lesquelles il était tout heureux de montrer les nouvelles installations de ce qui avait été, un jour, ses camps d'entraînement. Le stade gris qui servait de base secrète avait été repeint en couleurs vives et l'on y entendait maintenant les cris de joie des enfants qui y jouaient au football. L'un d'entre eux se débrouillait très bien, d'ailleurs, et était en passe d'être sélectionné par l'équipe nationale. Il s'appelait Radwan. Et il avait une fossette sur la joue droite qui faisait craquer les filles.

Les stands de tir avaient été transformés en potager où poussaient de nombreuses variétés de fleurs, de légumes et de fruits qui assuraient la survie de leur communauté que plus aucun financement illégal ne venait abreuver. Les camps de la mort devinrent des camps de vacances islamiques. On apprenait aux enfants à s'occuper du potager, à reconnaître les arbres et les traces d'animaux, le nom latin des papillons, à calculer l'âge des coccinelles, à construire des puits, des cabanes, à faire du pain, à lire le Coran. Daesh était devenu une sorte d'association d'intérêt public, ou de scouts islamiques, une sorte de communauté hippie, comme dans les années 70 en Occident. On avait troqué les kalachnikovs pour des guitares, les lance-roquettes pour des outils de jardinage, les mitrailleuses pour des tondeuses à gazon. On avait repeint en jaune les Humvee et on avait écrit SCHOOL en grosses lettres sur la partie frontale. Anciennes machines de guerre, elles servaient dorénavant au ramassage scolaire dans les villages alentour.

On enleva les burqas aux femmes et on leur proposa de devenir institutrices. Certains hommes, les plus entraînés, devinrent profs de sport, les autres aidaient au travail de la terre. On arrêta d'alimenter les barbecues en brûlant des livres et on constitua des bibliothèques pour recenser le savoir humain. On fit griller du mouton à la place et une bonne odeur de viande vint flotter sur la communauté, recouvrant à tout jamais celle de la mort. On ouvrit des médiathèques dans les camps et on transforma même un tank en bibliobus pour parcourir la région et apporter la culture aux gens qui n'avaient jamais eu accès jusqu'à ce jour qu'à un seul livre, le Coran. Au cœur des montagnes syriennes, on se passionna alors pour la grande littérature, Émile Zola, Goethe, Cervantès, Éric Zemmour.

L'opération connut un tel succès qu'on l'étendit jusqu'en Irak, mère patrie de l'ex-leader djihadiste, qui fut même reçu par le pape dans sa demeure vaticane pour être félicité d'un tel virement de cuti.

On réhabilita Salman Rushdie ainsi que tous les écrivains et musiciens condamnés. Mohammed Mohammed brûla sa liste de fatwas, Fred compris, celui qui avait inventé les fous. Les relations avec les pays européens s'assouplirent. Certains intellectuels pro-islamistes, issus d'anciens réseaux criminels, apparaissaient sur les plateaux de télé chaque fois que de nouvelles caricatures du prophète revenaient sur le tapis afin de rappeler que le principal intéressé les adorait et rigolait beaucoup en les voyant. Le leader irakien, qui avait rencontré Mahomet lors de son expérience de mort imminente, racontait, à qui voulait l'entendre, que le prophète appréciait beaucoup cet humour, qu'en réalité, ça Lui passait bien au-dessus du turban. En quelques mois, les dessinateurs occidentaux, voyant que les ex-djihadistes ne se mettaient plus en colère et que leurs caricatures ne les dérangeaient plus cessèrent de dessiner Mahomet pour se trouver de nouvelles victimes à emmerder.

Napoléon ressuscité

Napoléon volait à présent à trente mille pieds au-dessus de l'océan Atlantique. Bien vivant.

– Racontez-moi, Sire. Comment avez-vous réussi à transformer ces terroristes sanguinaires en d'inoffensifs petits agneaux? demanda le professeur Bartoli, assis dans le siège voisin. Et le terrible Ours de Mossoul en ourson?

Napoléon but une gorgée de Coca-Cola Light. Son regard se perdit à travers le hublot. L'avion dans lequel ils se trouvaient maintenant était beaucoup plus gros que son jet privé. C'était un Boeing, la marque américaine concurrente de la marque européenne Airbus, et l'Empereur sentait qu'il trahissait un peu son peuple, mais après tout, c'était bien normal que cet appareil soit américain puisqu'ils se rendaient aux États-Unis. Il en avait vu du pays, toutefois c'était la première fois qu'il mettrait le pied sur ce continent. *Napoléon in the USA.* Cela aurait pu être un titre d'album de Bruce Springsteen.

Après la mission « Éclair », comme son nom ne l'indiquait pas, la troupe était restée quelques semaines à Raqqa, juste le temps d'épuiser les réserves de bâtonnets de poisson pané. Les enfants des environs en étaient devenus friands et, comme il l'avait promis au pêcheur norvégien, Napoléon avait eu à chaque fois une pensée pour celui qui l'avait ramené à la vie, et avait fait beaucoup de publicité pour ses surgelés dans cette partie du monde où ils manquaient cruellement. Ils avaient aidé les djihadistes à transformer leur camp d'entraînement en camp de vacances, en prêtant bien attention à ne jamais être vus par Mohammed Mohammed afin qu'il ne les reconnaisse pas et ne devine la supercherie. Puis, voyant l'affaire résolue, la troupe était rentrée au pays où elle s'était dissoute, chacun se disant au revoir et se souhaitant bonne chance pour l'avenir. L'Empereur avait eu une petite pensée pour son troisième descendant, Jonathan, qui, à sa manière et par son absence avait contribué au succès de l'opération.

La Nouvelle Petite Grande Armée avait vaincu. Née pour ce seul propos, elle n'avait plus de raison d'exister. Et leur chemin s'était séparé, là, sur la piste de l'aéroport Charles-de-Gaulle, où Napoléon et le professeur Bartoli avaient repris, dans la foulée, un vol commercial pour les États-Unis, et plus précisément, le New Jersey. Il y avait quelque chose que le petit Corse souhaitait récupérer là-bas, quelque chose qui lui appartenait. À son retour, il retrouverait Charlotte et la belle vie pourrait alors commencer.

– Les djihadistes qui deviennent des hippies, reprit le professeur corse. Racontez-moi l'histoire! Que s'est-il passé ce soir-là, à Raqqa? J'étais resté dans l'avion, rappelez-vous.

Oui, rappelez-vous, le médecin avait passé tout le temps de l'opération caché dans un sac de marin dans un placard de l'Embraer stationné sur l'aérodrome syrien, déjouant l'ennui à coups de parties de lancer de boulettes de papier sur son téléphone. Il en avait jeté des boulettes! Des centaines. Jusqu'à ce que les batteries s'épuisent et qu'il se retrouve définitivement coupé du monde. En proie à une grande panique.

– Je me rappelle, mon brave. J'ai peut-être plus de deux siècles, je ne suis point sénile pour autant!

Si Napoléon était, en général, réticent à révéler son plan avant une opération, il ne l'était plus, en revanche, dès que la mission s'était achevée. Qui plus est, avec succès.

L'Empereur s'éclaircit la voix et commença son récit.

– Alors voilà, peu après que nous nous sommes perdus de vue…

– Que vous m'avez semé, corrigea Annonciade.

– … je me suis intéressé à la croyance des djihadistes. Je me suis dit « qu'est-ce qu'un terroriste peut bien avoir à gagner en commettant ces méfaits ? » La réponse m'est apparue dans les sourates 55:72 et 56:35. On trouve de tout sur Internet. Bref, ces passages se référaient aux *houris*, ces vierges du paradis qui n'ont été déflorées ni par des hommes ni par des djinns.

– Des jeans ?

– Oui, des *djinns*, des esprits. Ces vierges, donc, c'est le truc qui revient toujours, telle une obsession. Vous penserez que c'est futile de s'attacher à de telles choses, mais tout le problème vient de là. Oui, si on a autant de problèmes avec ces gens-là, s'ils ont déclaré la guerre au monde entier, c'est bien parce qu'ils croient qu'ils seront récompensés dans une autre vie. On n'a plus peur de la mort lorsque l'on croit en une vie au-delà, une vie meilleure s'entend. Tout est ancré dans cette croyance. Les djihadistes n'ont point peur de la mort, et une armée composée d'hommes qui n'ont point peur de la mort est, de loin, la plus redoutable, croyez-moi, car rien ne l'arrête. Il me fallait jouer sur cela. Prouver à ces gens-là que la vie qui les attendait après n'était point si glorieuse que cela, et donc commencer à leur faire redouter la mort. Une nuit, j'ai rêvé de Sharon. Ma descendante. Elle est bien brave, mais la pauvre, elle fait un peu peur, comme vous avez pu l'apprécier par vous-même. J'ai pensé qu'elle pourrait épouvanter Mohammed Mohammed au plus haut point. Et je ne me suis point trompé. J'avais lu quelque part, dans un journal en couleurs appelé *Cosmopolitan* je crois, que c'était un homme à femmes. Et qu'il les aimait bien menues. Il serait servi ! J'ai alors imaginé une petite mise en scène.

L'apparition de Mahomet, jouée par Mamadou, avec la voix de Rachid, placé derrière lui. L'apparition de cinq vierges aguichantes, jouées par nos sublimes danseuses de french cancan, et puis le rôle de la repoussante vierge, qui n'en est plus une depuis longtemps, jouée par ma Sharon-Georgette. J'ai dû rendre visite à Dove Attia pour mettre un peu de réalisme dans cette simulation. J'avais cru comprendre qu'il s'agissait d'un homme de théâtre. C'est effectivement quelqu'un qui produit des comédies musicales. Ses connaissances en la matière m'ont permis d'utiliser des balles à blanc, dont j'ignorais l'existence. Qu'aurait-on bien pu faire d'une balle imaginaire à mon époque ? Les balles des fusils ne causaient déjà point assez de dégâts, point assez à mon goût en tout cas... Et puis, il m'a donné l'idée de la sauce tomate dans les préservatifs pour simuler ma mort ainsi que celle de Mohammed au carré. Il paraît que c'est ce qu'ils utilisent dans les films. Enfin, pas la sauce tomate, les capotes anglaises (pourquoi faut-il toujours que les Anglais foutent leur nez partout, jusque dans nos...) J'avais tout ce qu'il fallait. Restait alors le plus important. Comment approcher l'ennemi sans qu'il s'en aperçoive ? Du moins, sans qu'il ait de soupçons. J'ai alors repensé au cheval de Troie. Ce sont les burqas qui m'y ont fait penser, en réalité. On peut foutre n'importe quoi dessous...

Le professeur Bartoli, absorbé par les paroles de l'Empereur, dodelinait de la tête pour s'imaginer la scène.

– Lors de mes recherches sur l'encyclopédie Internet, reprit Napoléon, j'ai noté, non sans un certain effroi et une certaine incompréhension, que les derniers attentats qui ont touché la France avaient suscité chez quelques Européennes en recherche d'identité une nouvelle vocation : la chasse aux époux moudjahidine. Si c'était un sport olympique, la France serait première sur le podium ! Vous vous rendez compte ? Alors que la population était bouleversée par les horreurs qui venaient de se commettre, certaines femmes, elles, voyaient ces hommes comme des héros, à tel point qu'elles voulaient s'offrir à eux, corps et âme. Des masochistes ? Quand on voit ce que les djihadistes font subir aux dames, on se croirait revenus à mon époque ! Après tout ce qu'elles ont gagné comme droits au cours des années, c'est de la folie de vouloir partir épouser un djihadiste. Ont-elles toutes perdu la raison ? On devrait toutes les interner à Sainte-Verge !

Le médecin ne connaissait pas cette sainte. Il trouva tout de même qu'elle avait un drôle de nom.

– Enfin, tout cela allait au moins nous servir à approcher l'ennemi. Rachid deviendrait le transporteur de vierges. De vierges fraîches européennes pour le gourmand. Quoi de mieux que du miel pour adoucir un ours ? Ensuite, tout va très vite. On intercepte le dîner du leader en assommant le cuisinier. On verse dans les coquillettes au beurre le contenu d'une petite pilule verte que l'on m'avait donnée à l'asile de fous, un anxiolytique puissant. J'avais bien fait de la garder. On glisse la tête de porc sous une cloche. On enferme Valentin dans le chariot et Peggy va servir ses coquillettes au beurre à ce fumier. Pendant qu'elle occupe Mohammed au carré, Valentin se glisse hors de sa cachette et change toutes les munitions des armes de l'homme par les balles à blanc que nous avons achetées avant de partir. Alors que la pilule verte commence à faire effet et que l'homme commence à plonger dans un état semi-comateux, le danseur va se cacher dans une autre pièce et me prévient par téléphone, entre deux-trois appels d'une certaine Marie-Thérèse qui veut tout foutre en l'air avec ses alarmes de maison et ses week-ends à Londres. Notre cher désossé revient ensuite discrètement se poster derrière le djihadiste puis il m'attend. Lorsque j'entre et que je simule un tir de pistolet, il lui écrase sur la poitrine un préservatif rempli de sauce tomate. Le grand spectacle peut alors commencer...

– Le show?

– Le *chaud*?

– Le show, avec un *s* et un *w*. Ça sonne mieux que *grand spectacle*.

– Encore de l'anglais, grommela Napoléon.

Il avait oublié que le français sonnait beaucoup mieux lorsqu'il était dit en anglais. Il ne s'y ferait jamais.

Ce qui attend les djihadistes

– Où sont mes soixante-douze vierges? fut la première phrase que prononça Mohammed Mohammed lorsqu'il ouvrit les paupières.

Les yeux grands comme des boules de pétanque, un petit sourire idiot aux lèvres, il cherchait du regard les déesses qui lui revenaient de droit. Encore sonné, il était étendu sur le tapis tressé, là même où la balle l'avait atteint et fait vaciller.

– Je ne ressens aucune douleur, ajouta-t-il en passant sa main au niveau de sa blessure, sur son treillis couleur kebab à la sauce tomate.

Ses yeux tombèrent sur le cadavre de l'infidèle qui lui avait retiré la vie, enroulé sur lui-même comme un chien endormi. Il avait été vengé. Un mort pour un mort. Soudain, un tas de questions l'assaillirent. Qui était donc cet homme? Comment avait-il réussi à arriver jusqu'à lui? Pourquoi personne ne l'avait arrêté avant? Où était sa garde?

Il se rappela alors qu'il avait donné quartier libre à ses hommes pour la soirée. La journée au musée n'avait pas été de tout repos et, à peine arrivés, ils avaient tous sauté de leur jeep, enfilé un short et une paire de baskets pour se livrer à leur activité préférée, le football, sur le grand terrain à la pelouse défraîchie et aux nids-de-poule meurtriers. Après tout, ils avaient établi domicile dans un ancien stade. Il ne pouvait pas leur en vouloir. C'était là le seul privilège que Mohammed Mohammed offrait à sa garde rapprochée.

Pouvoir jouer au ballon sans finir décapité. Il les avait déjà tous soumis au chewing-gum à la nicotine, il n'allait pas en plus leur enlever le sport. Il devait lâcher un peu de lest quelquefois, pour la simple et excellente raison que s'il décapitait toute sa garde rapprochée, il n'aurait bientôt plus de garde rapprochée. Ces fientes de chameaux doivent certainement être en plein match en ce moment, pensa-t-il, alors qu'on vient de m'ôter la vie.

Soudain, la porte s'ouvrit et une ombre apparut dans l'encadrement.

– Bienvenue, Mohammed Mohammed, dit une voix en arabe. Te voilà mort. À mon entière disposition.

L'ombre s'approcha de lui, suivie de jeunes filles vêtues d'un seul string ficelle. Elles avaient les jambes longues et sveltes. Leurs seins étaient de la taille de ses mains, leur peau luisante et belle, leur sourire ravageur, leurs cheveux ondulés, dansants, leur corps parfait, avec de petites fesses rebondies qui donnaient envie de leur flanquer une petite tape, de les lécher, de les pénétrer sans autre préliminaire. Jamais Mohammed au carré n'avait vu de beautés pareilles durant sa vie. Et c'était dans sa mort qu'il les découvrait. Il venait de gagner sa récompense. Il sentit son sexe durcir. Ainsi, on bandait toujours étant mort. Il s'en félicita.

– Mes vierges !

Il compta les filles. Il n'y en avait que cinq.

– Où sont les soixante-sept autres ? s'exclama-t-il, se sentant légèrement floué.

– Patience, Mohammed Mohammed, dit l'ombre qui s'avançait vers lui.

Bientôt, l'ombre fut en pleine lumière. C'était un bel homme à la peau noire, à la barbe finement taillée. Il portait un grand turban doré enroulé autour de la tête.

– Mahomet ? demanda le chef des djihadistes, la voix emplie de respect et de surprise.

– Je suis en effet le prophète. On m'appelle aussi le Grand Balayeur.

Mohammed Mohammed sourit, heureux. Il ne l'avait jamais imaginé noir. Il avait toujours cru Mahomet arabe, comme lui, à son image, même s'il n'en avait jamais vu de reproductions puisqu'elles étaient interdites. Y avait-il des Arabes noirs ? Il savait qu'il y avait des Noirs qui parlaient arabe, mais pas le contraire. À moins qu'il n'y en ait qu'un seul. Le prophète. Il était vrai que toutes les religions avaient une conception anthropomorphique de leur dieu. Les chrétiens avaient un dieu blanc, fait de deux jambes et de deux bras, comme eux, les bouddhistes, un gros Chinois, quel Arabe n'avait pas un jour imaginé Allah comme un Arabe avec un turban ? Alors que Dieu aurait tout aussi bien pu être une lumière, une forme sans forme, on l'imaginait toujours à l'image de l'homme. Qu'est-ce que l'être humain pouvait être nombriliste ! Ainsi donc, le prophète Mahomet avait la peau d'un noir d'ébène. Elle était brillante, comme s'il sortait d'un bain d'huiles essentielles. Le prophète prenait soin de lui. Ce qui était tout à son honneur.

– Vous êtes noir... dit le djihadiste.

– Bien vu ! Tu sais, j'étais comme toi lorsque je suis apparu sur Terre, la peau un peu marron, tannée, et puis, je suis devenu noir à chacun de vos crimes, à chacun de vos méfaits. Je suis devenu noir comme le cœur des hommes...

Devant le regard perdu de son sujet, il pouffa :

– Non, je plaisante, j'ai toujours été noir. Mais si les Arabes l'apprenaient, ils ne croiraient plus en moi... Or, les Arabes, c'est 20 % des musulmans dans le monde. C'est un peu mon fonds de commerce, si tu vois ce que je veux dire. Donc pas de caricature, comme ça, pas de jaloux, c'est réglé. Tout le monde m'imagine à son image. Noir, marron, jaune...

– Voilà donc la réponse à cet éternel mystère, dit le leader djihadiste, un air ahuri sur le visage. À cet éternel péché.

Et il se demanda de quelle couleur pouvait bien être Jésus.

– Que seuls peuvent connaître ceux qui vont mourir... ajouta l'autre.

Mohammed Mohammed réalisa alors que le prophète pouvait parler sans bouger les lèvres. Comme une espèce de ventriloque. Mahomet le regardait de ses deux yeux charbon, bouche fermée et, de son esprit, sortaient des mots audibles. Une voix puissante et grave, avec un léger accent égyptien.

– Ainsi, je suis donc au paradis... dit le terroriste en tournant à nouveau son regard vers ses vierges qui continuaient d'onduler aux côtés de Mahomet comme dans une boîte de strip de Las Vegas.

– Détrompe-toi! dit le prophète d'une voix tranchante. Regarde donc ce que tu as fait.

Mahomet signalait de l'index le cadavre du Français dans le coin de la pièce.

– Un chien d'infidèle! cracha Mohammed au carré. Je l'ai tué pour vous servir.

Les yeux du prophète se remplirent de larmes.

– Me crois-tu si faible que je ne puisse me défendre seul des agressions ou des humiliations qui sont, selon toi, commises envers moi? Ne suis-je pas assez grand et puissant pour décider moi-même de ce qui me blesse et d'écraser moi-même ceux que je crois qui me blessent? Quel genre de justicier es-tu pour rendre justice seul alors que ce rôle m'est réservé? Qui es-tu pour juger à ma place? As-tu tant d'estime pour toi, alors que tu n'es rien? Un être humain dont Allah reprend la vie ou la lui laisse d'un simple claquement de doigts. Qui es-tu pour juger en mon nom? Pour tuer en mon nom? Moi qui ne tue jamais personne, ni le moindre insecte, ni le cafard le plus abject. Moi qui ai autant de respect pour un homme, une femme, que pour un animal ou une fleur. Te crois-tu supérieur à moi? Regarde ce que tu viens de faire. Encore un mort de plus sur ta liste... ta liste longue comme la rivière qui parcourt ces montagnes, longue comme les veines qui parcourent ton corps et sont emplies de haine. Et ces dessinateurs français que tu as assassinés. Je vais te dire, moi, leurs caricatures me font bien rire ! Et Allah aussi en rigole. Tu t'imagines ? Lui et moi en Arabes alors que nous sommes noirs ! Ah ah ! Non, ce n'est pas à eux que j'en veux, mais à toi. À toi et à ces hommes qui te ressemblent et qui me dégoûtent. Car c'est toi qui, par ton attitude, m'humilies au plus haut point et fais déshonneur aux autres musulmans, et aux autres êtres humains en général. Tu es habité par la haine et tu tues en mon nom. Ah, j'ai beau dos, hein ? Le prophète a beau dos, oui. Moi, je ne mène pas le même combat que toi. Je ne mène aucun combat d'ailleurs, si ce n'est celui qui m'oppose à des hommes comme toi, qui se croient tout permis, qui se prennent pour Allah et quittent, sans aucun respect, la vie qu'Il sème un peu partout sur la Terre avec tant d'efforts, de sueur et de larmes. Tu reprends en une seconde, avec tes mains sales, ce qu'Allah met neuf mois à concevoir dans le merveilleux ventre d'une femme. Ces femmes que tu traites comme le dernier des cafards alors qu'elles engendrent la vie sur notre belle planète. As-tu oublié que tu es le fruit de l'une d'entre elles ? Tu n'es pas né sous une pierre, Mohammed Mohammed. Tu détruis l'œuvre d'Allah. Chaque jour qu'Allah crée, tu détruis son œuvre en tuant des hommes, des femmes, des enfants. Qui es-tu pour défaire ce qu'Allah fait ? Qui es-tu pour enlaidir le monde et te réfugier derrière Lui ? Tu commets les pires atrocités en Son nom et oses rêver d'un paradis ? De soixante-douze vierges ? D'ailleurs, d'où tu sors ce truc ? On n'a jamais parlé de soixante-douze vierges ! Le repos éternel, OK, mais les vierges... Tu m'as pris pour un patron de bordel ou quoi ? Comment peux-tu prétendre à une récompense alors que sur Terre tu ne sèmes que la terreur, l'horreur, la barbarie ? Tu ne sèmes que les larmes de familles et d'amis décimés ? Êtes-vous si cons, tous, au point d'être incapables, quand quelque chose vous dérange, d'en discuter comme des personnes adultes, sensées ? D'en parler ? Au lieu de saisir vos armes et de tirer sur tout ce qui bouge ? Comme des êtres dénués d'intelligence, ne sachant répondre que par votre instinct primitif, par la seule force, la seule violence ? Merci pour la publicité ! Ce n'est pas comme cela que l'on va recruter. N'avez-vous rien construit ? N'avez-vous aucune connaissance pour vouloir à ce point tout détruire ? N'avez-vous donc aucun respect pour la vie qu'Allah donne pour vouloir la reprendre à qui vous chante, quand bon vous chante ? Tu ne mérites rien, Mohammed Mohammed, non, rien, si ce n'est l'enfer éternel. Toi et tous tes petits copains, vous méritez tous l'enfer éternel.

Le prophète tapa dans ses mains et les cinq bombes sexuelles en string disparurent. Dans un coin, une silhouette difforme apparut en même temps.

– Voilà celle que tu mérites. Et encore, si je m'écoutais, tu n'en mériterais aucune.

Une grosse brune de deux quintaux, de type européen, les cheveux en bataille, s'approcha de lui. Elle n'était vêtue que d'un string léopard qui était presque invisible sous autant de chair pendante et de bourrelets. Ses seins ressemblaient à deux énormes chaussettes dans lesquelles le père Noël aurait déposé quelques cadeaux au fond. Ils lui arrivaient au nombril. Elle sourit. Ses lèvres étaient barbouillées de rouge à lèvres fuchsia bon marché qui sentait la gouache.

Elle s'approcha et lui souffla au visage. Elle puait la piquette à plein nez.

– Elle est moche et grosse ! hurla l'homme alors qu'il reculait.

– Quoi ? Tu pensais que j'allais te refiler Claudia Schiffer ? Et puis, la laideur et la grosseur sont des valeurs subjectives. Même la femme la plus moche est une belle création d'Allah. Oserais-tu affirmer le contraire ?

– Non, non, mais, mes soixante-douze vierges...

– Mauvaise nouvelle. Ce ne sont pas soixante-douze vierges qui attendent les djihadistes, mais une seule, et encore, si tu veux mon avis, elle n'a pas l'air d'être très vierge celle-là...

Les yeux de Mohammed Mohammed étaient emplis de terreur.

– Elle est à toi, pour le reste de ta vie après la mort. Jusqu'à ce que tu te réincarnes en...

Comme un serveur dans un restaurant de luxe, Mahomet leva la cloche qui se trouvait sur une des assiettes posées sur le chariot. Il révéla alors une énorme tête de porc avec du persil dans le groin.

Le djihadiste était horrifié. Il n'aurait jamais pu imaginer tout cela, même dans son pire cauchemar.

– Les hommes qui tuent en mon nom ou en celui d'Allah se réincarnent en porcs. Quand on ne sait pas lire le Coran, Mohammed Mohammed, quand on fait dire ce que l'on veut à mes saintes Écritures, alors on ne mérite que cela. Finir en porc.

– En porc?

– Tu sais maintenant pourquoi Allah interdit aux musulmans de manger du porc. Puisque ce sont des djihadistes réincarnés, cela reviendrait à du cannibalisme.

– J'ai toujours pensé que c'était parce que c'est l'animal porteur du plus grand nombre de maladies!

– C'est toi l'animal porteur de la plus grande maladie, Mohammed Mohammed! La connerie! Dis donc, tu en auras appris des choses aujourd'hui! Plus que de ton vivant!

Le djihadiste avala sa salive.

– Je suis tellement en colère contre vous tous, si tu savais, reprit le prophète, les yeux injectés de sang. Tellement en colère contre vous. Lorsque je vous vois kidnapper des enfants de six ans pour les endoctriner, que je vous vois les armer et les entraîner à tuer au nom d'Allah. Quand je vous vois leur voler leur jeunesse, leurs rêves de petits garçons, de petites filles, j'ai envie de vomir. De vomir! Les caricaturistes de *L'Hebdo des Charlots* avaient raison, c'est dur d'être aimé par des cons!

– Pardonnez-moi, pardonnez-moi!

Le barbu tomba au sol à genoux, pleurant et suppliant. Il baissa la tête en signe de soumission.

– Lorsque tes victimes s'agenouillaient devant toi, tu les achevais d'une balle dans la tête, à bout portant. Combien de femmes infidèles as-tu exécutées? Combien de touristes étrangers as-tu brûlés, décapités? Tu me répugnes. Pourquoi ne devrais-je pas en faire autant?

– Moi aussi, j'ai été endoctriné depuis le plus jeune âge, expliqua Mohammed Mohammed pour rejeter la faute sur un autre. Moi aussi, je ne suis qu'une victime de ceux qui étaient là avant, qui combattaient contre les infidèles. On a fait de moi ce que je suis devenu.

La grosse femme lui enfonça le visage dans sa poitrine. Il crut défaillir.

– En cela tu n'as pas tort, dit le Tout-Puissant. L'homme a toujours mal interprété mes paroles et mes écrits pour justifier sa violence, sa barbarie, sa soif de meurtres et de vengeance. Je vomis quand je pense qu'Allah vous a créés à son image et quand je vois ce que vous êtes devenus. Mais on a toujours le choix dans la vie. Et il n'y a pas que moi qui le dis. Si le sujet t'intéresse, lis Sartre. Tu ne vas pas éternellement rejeter la faute de tes mauvaises actions sur les autres. Tu as fait le mauvais choix. Et tu vas en payer le prix fort.

– J'entends rien! dit l'homme, empêtré entre les énormes seins de Georgette.

Il se dégagea dans un dernier effort, exténué.

– N'y a-t-il pas moyen de changer tout cela, de me faire pardonner? S'il vous plaît, s'il vous plaîîîîtt, s'il vous plaîîîît...

ajouta-t-il sur le ton de la plainte d'une Rom qui demande une petite pièce dans le métro parisien.

S'il avait eu un accordéon, il aurait entonné aussitôt *La Vie en rose* en agitant un gobelet de Starbucks Coffee sous le nez du prophète. Pendant ce temps-là, la grosse brune l'embrassait, étalant la peinture rose partout sur son torse poilu. Elle prit ses seins flasques dans les mains et les fit virevolter comme deux girouettes. Mohammed Mohammed allait tourner de l'œil dans 5, 4, 3, 2...

– Puisque tu le demandes, il y a bien quelque chose, dit Mahomet de sa voix caverneuse.

Ses grosses lèvres dessinaient pour la première fois un sourire.

Où il est encore question
du pénis de Napoléon

– Vous connaissez la suite. Les vidéos, les messages de paix de l'ex-leader djihadiste, ses bouquets de fleurs, le camp d'entraînement converti en camp de vacances, le bibliobus…

– Alors c'est pour ça qu'il est interdit de caricaturer le prophète et que les musulmans ne mangent pas de porc… dit le professeur qui en était resté là du récit.

– Oh, tout ce que dit Rachid n'est pas parole d'Évangile. Je lui ai laissé carte blanche pour le sermon. Mais après tout, ses explications valent autant que leurs croyances.

– Vous prêchez un convaincu.

– Au fait, vous avez vu? continua Napoléon. Mohammed Mohammed est mort ce matin, d'un arrêt cardiaque. Ironie de la vie.

L'Empereur montrait la une du *Monde*, sur laquelle on pouvait voir une photographie de l'ancien bourreau irakien, souriant, devant un fond de fleurs psychédéliques que n'aurait pas renié Jimi Hendrix pour l'un de ses concerts télévisés.

– C'est idiot de dire cela.

– Quoi donc? demanda le petit Corse.

– Qu'il est mort d'un arrêt cardiaque. Tout le monde meurt d'un arrêt cardiaque. Que l'on vous assassine à coups de couteau suisse, que vous vous noyiez dans votre baignoire, que vous vous fassiez écraser par un éléphant, vous mourez parce qu'à un moment donné votre cœur s'arrête de battre. On meurt donc toujours d'un arrêt cardiaque.

– Ce n'est point faux, conclut Napoléon.

– On aurait pu attendre.

– Attendre quoi?

– Eh bien, attendre qu'il meure. Lao Tseu disait : « Si quelqu'un t'a offensé, ne cherche pas à te venger. Assieds-toi au bord de la rivière et bientôt tu verras passer son cadavre. »

– Personnellement, je préfère agir. Attendre que Mohammed Mohammed meure n'aurait pas arrêté le djihadisme pour autant.

– C'est vrai.

– Vous croyez qu'il est au paradis avec soixante-douze vierges?

– Si c'est le cas, il a dû se rendre compte du mauvais tour qu'on lui a joué et il l'a mauvaise!

Le médecin partit dans un fou rire.

– En réalité, continua-t-il une fois ressaisi, je ne crois ni au paradis, ni aux... vierges. Je voulais vous dire, Sire, vous êtes un génie. Vous n'avez pas failli à votre réputation. Votre esprit de la guerre, et puis toutes ces choses que le monde entier vous doit. Les meubles style Empire, les universités, la symphonie n° 3 de Beethoven (qu'il vous avait dédicacée), le code napoléonien, le système métrique, les ambulances, le déchiffrement des hiéroglyphes (par Champollion, que vous aviez emmené avec vous durant votre expédition en Égypte). Une chose me turlupine, cependant.

– Oui?

– Rachid est bien musulman, n'est-ce pas?

– Et quel musulman! s'exclama Napoléon. C'est l'imam de la Grande Mosquée de Paris.

– Bien, bien. Alors comment avez-vous réussi à le convaincre de prendre part à toute cette mascarade, à votre plan diabolique. Car vous avez quand même réussi à discréditer un tout petit peu l'islam, enfin, je veux dire, vous l'avez tourné en ridicule en attaquant l'une des croyances les mieux établies, à savoir celle de la récompense de tout bon martyr, les soixante-douze vierges.

– Rachid pense que l'islam est une religion de vie, pas de mort. Et que nos actions se paient dans cette vie-là. Il ne croit pas aux soixante-douze vierges du paradis, et il n'est pas le seul musulman à ne pas y croire, d'ailleurs.

– Ce qui est en somme assez rassurant… Soixante-douze vierges, celui qui a inventé ça devait être sacrément sevré ! Pourquoi pas soixante-douze plats de choucroute ? Ou soixante-douze villas avec piscine et Jacuzzi ? Cela ressemble plus à ma conception du paradis. C'est là qu'on voit que les religions, c'est une invention de mecs ! Les nouvelles guerrières de l'islam radical qui meurent au combat devront aussi se taper soixante-douze vierges ? Les mœurs ont évolué. Il faudra qu'ils pensent à ajouter soixante-douze Brad Pitt dans la réactualisation du Coran, pour récompenser les « djihadettes ».

– Nous aussi avons nos chimères dans la religion catholique. Marie qui accouche d'un enfant tout en étant vierge ou Jésus qui change l'eau en vin. Je pense que cela fait juste partie du folklore, de la jolie fable. Le plus important, c'est la force spirituelle, l'appui que l'on cherche dans la religion, l'assurance de ne point nous sentir seul. Jamais.

– C'est comme la vie après la mort. Je crois que cela serait un peu trop facile de se comporter comme une canaille au présent en pensant que l'on sera puni dans une prochaine hypothétique existence, vous ne trouvez pas ?

– Oui, dans ce cas-là, détruisons les prisons et abolissons la peine de mort puisque les criminels paieront plus tard.

– La peine de mort a déjà été abolie, Sire.

– Ah oui, c'est vrai. J'ai du mal à m'y faire…

– Enfin, quoi qu'il en soit, ce que vous avez réussi est beau.

C'est bien de vous être lancé dans cette guerre contre les djihadistes. Pour sauver la France. Pour sauver le monde. Vous n'étiez pas obligé. Je dois reconnaître que vous êtes resté le grand homme que le monde se rappelle.

Il se tut et hésita quelques secondes.

– Même si vos manières laissent quelque peu à désirer... ajouta-t-il.

– Ah bon? s'exclama Napoléon, surpris. Je n'ai pourtant tué personne.

– Je ne parle pas de cela, mais de la pauvre Georgette. L'avoir utilisée comme repoussoir. Vous ne trouvez pas que vous avez été un peu cruel avec elle?

– Un peu? J'ai été un vrai restant de galère, vous voulez dire!

– Oui, enfin, je n'aurais pas dit ça comme ça, mais bon.

– Il fallait la réveiller, la sortir de cet état végétatif dans lequel elle s'était murée.

– Arrêtez, dans une seconde vous allez dire que vous êtes un chic type et que c'était pour son bien!

– Mais exactement! Elle avait besoin d'un bon coup de pied dans le derrière. Et que l'on vous choisisse pour repousser un homme n'est point ce qu'il y a de mieux pour votre estime. Il y a des gens qui ont besoin qu'on les secoue un peu. Ça s'appelle du *cotchedepersonaldevelopmente*.

– Hein?

– Entraîneur de développement personnel.

– Ah, je vois.

– Et ça a marché, vous avez vu, la pauvre, elle n'a pas ouvert une seule fois la bouche pendant le retour. Que ce soit pour parler ou boire un coup.

– Tu m'étonnes, elle était fâchée contre vous!

– Vous savez, être un bon père, c'est accepter d'être détesté. C'est la même chose que l'on commande une armée ou une famille.

– Eh bien, vous pouvez être content, vous avez réussi !
Elle vous déteste.

– Elle comprendra vite. Dès qu'elle sera dégrisée. Elle
comprendra que je l'ai aidée à sortir du trou. Je ne mentais
pas quand je lui disais que c'était une étoile que jamais
personne n'avait allumée. Ce n'était pas de la démagogie.
Je le pensais. Et je me tiendrai pour satisfait si jamais j'ai
réussi à illuminer ne serait-ce qu'une petite étincelle de vie
et d'espoir chez elle.

– Re-vive l'Empereur, donc !

– Re-vive la Grande Armée ! Vous savez, la principale
qualité d'un bon dirigeant de guerre, comme de toute
abeille impériale, est de savoir bien s'entourer. De trouver
les bonnes petites ouvrières, constructrices, butineuses,
nourrices qui feront fructifier la ruche. Vous avez tous été
merveilleux.

– Oh, je n'ai rien fait. Je n'ai absolument joué aucun rôle
dans cette opération. Je ne suis qu'une pièce rapportée.

Ce n'était pas de la fausse modestie. Son rôle s'était en
effet borné à balancer des petites boulettes de papier dans
une corbeille et éviter des ventilateurs. Score : 46 000 points.
Niveau expert.

Napoléon but une gorgée de Coca Light.

– Je vous ai réservé le meilleur pour la fin. Votre plus grand
rôle commence maintenant, Annonciade.

L'Empereur indiqua son entrejambe avec un petit
sourire.

– Vous croyez qu'il acceptera ? demanda-t-il, incertain.

Depuis que le Dr Lattimer était décédé, c'était sa fille
Evan qui avait hérité de sa grande collection de curiosités
de guerre. Et donc, de la fameuse boîte à biscuits.

– Nous la convaincrons, dit le grand Corse.

– Et c'est là que vos brillantes capacités en reconstruction
chirurgicale entrent en jeu.

Le médecin dodelina de la tête, à la fois honoré et soucieux. Ce n'était pas tous les jours que l'on vous demandait de recoudre le plus petit pénis du plus grand Empereur de France.

Napoléon sur l'Île de Beauté

Lorsqu'une célébrité mourait, il y avait toujours quelques illuminés adeptes de la théorie du complot pour assurer qu'ils l'avaient vue sur une île déserte en train de jouer aux cartes avec d'autres vedettes disparues. Marilyn Monroe, Albert Einstein, Elvis Presley n'étaient pas morts. Non. Ils jouaient aux cartes tous ensemble quelque part dans l'océan Pacifique. Tout le monde savait cela.

Si Napoléon n'était pas encore mort, il se trouvait bien sur une île, à la différence qu'elle n'était pas déserte, qu'il ne jouait pas aux cartes et que ses compagnons n'étaient aucune vedette de la chanson ou de la science, mais la femme qui avait redonné un sens à sa vie et réchauffé son cœur depuis qu'il s'était décongelé.

Accoudée à la rambarde du voilier, Charlotte regardait le large. Une légère brise soulevait de temps à autre une mèche de ses cheveux ondulés. Derrière elle, la tenant par la taille, Napoléon respirait à plein nez le doux mélange composé du parfum corporel de son amour et des embruns. Il avait troqué son tee-shirt du *Chat-qui-rat*, qui avait tout de même besoin d'un bon nettoyage, contre une belle chemise en soie Dolce & Gabbana, le célèbre tailleur corse.

Charlotte se retourna et ils s'assirent sur le pont, les pieds dépassant du bateau pour sentir l'écume fraîche leur lécher le bout des orteils.

Napoléon jeta un regard sur son île, au loin.

Il imagina Le Vizir, sur la rive, en train de brouter le foin qu'on lui avait laissé, sur la rade du port Tino-Rossi. Sur les conseils de Charlotte, il avait récupéré l'animal en l'échangeant contre une vieille lettre de la main même de Napoléon (qu'il avait écrite la veille). Le riche collectionneur qui lui avait offert la Ferrari et le jet n'avait pas hésité une seule seconde, reconnaissant aussitôt l'écriture dynamique et flamboyante, presque illisible, de son idole (le papier, une page arrachée du *Voici* de la semaine précédente, ne semblait pas l'avoir troublé plus que ça). Le petit Corse avait fait deux heureux d'un seul coup. La jeune ex-danseuse de french cancan avait sauté au cou de son impérial amoureux en voyant la bête débarquer un matin d'un camion. Elle trouvait qu'un cheval blanc, c'était quand même beaucoup plus romantique qu'une voiture rouge. Le mythe du prince charmant sur son cheval blanc n'était pas encore mort. Du moins, dans le cœur des vraies princesses.

Napoléon regardait son île.

La dernière fois c'était en 1799, à son retour d'Égypte. Deux siècles pour revoir à nouveau sa Corse natale, sentir le parfum du maquis. Les rochers et l'eau n'avaient pas changé. La mer non plus. Il y avait juste un tout petit peu plus de constructions sur la rive. Mais le charme n'avait pas disparu.

Il leva les yeux au ciel. Lorsqu'il avait le mal de cette nouvelle époque, il n'avait qu'à lever les yeux au ciel, où qu'il soit, pour avoir l'impression d'être revenu dans le temps, chez lui. Car le ciel était le même qu'en 1800. Sauf quand un avion passait et laissait derrière lui ses traînées de condensation blanchâtres. Le ciel le réconfortait un peu. Et puis, Charlotte lui manquant déjà, il posait à nouveau son regard sur elle, revenant à la réalité. Charlotte était une machine à voyager dans le temps, à voyager dans l'amour. Dans cette nouvelle époque où tout était jetable, les rasoirs, les appareils photo, les hommes, les femmes, les amis, elle serait son élément durable, éternel. Il avait envie qu'elle l'accompagne pour le reste de sa nouvelle vie.

Maintenant que le professeur Bartoli lui avait pratiqué la chirurgie de l'ulcère gastrique (une opération consistant en l'ablation de la partie de l'estomac où se trouvait le trou), il pourrait passer le reste de ses jours à manger des huîtres, des oursins et du poisson grillé, de la bonne charcuterie de son pays, du cochon noir, et à boire du Coca-Cola Light bien sûr. En revanche, le médecin n'avait pas pu le guérir de ces hémorroïdes qui lui démangeaient le derrière une bonne partie du temps, mais maintenant, il avait Anusol Plus. Et c'était plus facile de vivre avec.

La belle vie pouvait commencer.

Il la méritait.

Il avait aidé au triomphe du bien sur la Terre. La petite abeille impériale avait eu raison de l'affreux ours et avait sauvé sa ruche. Elle pourrait maintenant prendre le repos qui lui revenait de droit. On ne la féliciterait certainement jamais, mais elle aurait toujours la satisfaction de savoir, elle, ce qu'elle avait accompli. Personne ne connaîtrait la véritable histoire. Pas même François Hollande, Nicolas Sarkozy ou Manuel Valls, qui seraient satisfaits qu'on ait fait le boulot à leur place. Le président de la République pourrait revendiquer l'opération en son nom si cela lui chantait. Pour une fois qu'il pourrait revendiquer une grande idée.

On ne comprendrait jamais comment les djihadistes avaient fini par se convertir au « hippisme », et étaient devenus des *happyculteurs*, mais, après tout, le plus important était le résultat. Pour vivre heureux, vivons cachés, lui avait dit Charlotte, comme Bartoli le jour de leur rencontre. Et il avait mis une croix sur son besoin de reconnaissance, pour vivre heureux et tranquille avec elle, sur cette île, loin de tout.

Les deux amoureux n'avaient pas revu Sharon, Valentin, les filles du Moulin Rouge, Rachid et Mamadou. Mais ils avaient reçu quelques mails et sms qui leur avaient donné des nouvelles après leur séparation.

Georgette ne travaillait plus au Chaud Lapin de Pigalle. Il lui avait suffi que quelqu'un croie en elle, son arrière-grand-père, en l'occurrence, et le lui dise, pour qu'elle croie aussi en elle. Quelquefois, le destin ne tenait qu'à cela, que quelqu'un croie en vous, au moins une fois dans votre vie. Sa grande connaissance des alcools et spiritueux français et son don d'identifier n'importe quel grand cru par le seul bruit de son bouchon qui saute, lui avaient ouvert les portes en cristal du luxueux restaurant étoilé Le Cinq, situé dans le non moins luxueux hôtel George-V, où elle avait trouvé un poste de sommelière stagiaire, dans l'attente de devenir dans quelques années, elle en était persuadée, sommelière en chef. En attendant qu'elle apprenne les bonnes manières qui lui avaient toujours manqué, elle travaillait en cuisine, loin des tables et du public. Elle avait d'ailleurs entrepris, de sa propre volonté, un régime draconien, mélange de Dukan, Slim-Fast, Weight Watchers, Burger King et Head & Shoulders, qui lui avait déjà fait perdre 150 kg. Pour peu qu'on la regarde de dos, dans une rue pas trop éclairée, vers 22 heures, on aurait même pu la prendre pour l'autre Sharon.

Valentin, lui, avait entrepris, avec son nouveau mari Roberto, des démarches administratives pour adopter Chinh Truc Doan Trang Xuan Phong, un joli petit bébé vietnamien qu'ils avaient rencontré durant leur lune de miel et dont ils étaient tombés fous amoureux. Ils pensaient tout de même le rebaptiser en France avec un nom plus prononçable dès leur retour de Hanoï. Kevin ou Brandon. Chaque fois qu'il regardait le joli visage exotique de son fils, Valentin se jurait de ne jamais plus penser que peut-être, hypothétiquement, il pourrait voter Front national.

Les danseuses, Peggy, Adeline et Mireille avaient troqué le Moulin Rouge contre le McDonald's Champs-Élysées. Elles étaient pareillement exploitées, gagnaient le même salaire et devaient travailler le week-end, mais aucun contrat ne les obligeait à surveiller leur ligne. Bien au contraire, on les invitait à goûter autant qu'elles le voulaient aux hamburgers. Elles se sentaient du coup plus en forme. Elles avaient déjà pris dix kilos chacune. Et puis l'uniforme et la petite casquette n'étaient pas si mal.

À propos d'uniforme, Hortense avait trouvé un emploi comme pilote de ligne chez Ryanair, après avoir repassé l'examen. Juste pour l'amour du métier, car question salaire, elle gagnait autant que ses copines chez McDo. Dans un souci de justice, la compagnie low-cost pratiquait ses petits prix aussi bien avec ses clients qu'avec ses employés.

Mamadou avait définitivement laissé le monde du balai. Encouragé par Napoléon et par son rôle prédominant dans la mission « Éclair », il se préparait maintenant avec assiduité pour le concours interne de l'Ena, réservé aux agents de la fonction publique ayant au moins quatre années de service effectif, critères auxquels il répondait, car un balayeur municipal était, jusqu'à preuve du contraire, un agent de la fonction publique. Il désirait devenir ministre en France. Mamadou était tenace. Il le deviendrait. Sans aucun doute. Il avait une préférence pour le ministère de la Culture. À cet égard, il avait remis au musée assyrien de Paris la statuette en bois qu'il avait retirée du pied de la table avant d'abandonner l'appartement de Mohammed Mohammed. Popocaca lui en serait éternellement reconnaissante.

Rachid, quant à lui, avait repris ses fonctions à la Grande Mosquée de Paris où il dirigeait les prières. Son expérience avec son grand-papa Napoléon lui avait ouvert les yeux sur ces jeunes désœuvrés qui assistaient parfois au rite sans trop savoir ce qu'ils cherchaient dans la pratique de leur religion.

Il insistait sur le besoin d'une croyance saine, sur l'amour et sur la stupidité des fanatiques qui avaient toujours été à côté de la plaque et qui avaient retrouvé maintenant le bon chemin en détruisant leurs armes et en organisant des barbecues dans les centres de vacances où ils répandaient désormais la bonne parole. Rachid s'en était donné à cœur joie dans son rôle de Mahomet, lors de l'opération « Éclair », et il prêchait aujourd'hui dans sa mosquée avec la même exaltation, la même passion, la même satisfaction qui l'avaient habité ce soir-là, à Raqqa.

L'air iodé chatouilla les narines impériales de Napoléon.

Quant à lui, il avait suivi les conseils de Valentin et écrit un livre de développement personnel sous un nom d'emprunt (on lui avait déconseillé d'utiliser celui de Lionel Messi qui figurait sur son passeport) qui lui rapportait le peu d'argent dont il avait besoin pour vivre confortablement, avec sa dulcinée, dans sa maison d'enfance de la rue Saint-Charles, à Ajaccio. *La méthode Napoléon ou comment atteindre tous vos objectifs pour être heureux dans la vie* retraçait la dernière opération du petit Corse divisée en chapitres et en autant de leçons (identifier un objectif, se donner tous les moyens pour y parvenir, savoir s'entourer des bonnes personnes, retrouver confiance en soi à l'aide d'un objet personnel qui nous est cher, en l'occurrence un bicorne, ou tout autre chapeau en papier journal, se sentir grand alors qu'on est petit, en montant sur un cheval, ou sur une chaise le cas échéant, et tout un tas d'autres trucs et techniques pour se sentir le meilleur et conquérir le monde).

Maintenant qu'on l'avait décongelé, Napoléon ne savait pas combien de temps il survivrait. Il était peut-être très vieux ; dans sa tête, il se sentait encore jeune. Ces deux siècles pendant lesquels il dormait dans son bloc de glace, il ne voulait pas les compter, un peu comme quelqu'un né un 29 février qui tricherait en ne fêtant ses anniversaires qu'une fois tous les quatre ans. Charlotte lui avait dit que la crème de jour Barbara Gould n'arrêterait jamais le passage des années sur lui. Que nous étions tous condamnés à vieillir et que c'était beau de le faire ensemble. Alors, il avait demandé à son ami médecin de lui ôter quelques rides du front et de tirer un petit peu les joues. Juste assez pour qu'il retrouve une apparence de jeunesse et que Charlotte et lui soient plus raccord.

On ne savait jamais ce qui nous attendait au fond. Il fallait profiter du moment présent. Et pourquoi ne pas faire un tout petit Corse ensemble aussi ? La folie paternelle lui était revenue, comme à l'époque. Son petit aigle pourrait à présent vivre dans un monde meilleur. Ce monde n'était peut-être pas parfait, mais, au moins, il ne risquerait plus de se faire tuer pour un dessin. Qui sait ? Peut-être un jour irait-il même en vacances dans l'un de ces charmants camps islamiques. Ils l'appelleraient Findus, Findus Bonaparte, en l'honneur du marin norvégien qui lui avait offert cette seconde chance. Et puis, Findus, ça avait une petite consonance latine qui n'était pas pour lui déplaire. L'Empire romain avait toujours été une référence pour lui. Findus Buonaparte, ça en jetait, tout de même ! Avec un nom pareil, il briserait une fois pour toutes la malédiction des noms à la con de ses descendants.

– Profitons du moment présent, dit l'Empereur en lançant un petit regard coquin sur son entrejambe. Je suis maintenant un homme entier...

La jeune femme esquissa un sourire complice.

– Pour moi, tu as toujours été un homme entier.

Napoléon ne s'était pas trompé lorsqu'il avait annoncé au professeur Bartoli que ce ne serait pas un problème de récupérer son sexe. La fille du Dr Lattimer était même partie chercher la boîte à biscuits en courant, tout excitée qu'elle était de pouvoir enfin se débarrasser de ce qu'elle appelait « ce vieux machin riquiqui » qui ne lui avait jamais servi, même pendant ses longues périodes de solitude. Elle n'avait rien demandé en échange.

En voyant l'engin, une fois arrivés à la clinique d'Ajaccio, le professeur Bartoli avait aussitôt proposé de greffer à l'Empereur le sexe d'un DJ jamaïcain récemment débarqué sur l'Île de Beauté et ayant trouvé la mort électrocuté après avoir tenu à animer sa soirée les mains sur ses platines et les pieds dans l'eau, dans une calanque de Piana. Mais Napoléon avait préféré son pénis. Il ne voulait pas bander avec le sexe d'un autre. 2,62 centimètres, c'était peu, mais c'était les siens. 4 cm au garde-à-vous. Charlotte aimait dire « garde-à-vous » à son soldat. Et l'Empereur aimait qu'elle le lui ordonne.

Et en parlant de garde-à-vous, il avait envie de remettre ça, là, maintenant, tout de suite. Il sentit monter en lui le désir d'étreindre Charlotte et de la rendre sienne. Charlotte, c'était toutes ses victoires. Il s'approcha d'elle. En amour comme à la guerre, pour en finir, il fallait se voir de près.

Il l'embrassa, avec passion, puis lui fit signe d'attendre.

Il sortit alors de sa poche une petite dragée bleue en forme de losange et l'avala avec une gorgée de Coca-Cola Light.

— Cette époque est vraiment formidable, dit Napoléon avant de s'avachir sur son transat.

Le Viagra allait bientôt agir.

Ce 343e titre du Dilettante a été achevé d'imprimer à 29 999 exemplaires le 17 juillet 2015 par l'Imprimerie Floch à Mayenne (Mayenne). Il a été tiré, en outre, 13 exemplaires sur vélin Rivoli blanc, numérotés à la main. L'ensemble de ces exemplaires constitue l'édition originale de « Re-vive l'Empereur » de Romain Puértolas.

Dépôt légal : 3e trimestre 2015
(88640)
Imprimé en France